Cuisine de choix

perspectives

Cuisine de choix
de Margo Oliver

LES ÉDITIONS OPTIMUM LIMITÉE

Réalisation	Gordon Reid
Illustrations	Carlo Italiano
Photographies — Intérieur	Charlie King
	Doug Lingard
	Julius Szelei
Couverture	Doug Lingard
Traduction et rédaction	Isabelle Lefrançois

Publié par Les Éditions Optimum Limitée
245, rue St-Jacques, Montréal, Québec. H2Y 1M6
Michael S. Baxendale, directeur général

© 1977 Ottawa Les Éditions Optimum Limitée

Imprimé et relié au Canada
Première impression octobre 1977

ISBN 0-88890-068-6

Table des matières

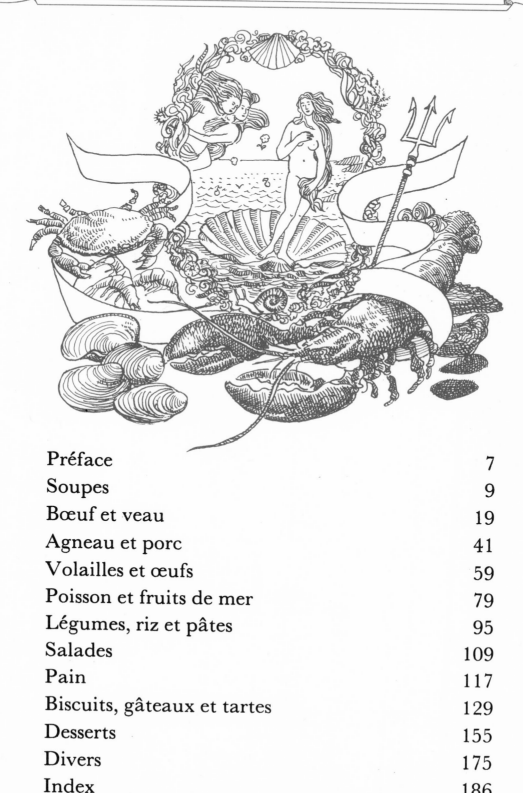

Préface

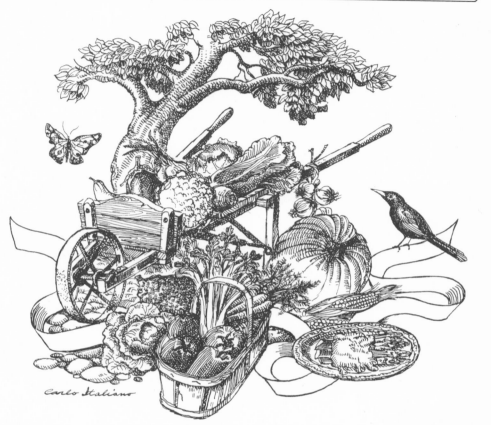

Pourquoi une recette nous est-elle particulièrement chère? Elle est un peu compliquée, peut-être, mais vaut un plat si spectaculaire qu'il devient, à coup sûr, le clou d'un repas. Ou, bien que toute simple, elle permet de recevoir avec beaucoup d'élégance. Mais il se peut qu'elle ne donne qu'un bon plat de famille, toujours aimé. Quoiqu'il en soit, une recette trésor en est toujours une que nous tenons beaucoup à conserver.

Le livre que voici est fait de recettes trésors. Construit comme la plupart des ouvrages de cuisine, il se divise en chapitres traitant toute la gamme des plats, des soupes aux desserts. Mais chacune des recettes qu'il contient a été choisie par mes lecteurs, ceux de ma chronique dans Perspectives. C'en est une au sujet de laquelle ils m'ont écrit et qu'ils m'ont demandée . . . et redemandée quand ils l'avaient perdue.

Mes lecteurs s'adonnent maintenant à la grande cuisine, et j'en connais qui sont prêts à dépenser temps et argent pour régaler leurs amis et leur famille de plats nouveaux et souvent très recherchés. Vous trouverez ici quantité de recettes de tous les jours mais aussi le secret de mets rares qui, s'ils vous prennent plus de temps et de patience à préparer, établissent solidement une réputation de cordon-bleu.

Margo Oliver

Soupes

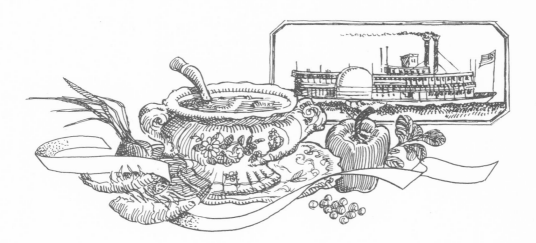

Les bonnes soupes font les bons vivants. Elles constituent aussi bien une entrée magnifique que le clou d'un repas. Elles rassasient à la fois l'appétit de ceux qui les mangent et l'esprit créateur de ceux qui les élaborent. Faire une soupe, c'est vivre chaque fois une aventure nouvelle. C'est sa finesse qui fait la valeur d'un bouillon, tandis qu'un potage ou une bisque ont tout avantage à être fortement épicés. C'est à force d'essayer, de goûter et de varier les dosages qu'on devient expert en soupe.

Épicure prétendait que les seules bonnes soupes sont celles dont le bouillon provient d'ingrédients de première main. Semblable bouillon est certes délicieux. Mais n'oubliez pas que l'on peut, et que l'on doit, faire de succulentes soupes avec les restes.

Évidemment, une soupe à base de bouillon maison est toujours extraordinaire, mais on n'a pas toujours ce précieux ingrédient sous la main. Le lait et les jus de cuisson de légumes peuvent alors remplacer le bouillon pour faire de bons chowders et des crèmes de légumes veloutées. Et ne boudez pas ces merveilleux auxiliaires que savent être les bouillons en boîtes, en sachets et en cubes.

Voici un bon choix de recettes. Certaines de ces soupes sont presque un plat de résistance. D'autres, plus légères, commencent merveilleusement un repas. Et il y a des soupes froides, plus rares mais si savoureuses.

CRÈME D'ASPERGES
(à faire au mélangeur électrique)

¾ de tasse d'eau
¾ de cuil. à thé de sel
1 livre d'asperges
1 tasse de crème simple (15 p.c.)
⅛ de cuil. à thé de poivre
¼ de cuil. à thé de feuillage de fenouil séché
   (facultatif)
2 cuil. à table de beurre

Chauffer l'eau, à laquelle on aura ajouté le sel, jusqu'à ébullition. Ajouter les asperges, coupées, en diagonale, en bouts de ¼ de pouce, couvrir et cuire environ 5 minutes ou jusqu'à ce que les asperges soient tendres. Mettre les asperges et leur eau de cuisson dans le bocal d'un mélangeur électrique et fouetter jusqu'à ce que ce soit lisse. Ajouter la crème, le poivre et le fenouil et fouetter encore. Remettre dans la casserole et bien chauffer sans toutefois laisser bouillir. Ajouter le beurre. (4 portions)

A la soupe! dit-on pour convier
les siens à table.
Une soupe, chaude ou froide,
plus que tout autre plat
donne le ton à un repas

SOUPE A L'ORGE

8 tasses de bouillon de bœuf
¾ de tasse d'orge perlé
4 carottes, en bouts de 1 pouce
2 oignons, grossièrement hachés
2 petits navets blancs, en cubes de 1 pouce de
   côté
2 branches de céleri, en bouts de 1 pouce
1 poireau (la partie blanche seulement), haché
1 tasse de champignons tranchés
¼ de tasse de beurre
¼ de cuil. à thé de poivre
Sel
¼ de tasse de persil haché

Chauffer le bouillon jusqu'à ébullition. Rincer l'orge à l'eau froide courante et l'ajouter au bouillon bouillant. Chauffer de nouveau jusqu'à ébullition, baisser le feu, couvrir et faire mijoter 1½ heure ou jusqu'à ce que l'orge commence à être tendre. Ajouter les légumes et continuer la cuisson 30 minutes ou jusqu'à ce qu'ils soient tendres. Ajouter le beurre et le poivre, en brassant. Goûter et ajouter du sel si cela est nécessaire. Ajouter le persil (6 portions).

SOUPE AUX HARICOTS ET AU MACARONI

1 tasse de haricots secs (kidney beans)
4 tasses d'eau froide
1 cuil. à table d'huile d'olive ou d'une autre
   huile à cuisson
1 gros oignon, haché
1 gousse d'ail hachée fin
1½ tasse de chou déchiqueté très fin
2 grosses carottes, hachées
1 boîte de 28 onces de tomates
1 cube de bouillon de bœuf
1½ cuil. à thé de sel
¼ de cuil. à thé de poivre
½ cuil. à thé de feuilles de basilic séchées
1 tasse de macaroni en coquilles
2 cuil. à table de persil haché
Parmesan râpé

Faire tremper les haricots dans de l'eau froide, pendant toute une nuit. Les égoutter, mesurer leur eau de trempage et y ajouter suffisamment d'eau fraîche pour avoir 5 tasses de liquide. Mettre les haricots dans une grande casserole et ajouter les 5 tasses d'eau. Chauffer jusqu'à ébullition, baisser le feu, couvrir et faire mijoter, 1 heure ou jusqu'à ce que les haricots commencent à être tendres. **Chauffer** l'huile dans une petite poêle épaisse et y cuire l'oignon et l'ail 5 minutes, à feu doux et en brassant. Ajouter aux haricots, ainsi que le chou, les carottes, les tomates, le cube de bouillon, le sel, le poivre et le basilic. Couvrir et faire mijoter 30 minutes. **Cuire** le macaroni 3 minutes, dans une abondante quantité d'eau bouillante salée. Égoutter. Ajouter à la soupe, ainsi que le persil, et faire mijoter 10 minutes. Goûter et rectifier l'assaisonnement. Servir en parsemant généreusement chaque bol de parmesan râpé. (De 6 à 8 portions)

SOUPE AU CHOU ET AUX TOMATES

2 cuil. à table de beurre
2 tasses de chou grossièrement coupé
2 tasses d'eau
1 cuil. à thé de sel
2 cuil. à table de farine
¼ de tasse d'eau froide
2 tomates moyennes, pelées, épépinées et
   grossièrement hachées
1 cuil. à table de persil séché
½ cuil. à thé de feuilles de basilic séchées
¼ de cuil. à thé de sel de céleri
⅛ de cuil. à thé de sel d'ail
⅛ de cuil. à thé de poivre
3 tasses de lait

Chauffer le beurre dans une grande casserole. Y cuire le chou 3 minutes, à feu doux et en brassant. Ajouter

2 tasses d'eau et le sel, chauffer jusqu'à ébullition, baisser le feu et faire mijoter 5 minutes. Faire bouillir de nouveau. Agiter vigoureusement, dans un petit bocal fermant hermétiquement, la farine et ¼ de tasse d'eau. Ajouter au liquide bouillant, petit à petit et en brassant. Ajouter aussi les tomates et les assaisonnements. Chauffer jusqu'à ébullition, baisser le feu et faire mijoter 5 minutes, en brassant souvent. Ajouter le lait et chauffer jusqu'au point d'ébullition. Servir immédiatement. (6 portions)

SOUPE AU CHOU-FLEUR

1 chou-fleur moyen, défait en bouquets
2 carottes, tranchées
⅓ de tasse de beurre
5 cuil. à table de farine
1 boîte de 10 onces de consommé
4 tasses de liquide (eau de cuisson des légumes et eau)
1 piment vert moyen, en dés
1½ cuil. à thé de sel
¼ de cuil. à thé de poivre
1 cuil. à thé de sucre
2 jaunes d'œufs, légèrement battus

Cuire séparément, à l'eau bouillante légèrement salée, le chou-fleur et les carottes jusqu'à ce que ces légumes soient tendres mais encore un peu croustillants. Égoutter et conserver l'eau de cuisson.

Faire fondre le beurre dans une grande casserole. Saupoudrer de la farine et bien mêler. Retirer du feu et ajouter le consommé. Ajouter suffisamment d'eau bouillante à l'eau de cuisson des légumes pour obtenir 4 tasses de liquide et verser le tout dans la casserole, en brassant. Continuer la cuisson, à feu vif et en brassant constamment, jusqu'à ébullition. Ajouter le piment vert, le sel, le poivre et le sucre. Baisser le feu et laisser mijoter 3 minutes.

Ajouter aux jaunes d'œufs environ 1 tasse de la préparation bien chaude, petit à petit et en brassant constamment. Remettre le tout dans la casserole, en brassant constamment. Ajouter le chou-fleur et les carottes et cuire doucement, en brassant, pendant 2 minutes. Servir immédiatement. (6 portions)

CONSOMMÉ RELEVÉ DE CITRON

2 boîtes de 10 onces de consommé de bœuf
2½ tasses d'eau
1 cuil. à table de jus de citron
2 cuil. à thé de zeste de citron râpé
Lamelles de citron

Mettre dans une casserole le consommé, l'eau, le jus et le zeste de citron. Chauffer et laisser mijoter 5 minutes. Mettre dans des tasses à soupe et couronner chacune d'une lamelle de citron. (6 portions.)

SOUPE AU MAÏS
(à faire au mélangeur électrique)

3 cuil. à table de beurre
1 oignon moyen, tranché mince
½ tasse de piment vert en petits dés
2 pommes de terre moyennes, tranchées mince
2 tasses d'eau bouillante
2 tasses de lait
1 cuil. à table de farine
1 petit morceau de feuille de laurier
1 cuil. à thé de sel
¼ de cuil. à thé de poivre
1 boîte de 19 onces de maïs en crème

Chauffer le beurre dans une casserole moyenne. Y cuire l'oignon et le piment vert 3 minutes, à feu doux et en brassant. Ajouter les pommes de terre et l'eau et chauffer jusqu'à ébullition. Baisser le feu, couvrir et faire mijoter, 15 minutes ou jusqu'à ce que les pommes de terre soient tendres. Faire un mélange lisse dans une partie du lait (environ ¼ de tasse) et la farine et ajouter, en brassant, à la préparation bouillante. Ajouter aussi ce qui reste de lait, le laurier, le sel, le poivre et le maïs. Faire mijoter 15 minutes et jeter le laurier.

Passer au mélangeur électrique, la moitié du mélange à la fois, pour que la soupe soit presque lisse. Servir très chaud ou glacé. (6 portions)

BISQUE DE MAÏS

¼ de livre de lard salé, en dés
2 oignons moyens, tranchés mince
4 tasses de pommes de terre crues, en cubes de ½ pouce
2 tasses d'eau
2 tasses de maïs frais, cuit (2 gros épis dont on coupe les grains, une fois cuits)
1 tasse de lait
1 tasse de crème simple (15 p.c.)
1½ cuil. à thé de sel
¼ de cuil. à thé de poivre
1 cuil. à table de beurre
1 cuil. à table de farine
¼ de tasse de persil haché finement
Craquelins

Faire frire le lard salé à feu doux, dans une grande casserole épaisse, jusqu'à ce que cette dernière soit bien graissée. Ajouter les oignons et cuire, à feu doux et en brassant, pendant 5 minutes. Ajouter les pommes de terre et l'eau, chauffer jusqu'à ébullition, baisser le feu, couvrir et laisser mijoter, 10 minutes ou jusqu'à ce que les pommes de terre soient juste tendres.

Ajouter le maïs, le lait, la crème et les assaisonnements et chauffer jusqu'au point d'ébullition. Travailler ensemble le beurre et la farine et ajouter à la préparation, par pincée et en brassant bien après chaque addition. Laisser mijoter 1 minute. Parsemer du persil.

Mettre dans des bols, sur des craquelins. (De 4 à 6 portions)

SOUPE AU CARI ET AU MAÏS
(à faire au mélangeur électrique)

2 tasses de maïs cru (voir note)
1 cuil. à table d'oignon haché fin
1 tasse de lait
2 cuil. à table de beurre
½ cuil. à thé de poudre de cari
1 tasse de crème simple (15 p.c.)
½ cuil. à thé de sel
⅛ de cuil. à thé de poivre
Persil haché

Mettre le maïs, l'oignon et le lait dans une casserole moyenne. Chauffer jusqu'à ébullition, baisser le feu, couvrir et faire mijoter 20 minutes. Verser dans le bocal d'un mélangeur électrique et faire tourner le mélange pour qu'il devienne presque lisse.
Chauffer le beurre dans la casserole déjà utilisée. Ajouter la poudre de cari et cuire 3 minutes, à feu doux et en brassant. Ajouter au maïs, ainsi que la crème, le sel et le poivre. Chauffer, en brassant constamment. Goûter et rectifier l'assaisonnement s'il y a lieu. Servir très chaud, parsemé de persil haché. (3 portions)
Note: détacher les grains des épis avec un couteau tranchant.

SOUPE FROIDE AU CONCOMBRE

2 concombres moyens
4 tasses de babeurre
1 cuil. à table d'oignons verts, finement hachés
¼ de tasse de persil finement haché
1 cuil. à thé de sel
1 pincée de poivre
Petites lamelles de concombre non pelé

Peler les concombres et les débarrasser de leurs graines. Les couper en petits dés. Ajouter le babeurre, les oignons, le persil, le sel et le poivre et mêler. Bien refroidir.
Brasser et mettre dans des tasses à soupe refroidies. Décorer chaque portion d'une lamelle de concombre. (De 4 à 6 portions)

POTAGE CRÈME DE LAITUE

¼ de tasse de beurre
4 tasses de laitue finement déchiquetée
1 cuil. à table d'oignons verts, finement hachés
2 cuil. à table de farine
1 tasse de crème simple (15 p.c.)
2 tasses de bouillon de poulet
½ cuil. à thé de sel
¼ de cuil. à thé de sauce Worcestershire
2 cuil. à table de ciboulette hachée
Croûtons (recette ci-après)

Chauffer le beurre dans une casserole. Ajouter la laitue et les oignons et cuire, à feu vif et en brassant constamment, 1 minute ou jusqu'à ce que la laitue soit ramollie.

Saupoudrer de la farine et bien mêler. Retirer du feu et ajouter la crème et le bouillon, d'un trait et en mêlant bien. Continuer la cuisson, à feu moyen, jusqu'à ébullition. Baisser le feu, ajouter le sel et la sauce Worcestershire et faire mijoter 3 minutes.
Ajouter la ciboulette et mettre dans des tasses à soupe. Parsemer des croûtons et servir immédiatement. (De 4 à 6 portions)

Croûtons

3 tranches de pain, de la veille
2 cuil. à table de beurre

Enlever et jeter les croûtes des tranches de pain; couper la mie en cubes de ¼ de pouce. Chauffer le beurre dans une poêle épaisse et y cuire les cubes de pain, en brassant, jusqu'à ce qu'ils soient dorés et croustillants. Laisser refroidir.

MINESTRONE A LA CALIFORNIENNE

1 tasse de petits haricots de Lima secs
¼ de livre de lard salé, en cubes de ¼ de pouce
1 oignon moyen, haché
1 gousse d'ail, émincée
6 tasses d'eau bouillante
2 cubes de bouillon de bœuf
2 cuil. à thé de sel
¼ de cuil. à thé de poivre
1 grosse carotte, en dés
2 tasses de cubes de navet, de ½ pouce
2 branches de céleri, tranchées
1 boîte de 19 onces de tomates
1 petit morceau de feuille de laurier
¼ de cuil. à thé de feuilles de basilic séchées
2 tasses de chou déchiqueté fin
1 tasse d'épinards déchiquetés, mesurés bien tassés

Rincer les haricots à l'eau froide courante.
Mettre le lard salé dans une grande marmite et le cuire à feu doux, pour le bien graisser. Ajouter l'oignon et l'ail et cuire 3 minutes, à feu doux et et brassant. Ajouter l'eau, les cubes de bouillon, le sel, le poivre et les haricots. Chauffer jusqu'à ébullition, baisser le feu, couvrir hermétiquement et faire mijoter, 1 heure ou jusqu'à ce que les haricots commencent à être tendres.
Ajouter la carotte, le navet, le céleri, les tomates, le laurier et le basilic. Faire mijoter, 30 minutes ou pour que les légumes soient juste tendres. Ajouter le chou et continuer la cuisson 5 minutes. Ajouter les épinards et cuire encore 5 minutes. Goûter et rectifier l'assaisonnement s'il y a lieu. Servir très chaud. (De 6 à 8 généreuses portions)

SOUPE A L'OIGNON A L'ESPAGNOLE

2 gros oignons blancs un peu sucrés, dits
    espagnols
½ tasse d'huile d'olive
6 tasses de bouillon de bœuf
1 cuil. à thé de sel
¼ de cuil. à thé de poivre
1 pincée de macis
1 pincée de clou de girofle en poudre
1 cuil. à thé de vinaigre de vin
2 cuil. à table de persil haché
6 œufs
6 tranches de pain croûté, rôties
Fromage râpé (facultatif)

Détailler les oignons en lamelles. Chauffer l'huile, dans une grande casserole, y mettre les oignons, couvrir et cuire, à feu doux, 30 minutes ou jusqu'à ce que les oignons soient bien ramollis. Découvrir et continuer la cuisson jusqu'à ce que les oignons soient légèrement brunis. Ajouter le bouillon, le sel, le poivre, le macis, le clou de girofle, le vinaigre et le persil. Chauffer jusqu'à ébullition, baisser le feu, couvrir et faire mijoter 20 minutes.
Faire pocher les œufs, en les gardant mollets (voir note). Mettre les tranches de pain dans 6 bols et poser dessus les œufs. Remplir les bols de soupe très chaude et parsemer le tout d'un peu de fromage râpé. (6 portions)
Note: les Espagnols font pocher les œufs directement dans la soupe. Je trouve difficile de les en retirer ensuite sans les briser; je préfère donc les pocher séparément.

SOUPE A LA QUEUE DE BOEUF

1½ livre de queue de bœuf, en bouts de ½ pouce
1 cuil. à table d'huile à cuisson
1 tasse d'oignon finement tranché
2 cuil. à table de farine
1 cuil. à thé de sel
¼ de cuil. à thé de poivre
6 tasses de bouillon de bœuf
½ cuil. à thé de feuilles de basilic séchées
½ cuil. à thé de feuilles de marjolaine séchées
¼ de cuil. à thé de feuilles de romarin séchées
¼ de cuil. à thé de sauge
1 tasse de carottes tranchées
1 tasse de poireau (la partie blanche
    seulement), tranché
1 tasse de céleri haché
1 tasse de navet blanc haché
1½ cuil. à thé de jus de citron
1½ cuil. à thé de sauce Worcestershire

Couvrir la queue de bœuf d'eau froide, dans une grande marmite, et chauffer jusqu'à ébullition. Laisser mijoter 5 minutes. Égoutter et bien assécher les morceaux de queue avec du papier absorbant.
Chauffer l'huile dans une grande marmite. Y bien brunir les morceaux de queue, de tous les côtés. Ajouter l'oignon et continuer la cuisson, en brassant, jusqu'à ce qu'il soit légèrement bruni. Saupoudrer de la farine, du sel et du poivre et cuire, en brassant, jusqu'à ce que la farine soit brunie. Ajouter le bouillon, petit à petit et en brassant. Couvrir et faire mijoter 3 heures ou jusqu'à ce que la viande commence à être tendre. Écumer souvent pendant ce temps.
Mettre les fines herbes dans un petit bol. Les couvrir d'un peu de bouillon chaud, couvrir hermétiquement et laisser reposer 10 minutes. Passer le mélange; jeter les herbes et remettre le bouillon dans la marmite. Ajouter les carottes, le poireau, le céleri et le navet et continuer la cuisson, 45 minutes ou jusqu'à ce que tous les légumes soient tendres. Goûter et ajouter du sel et du poivre si cela est nécessaire.
Passer la soupe, en conservant les légumes et les morceaux de queue de bœuf. Réfrigérer le bouillon et le dégraisser, une fois refroidi. Détacher toute la viande des morceaux de queue de bœuf et jeter les os.
Bien chauffer le bouillon, peu avant le moment de servir. Ajouter les bouchées de viande et les légumes et chauffer de nouveau. Ajouter le jus de citron et la sauce Worcestershire, en brassant. (6 portions)
Note: j'aime faire cette soupe la veille du jour où je veux la servir; les mises au point de dernière minute ne prennent alors que fort peu de temps.

*On peut fort bien mijoter
des soupes maison
sans passer des heures aux fourneaux*

POTAGE CRÈME DE PERSIL

2 tasses de persil finement haché
3 tasses de bouillon de poulet
3 tasses de crème simple (15 p.c.)
2 jaunes d'œufs
1 cuil. à thé de sel
1 pincée de poivre de Cayenne
Crème fouettée salée
Persil haché

Mêler le persil et le bouillon de poulet dans une casserole. Chauffer jusqu'à ébullition, baisser le feu, couvrir et faire mijoter 20 minutes.
Battre ensemble légèrement, à la fourchette, la crème simple et les jaunes d'œufs; ajouter au mélange chaud, petit à petit et en brassant. Ajouter le sel et le poivre de Cayenne. Goûter et rectifier l'assaisonnement si cela est nécessaire. Faire tiédir rapidement et bien refroidir ensuite au réfrigérateur.
Servir dans des bols dans lesquels on aura mis, préalablement, un glaçon. Décorer chaque bol d'une petite cuillerée de crème fouettée légèrement salée et d'un peu de persil. Servir immédiatement. (4 portions)

SOUPE AUX POIS
A LA CAMPAGNARDE

1 livre de pois cassés, verts ou jaunes
8 tasses d'eau bouillante
4 tasses de jus de tomate
1 os de jambon, avec un peu de viande
  (voir note)
1½ tasse de pommes de terre en dés
1 tasse de céleri en dés
1 tasse d'oignons en dés
1 tasse de carottes en dés
1 petite feuille de laurier
1 cuil. à thé de sel
¼ de cuil. à thé de poivre

Laver les pois. Les mettre dans une grande marmite. Ajouter l'eau et le jus de tomate et chauffer jusqu'à ébullition. Baisser alors le feu, couvrir hermétiquement et faire mijoter, 45 minutes ou jusqu'à ce que les pois soient tendres.

Ajouter l'os de jambon et tous les autres ingrédients. Couvrir de nouveau et faire mijoter, 45 minutes ou jusqu'à ce que tous les légumes soient tendres. Retirer l'os de jambon, couper en bouchées toute la viande qui y adhère et la remettre dans la soupe. Jeter l'os. Rectifier l'assaisonnement (la quantité de sel nécessaire dépend de ce que le jambon était plus ou moins salé).

Servir très chaud. (8 grosses portions)

Note: on peut utiliser l'os d'un jambon que l'on a fait cuire.

LA REINE DES SOUPES
(à faire au mélangeur électrique)

3 tasses de pommes de terre (3 grosses pommes)
  pelées et coupées en dés
1 tasse de céleri en dés
1 gros oignon, tranché mince
1 poireau, tranché mince (facultatif)
1 gousse d'ail entière (facultatif)
1½ tasse d'eau bouillante
1½ tasse de bouillon de poulet
2 cuil. à thé de sel
¼ de cuil. à thé de poivre
2 tasses de feuilles d'épinards, mesurées bien
  tassées
2 tasses de laitue iceberg déchiquetée, mesurée
  légèrement tassée
1 tasse de feuilles de cresson, mesurées non
  tassées
2 tasses de lait
Croûtons: recette à la page 12

Mettre les pommes de terre, le céleri, l'oignon, le poireau et l'ail dans une grande casserole. Ajouter l'eau, le bouillon de poulet, le sel et le poivre et chauffer jusqu'à ébullition. Baisser le feu, couvrir et faire mijoter 10 minutes. Ajouter les épinards, la laitue et le cresson, couvrir et faire mijoter 15 minutes. Faire tourner au mélangeur,

une petite quantité à la fois, jusqu'à ce que ce soit lisse. Remettre le tout dans la casserole, ajouter le lait et chauffer jusqu'au point d'ébullition. Servir très chaud, garni de croûtons. (De 6 à 8 portions)

SOUPE AUX POIREAUX
ET AUX POMMES DE TERRE
(à faire au mélangeur électrique)

3 cuil. à table de beurre
4 poireaux (la partie blanche seulement),
  hachés
1 oignon moyen, haché
4 grosses pommes de terre, en dés
2 branches de céleri, hachées
6 grosses brindilles de persil
5 tasses de bouillon de poulet
2 cuil. à thé de sel
¼ de cuil. à thé de poivre
1 cuil. à thé de feuilles de cerfeuil séchées
¼ de cuil. à thé de feuilles de marjolaine
  séchées
3 tasses de lait, au point d'ébullition

Faire fondre le beurre dans une grande casserole et y ajouter le poireau et l'oignon. Cuire 5 minutes, à feu doux et en brassant; ne pas laisser brunir les légumes, toutefois.

Ajouter les pommes de terre, le céleri, le persil, le bouillon de poulet, le sel, le poivre, le cerfeuil et la marjolaine. Couvrir et cuire à feu moyen, 30 minutes ou jusqu'à ce que les légumes soient tendres.

Réduire en crème, à l'aide d'un mélangeur électrique ou d'un tamis. Remettre dans la casserole, chauffer de nouveau jusqu'à ébullition et ajouter le lait très chaud, en brassant. Goûter et ajouter sel et poivre si cela est nécessaire. (8 portions)

SOUPE AUX POMMES DE TERRE
ET AU FROMAGE

1½ tasse de pommes de terre crues, en dés
2 tasses d'eau bouillante
2 cubes de bouillon de poulet
2 cuil. à table de beurre
¼ de tasse d'oignon finement haché
¼ de tasse de piment vert finement haché
2 cuil. à table de farine
2 tasses de lait
1 cuil. à thé de sel
⅛ de cuil. à thé de poivre
1½ tasse de cheddar fort, finement râpé
Persil haché

Cuire les pommes de terre dans l'eau bouillante, jusqu'à ce qu'elles soient tendres. Égoutter, en conservant l'eau de cuisson. Ajouter les cubes de bouillon à cette eau, bien chaude, et brasser jusqu'à ce qu'ils soient dissous.

Faire fondre le beurre dans une casserole. Ajouter l'oignon et le piment vert et cuire à feu doux, en brassant, pendant 3 minutes. Saupoudrer de la farine et laisser bouillonner un peu. Retirer du feu et ajouter le lait et l'eau de cuisson des pommes de terre, d'un trait et en brassant. Ajouter le sel et le poivre et mêler. Continuer la cuisson, à feu moyen et en brassant constamment, jusqu'à ce que le mélange bouille et soit bien lisse. Baisser le feu et laisser mijoter 2 minutes.

Ajouter le fromage et brasser jusqu'à ce qu'il soit fondu. Ajouter aux pommes de terre et bien chauffer.

Servir très chaud, garni de persil haché. (De 4 à 6 portions)

VICHYSSOISE

6 tasses de bouillon de poulet
4 pommes de terre moyennes, pelées et
   tranchées mince
1 oignon moyen, épluché et tranché mince
   (facultatif)
3 poireaux (la partie blanche seulement),
   tranchés mince
1 tasse de crème double (35 p.c.)
Sel et poivre blanc
Lait (facultatif)
Ciboulette hachée

Chauffer le bouillon jusqu'à ébullition. Ajouter les pommes de terre, l'oignon et le poireau, couvrir et faire mijoter à feu doux, 45 minutes ou jusqu'à ce que les légumes soient très tendres. Passer au mélangeur électrique, une petite quantité à la fois. Ajouter la crème au mélange bien lisse. Goûter et ajouter du sel et du poivre si cela est nécessaire (saler légèrement trop plutôt que pas assez car le sel perd de sa saveur au froid). Bien réfrigérer.

Allonger la soupe d'un peu de lait si vous la trouvez trop épaisse. La mettre dans des bols refroidis et parsemer chaque portion de ciboulette hachée. (De 6 à 8 portions)

SOUPE FROIDE AUX TOMATES ET AU FROMAGE

1 boîte de 19 onces de jus de tomate
1 tasse de lait
1 tasse de fromage cottage en crème
2 cuil. à table de jus de citron
2 cuil. à thé de raifort (préparé)
4 oignons verts, hachés grossièrement
8 glaçons
Approximativement ½ cuil. à thé de sel
Approximativement ¼ de cuil. à thé de poivre

Mettre ensemble, dans le bocal d'un mélangeur électrique, le jus de tomate, le lait, le fromage, le jus de citron, le raifort, les oignons et les glaçons. Faire tourner le tout juste assez pour mêler tous les ingrédients (il devrait rester de petits morceaux d'oignons non réduits en purée). Goûter et ajouter sel et poivre au besoin. Servir immédiatement, dans des chopes. (6 portions)

BOUILLON DE TOMATE ÉPICÉ

1 boîte de 48 onces de jus de tomate
1 feuille de laurier
6 clous de girofle
4 cubes de bouillon de bœuf
¾ de cuil. à thé de sel
2 cuil. à table de sucre
1 tasse de sauce au chili
4 tasses d'eau bouillante
⅛ de cuil. à thé de sel de céleri
⅛ de cuil. à thé de sel d'ail
½ cuil. à thé de feuilles de basilic séchées
⅛ de cuil. à thé de sauce Tabasco
¼ de tasse de jus de citron

Mêler tous les ingrédients, excepté la sauce Tabasco et le jus de citron, dans une casserole. Chauffer jusqu'à ébullition, baisser le feu, couvrir et faire mijoter 10 minutes. Passer le bouillon et le remettre dans la casserole; ajouter la sauce Tabasco et le jus de citron et chauffer jusqu'au point d'ébullition. Servir dans des tasses ou des chopes. (12 portions)

SOUPE A LA PAYSANNE

3 cuil. à table de beurre ou de margarine
1 gousse d'ail, épluchée et coupée en deux
2 tasses de cubes, de 1 pouce de côté, de pain
   croûté (un peu sec sans être dur, si possible)
2 cuil. à table de beurre ou de margarine
1 tasse d'oignon haché
1 cuil. à thé de paprika
4 tasses de bouillon de bœuf
2 œufs
Approximativement ½ cuil. à thé de sel
Approximativement ¼ de cuil. à thé de poivre
Persil haché

Chauffer, dans une grande casserole, 3 cuil. à table de beurre et les morceaux d'ail. Cuire 5 minutes, à feu doux et en brassant; jeter l'ail. Mettre les cubes de pain dans le beurre et les cuire, en brassant, jusqu'à ce qu'ils soient dorés. Les retirer de la casserole avec une cuillère perforée.

Ajouter 2 cuil. à table de beurre au jus de cuisson. Ajouter l'oignon et le cuire, à feu doux et en brassant, jusqu'à ce qu'il soit doré. Ajouter le paprika et le bouillon, couvrir et faire mijoter 20 minutes.

Bien battre les œufs, au moment de servir. Retirer la soupe du feu; ajouter environ 1 tasse de soupe bien chaude, aux œufs, petit à petit et en battant constamment avec une fourchette ou un fouet. Remettre le tout dans la casserole et chauffer, à feu bas et en brassant, jusqu'au point d'ébullition (ne pas laisser bouillir). Ajouter du sel et du poivre au goût. Servir immédiatement: répartir les cubes de pain dans 4 bols et déposer dessus la soupe à la louche. Parsemer abondamment de persil. (4 portions).

CHOWDER AUX LÉGUMES

¼ de tasse de beurre
1 tasse de céleri en dés
1 tasse de carottes en dés
1 tasse de pommes de terre en dés
½ tasse de navet en dés
¼ de tasse d'oignon finement haché
¼ de tasse de poireau en tranches minces
1 tasse d'eau bouillante
2 cuil. à thé de sel
½ cuil. à thé de poivre
1 cuil. à thé de sucre
1 tasse de petits pois congelés
1 tasse de piment vert en allumettes
4 tasses de lait, au point d'ébullition
¼ de tasse de persil haché
½ tasse de cheddar fort, râpé

Faire fondre le beurre dans une grande casserole. Ajouter céleri, carottes, pommes de terre, navet, oignon, poireau, eau, sel, poivre et sucre. Couvrir et faire mijoter, 10 minutes ou jusqu'à ce que les légumes soient tendres mais encore un peu croquants.
Ajouter les pois et le piment vert et faire mijoter, 5 minutes ou jusqu'à ce que tous les légumes soient tendres. Ajouter le lait très chaud et parsemer du persil.
Mettre dans des bols et garnir chacun d'un peu de cheddar râpé. (6 portions)

SOUPE CAMPAGNARDE

2 cuil. à table de beurre
2 cuil. à table d'eau
½ tasse de haricots verts frais, coupés, en diagonale, en morceaux de 1 pouce
2 carottes moyennes, tranchées mince
2 tasses de navet en petites lamelles
2 poireaux (la partie blanche seulement), en lamelles
½ tasse de céleri finement haché
½ tasse d'eau
½ tasse de petits pois frais ou congelés
2 tasses de chou vert finement déchiqueté
1½ cuil. à thé de sel
¼ de cuil. à thé de poivre
½ cuil. à thé de paprika
4 tasses de lait
½ tasse de laitue déchiquetée
2 cuil. à thé de fenouil frais, haché

Chauffer le beurre dans une grande casserole. Ajouter 2 cuil. à table d'eau et les haricots. Couvrir et cuire à feu vif pendant 3 minutes, en secouant la casserole souvent. Ajouter les carottes, le navet, le poireau, le céleri et ½ tasse d'eau. Couvrir et cuire, 7 minutes ou jusqu'à ce que les légumes soient presque tendres. Ajouter les pois et faire mijoter pendant 5 minutes.
Ajouter le chou, le sel, le poivre, le paprika et le lait. Faire mijoter 5 minutes. Ajouter la laitue et chauffer. Mettre dans des bols et décorer du fenouil. (6 portions)

BISQUE DE CLAMS

4 douzaines de clams durs
3 tasses de liquide (le bouillon de cuisson des clams et de l'eau)
¼ de livre de lard salé, en dés
4 oignons moyens, tranchés mince
1½ tasse de tomates de conserve
2 poireaux, hachés finement
2 branches de céleri (avec les feuilles), hachées
2 carottes, hachées
¼ de tasse de persil haché
¼ de cuil. à thé de feuilles de thym séchées
1 feuille de laurier
2 cuil. à thé de sel
½ cuil. à thé de poivre
1 pincée de muscade
4 grosses pommes de terre, en cubes de ½ pouce
3 cuil. à table de beurre
3 cuil. à table de farine
1 cuil. à table de sauce Worcestershire
Quelques gouttes de sauce Tabasco
2 gros biscuits de matelot (voir note)

Nettoyer les clams à l'eau courante, avec une brosse dure, pour en bien enlever tout le sable. Laver à plusieurs reprises. Mettre ½ pouce d'eau bouillante dans une très grande marmite. Ajouter les clams, couvrir hermétiquement et cuire à la vapeur, 10 minutes ou jusqu'à ce que les coquilles s'entrouvrent.
Retirer les clams de la marmite. Passer le bouillon de cuisson, en utilisant plusieurs épaisseurs de coton à fromage, le mesurer et lui ajouter de l'eau pour avoir 3 tasses de liquide. Mettre de côté.
Retirer les clams de leurs coquilles, avec précaution (ajouter, aux 3 tasses de liquide, tout liquide qui pourrait se trouver dans les coquilles). Hacher grossièrement la moitié des clams; mettre de côté.
Faire brunir légèrement le lard salé, dans une grande marmite épaisse. Ajouter les oignons et cuire à feu doux, en brassant constamment, jusqu'à ce que ce soit doré. Ajouter les 3 tasses de liquide, les tomates, les poireaux, le céleri, les carottes, le persil, le thym, le laurier, le sel, le poivre et la muscade. Chauffer jusqu'à ébullition.
Ajouter les pommes de terre, chauffer de nouveau jusqu'à ébullition, baisser le feu, couvrir et laisser mijoter, 15 minutes ou jusqu'à ce que les pommes de terre soient tendres. Ajouter les clams hachés et les clams entiers.
Mêler le beurre et la farine, dans une petite poêle épaisse, et chauffer, à feu moyen et en brassant constamment, jusqu'à ce que ce soit d'un beau brun. Ajouter à la préparation, par pincée et en brassant bien après chaque addition. Ajouter les sauces Worcestershire et Tabasco. Laisser mijoter 2 minutes. Émietter les biscuits dans la bisque, si on le désire, et servir immédiatement. (8 portions)
Note: Les biscuits de matelot, appelés aussi quelquefois biscuits marins, sont faits d'une pâte sans levure. Ils sont très consistants, d'une valeur nutritive supérieure à celle du pain et sont très lents à absorber un liquide.

CHOWDER AUX CLAMS VITE FAIT

4 boîtes de 5 onces de petits clams entiers
¼ de livre de lard salé, en petits cubes
1 tasse d'oignon haché
3 tasses de liquide (le jus de conserve des clams et de l'eau)
2 tasses de pommes de terre en dés
1½ cuil. à thé de sel
½ cuil. à thé de poivre
6 tasses de lait
¼ de tasse de beurre
¼ de tasse de persil haché

Égoutter les clams, en conservant leur jus de conserve. **Mettre** le lard salé dans une casserole épaisse et l'y faire frire, en brassant constamment, jusqu'à ce qu'il soit légèrement bruni. Ajouter l'oignon et le cuire jusqu'à ce qu'il soit tendre sans être bruni. Mesurer le jus de conserve des clams et y ajouter de l'eau pour avoir 3 tasses de liquide. Ajouter ce liquide à l'oignon, ainsi que les pommes de terre, le sel et le poivre. Couvrir et cuire à feu doux, 15 minutes ou jusqu'à ce que les pommes de terre soient tendres. Ajouter le lait et les clams et chauffer jusqu'au point d'ébullition; ne pas laisser bouillir, toutefois. Ajouter le beurre et le persil, brasser et servir immédiatement. (12 portions)

BISQUE DE HOMARD

1 homard de 2½ livres, cuit
1 tasse d'eau froide
4 tasses de lait
1 tasse de crème
1 petite tranche d'oignon
1 pincée de feuilles de thym séchées
1 petite feuille de laurier
1 clou de girofle
4 grains de poivre
1 brindille de persil
2 cuil. à table de beurre
4 craquelins, écrasés en fines miettes
2 cuil. à thé de sel
⅛ de cuil. à thé de poivre
½ cuil. à thé de paprika
1 pincée de muscade
2 jaunes d'œufs
2 cuil. à table de sherry sec (facultatif)

Défaire le homard et en enlever la chair et le foie (la partie verte), en gardant ce dernier à part. Couper la chair en dés.
Mettre la carapace du homard dans une casserole et ajouter l'eau froide. Chauffer jusqu'à ébullition, couvrir et faire bouillir 10 minutes. Passer en conservant le liquide; jeter la carapace.
Mettre le lait, la crème, l'oignon, le thym, le laurier, le clou de girofle, le poivre et le persil dans une casserole et chauffer jusqu'au point d'ébullition. Passer et remettre le liquide dans la casserole.

Travailler ensemble, dans un petit bol, le beurre, les miettes de craquelins et le foie du homard. Ajouter un peu du liquide bien chaud, bien mêler et remettre le tout dans la casserole. Ajouter le liquide de cuisson de la carapace. Chauffer de nouveau jusqu'au point d'ébullition et ajouter le sel, le poivre, le paprika et la muscade.
Battre ensemble les jaunes d'oeufs et le sherry. Ajouter un peu du mélange chaud, petit à petit et en brassant constamment. Remettre le tout dans la casserole et faire frissonner. Ajouter la chair du homard et bien chauffer sans laisser bouillir. Servir immédiatement. (De 4 à 6 portions)

CHOWDER AUX HUÎTRES

1 tasse de pommes de terre crues, en tranches minces
½ tasse de carottes, en tranches minces
1 tasse de céleri haché
1 cuil. à table d'oignon râpé
½ cuil. à thé de sel
½ tasse d'eau bouillante
4 tasses de lait, au point d'ébullition
1 cuil. à thé de sel
¼ de cuil. à thé de poivre
2 cuil. à table de beurre
2 cuil. à table de farine
¼ de tasse de beurre
1 chopine d'huîtres écalées (avec leur liquide)
¼ de tasse de persil haché

Mettre les pommes de terre, les carottes, le céleri, l'oignon, ½ cuil. à thé de sel et l'eau bouillante dans une casserole. Couvrir et faire bouillir, 15 minutes ou jusqu'à ce que les légumes soient tendres. Ajouter le lait, 1 cuil. à thé de sel et le poivre et chauffer jusqu'à ce que le mélange commence à mijoter.
Faire une crème avec 2 cuil. à table de beurre et la farine et ajouter à la soupe frissonnante, par petite parcelle et en brassant bien après chaque addition. Faire mijoter 2 minutes.
Chauffer ¼ de tasse de beurre, dans une poêle épaisse, et y ajouter les huîtres et leur liquide. Cuire à feu doux jusqu'à ce que le bord des huîtres commence à s'enrouler. Ajouter immédiatement au chowder très chaud. Parsemer du persil et servir immédiatement. (6 portions)

*Chowders et bisques
sont presque des plats de résistance.
Ils conviennent
aux appétits robustes et font merveille
les jours de grand froid*

BISQUE DE PÉTONCLES AU CARI

1 cuil. à table de beurre
½ cuil. à thé de poudre de cari
1½ cuil. à thé d'oignon râpé
1 boîte de 10 onces de soupe aux tomates
2 tasses de bouillon de poulet
1 livre de pétoncles (décongelés s'il y a lieu)
1 tasse de lait
½ tasse de crème simple (15 p.c.)
½ cuil. à thé de sel
⅛ de cuil. à thé de poivre
2 cuil. à table de persil haché
Persil haché

Chauffer le beurre dans une casserole moyenne. Ajouter la poudre de cari et l'oignon et cuire, à feu doux et en brassant, pendant 3 minutes. Ajouter la soupe aux tomates et le bouillon de poulet et chauffer jusqu'à ébullition. Ajouter les pétoncles lavés (les couper en deux s'ils sont gros), baisser le feu, couvrir et faire mijoter 5 minutes. Ajouter lait, crème, sel et poivre, en brassant, et chauffer sans toutefois laisser bouillir. Goûter et ajouter du sel et du poivre si cela est nécessaire. Ajouter 2 cuil. à table de persil, brasser et servir immédiatement. Parsemer chaque assiettée de persil. (6 portions)

POTAGE DE CREVETTES A LA CRÉOLE

2 cuil. à table de beurre
½ tasse de piment vert haché
¼ de tasse d'oignons verts hachés
6 tomates moyennes, pelées et hachées
½ tasse d'eau
1½ cuil. à thé de sel
¼ de cuil. à thé de poivre
¼ de cuil. à thé de feuilles de thym séchées
⅛ de cuil. à thé de feuilles de basilic séchées
1 tasse de petits pois, frais ou congelés
2 cuil. à table de fécule de maïs
¼ de tasse d'eau froide
1 boîte de 4½ onces de crevettes (parées)

Faire fondre le beurre dans une casserole. Ajouter le piment vert et les oignons et cuire, à feu doux et en brassant, pendant 3 minutes.
Ajouter les tomates, ½ tasse d'eau, le sel, le poivre, le thym et le basilic. Chauffer jusqu'à ébullition, baisser le feu, couvrir et faire mijoter jusqu'à ce que les tomates soient bien ramollies. Ajouter les pois et faire mijoter pendant encore 5 minutes.
Ajouter la fécule de maïs à l'eau froide, dans un petit bocal fermant hermétiquement. Agiter le bocal jusqu'à ce que le mélange soit bien lisse. Ajouter petit à petit au mélange chaud, en brassant. Faire mijoter pendant 2 minutes.
Égouter les crevettes et les bien rincer à l'eau froide courante. Ajouter au potage et bien chauffer. Servir immédiatement. (De 4 à 6 portions)

BISQUE DE POISSON

4 tranches de bacon, en morceaux
1 gros oignon, tranché mince
2 livres d'aiglefin
4 tasses de pommes de terre crues, tranchées mince
Eau bouillante
2 cuil. à table de beurre
1 cuil. à table de farine
2 tasses de lait chauffé jusqu'au point d'ébullition
1½ cuil. à thé de sel
¼ de cuil. à thé de poivre
¼ de tasse de persil haché

Mettre les morceaux de bacon dans une grande casserole épaisse. Faire frire jusqu'à ce que la casserole soit bien graissée. Ajouter l'oignon et cuire 3 minutes, en brassant.
Enlever la peau et les arêtes du poisson et le couper en morceaux de 1 pouce. Mettre dans la casserole, ainsi que les tranches de pommes de terre, et couvrir d'eau bouillante.
Chauffer jusqu'à ébullition, baisser le feu, couvrir et faire mijoter doucement, 15 minutes ou jusqu'à ce que les pommes de terre soient tendres.
Mêler le beurre et la farine et ajouter à la préparation, par pincée et en brassant bien après chaque addition. Ajouter le lait chaud, le sel et le poivre. Goûter et rectifier l'assaisonnement s'il y a lieu. Couvrir et laisser mijoter 5 minutes.
Garnir de persil et servir immédiatement. (De 6 à 8 portions)

BISQUE DE SAUMON

1 boîte de 15½ onces de saumon rose
¼ de tasse de beurre
¼ de tasse d'oignon haché
¼ de tasse de céleri haché
3 cuil. à table de farine
1½ cuil. à thé de sel
1 tasse de liquide (le jus de conserve du saumon et de l'eau)
2 tasses de lait
1 tasse de jus de tomate
2 cuil. à table de persil haché

Égoutter le saumon, en conservant son jus de conserve, et l'émietter.
Chauffer le beurre dans une grande casserole. Y cuire l'oignon et le céleri 5 minutes, à feu doux et en brassant. Saupoudrer de la farine, du sel, mêler et retirer du feu.
Mesurer le jus de conserve du saumon et y ajouter de l'eau pour avoir 1 tasse de liquide. Ajouter, ainsi que le lait, au mélange dans la casserole, d'un trait et en mêlant bien. Continuer la cuisson, à feu moyen et en brassant constamment, jusqu'à ce que le mélange épaississe et soit lisse. Ajouter le jus de tomate et le persil et bien chauffer, sans laisser bouillir. Ajouter le saumon et chauffer. Servir immédiatement. (6 portions)

Bœuf et veau

Pour réussir un rôti, les Anglais disent qu'il faut six ingrédients. Le bœuf doit être de choix et bien mûri, il doit être rôti sur un bon feu, par un bon cuisinier, de bonne humeur, et le convive doit avoir bon appétit. Il est certain que le morceau de viande rouge sombre, d'une fine texture délicatement striée de gras que constitue une pièce de bœuf de choix et bien mûri a de quoi donner bon appétit au convive et au cuisinier jovial!

Le bœuf est sans doute la viande préférée des Nord-Américains, que ce soit en rôti de choix, en biftecks épais, en ragoûts savoureux ou en simples hamburgers.

Il est difficile de croire que le veau, délicat et rosé, est le cadet du bœuf écarlate et costaud. Si jeune soit-il, le veau fait des merveilles entre les mains d'un bon cuisinier. Bien apprêtée, cette viande est juteuse et tendre comme nulle autre.

RÔTI DE CÔTES ROULÉ RELEVÉ

3 gousses d'ail, broyées
2 cuil. à thé de sel
1 cuil. à thé de poivre
½ cuil. à thé de feuilles de marjolaine séchées
¼ de tasse de farine
1 rôti de 5 à 6 livres de côtes de bœuf, roulé
2 oignons hachés
6 tranches de bacon
1 tasse de vin rouge sec
6 pommes de terre moyennes, pelées, en moitiés
3 tomates, grossièrement hachées
¼ de tasse de persil haché
Sel et poivre

Chauffer le four à 500°F. Préparer une rôtissoire.
Mêler l'ail, 2 cuil. à thé de sel, 1 cuil. à thé de poivre, la marjolaine et la farine. Faire pénétrer ce mélange dans la viande, en l'en frottant de tous les côtés.
Déposer le rôti dans la rôtissoire et mettre au four, préalablement chauffé. Baisser le feu à 325°F et cuire jusqu'à ce que le rôti soit bruni de tous les côtés. Retirer du four.
Parsemer des oignons hachés. Disposer les tranches de bacon par-dessus l'oignon, sur le dessus du rôti, et arroser le tout du vin. Continuer la cuisson au four pendant une période de 25 à 30 minutes par livre si on veut le rôti moyennement saignant. (Utiliser, si l'on veut, un thermomètre à viande: à 140°F, la viande est saignante, à 160°F, moyennement cuite et à 170°F, bien cuite.) Arroser souvent avec le jus de cuisson.
Environ 1 heure avant la fin du temps de cuisson, ajouter, dans la rôtissoire, les pommes de terre, les tomates et le persil. Saler et poivrer généreusement ces légumes.
Disposer la viande et les pommes de terre dans un plat de service chaud. Passer le jus de cuisson, en pressant à travers le tamis autant que possible de la pulpe des tomates. Remettre dans la rôtissoire et chauffer, sur le dessus de la cuisinière, en détachant bien de la rôtissoire toutes les petites particules rôties. Ajouter du vin ou de l'eau bouillante pour avoir environ 3 tasses de liquide. Épaissir d'un peu de farine délayée à l'eau. Goûter, rectifier l'assaisonnement et servir avec la viande et les pommes de terre.

MON RÔTI BRAISÉ PRÉFÉRÉ

2 cuil. à table d'huile à cuisson
4 livres de rôti de croupe de bœuf
1 oignon moyen, en moitiés
1 petite gousse d'ail, broyée (facultatif)
¼ de tasse d'eau bouillante
Sel et poivre
3 cuil. à table de graisse de cuisson (voir plus bas)
3 cuil. à table de farine
2 tasses de liquide (liquide de cuisson et eau)
Sel et poivre

Chauffer l'huile dans une grande casserole épaisse ou une rôtissoire. Y bien brunir le rôti de tous les côtés, à feu moyennement haut. (Cette opération peut prendre jusqu'à 20 minutes.)
Ajouter l'oignon, l'ail et l'eau bouillante. Saler et poivrer généreusement la viande. Couvrir et faire mijoter, 3 heures ou jusqu'à ce que la viande soit très tendre.
Retirer la viande de la casserole. Enlever aussi toute la graisse et le liquide de cuisson.
Remettre la viande dans la casserole et la brunir de nouveau pour qu'elle soit bien foncée partout à l'extérieur. La mettre dans un plat de service et la garder bien chaude. Écumer le liquide de cuisson pour en enlever la graisse. On peut aussi refroidir rapidement le liquide, dans de l'eau glacée, et enlever la graisse sur le dessus. Remettre 3 cuil. à table de cette graisse dans la casserole. Saupoudrer de la farine et laisser bouillonner un peu.
Mesurer le liquide de cuisson dégraissé et y ajouter de l'eau bouillante, si cela est nécessaire, pour avoir 2 tasses de liquide.
Retirer la casserole du feu et ajouter le liquide à la farine délayée, d'un trait et en mêlant bien. Continuer la cuisson, à feu moyen et en brassant constamment, jusqu'à ce que la sauce soit épaisse et lisse. Goûter et rectifier l'assaisonnement s'il y a lieu. Servir avec le rôti.

BOEUF BRAISÉ A L'ITALIENNE

4 tranches de bacon, en morceaux
4 livres de bœuf dans la palette
1 grosse carotte, hachée
1 branche de céleri, hachée
1 oignon, haché
¼ de tasse de persil haché
2 lanières de zeste de citron, d'environ 2 pouces de longueur sur ½ pouce de largeur
1 tasse de vin rouge sec
1½ cuil. à thé de sel
¼ de cuil. à thé de poivre
1 cube de bouillon de bœuf dissous dans ½ tasse d'eau bouillante

Mettre le bacon dans une grande casserole épaisse ou dans une rôtissoire. Cuire à feu bas jusqu'à ce que la casserole soit bien graissée. Faire brunir le rôti, de tous les côtés. Ajouter tous les autres ingrédients, couvrir hermétiquement et faire mijoter, 3 heures ou jusqu'à ce que la viande soit très tendre.
Mettre la viande dans un plat de service chaud. Passer le liquide de cuisson en écrasant, à travers le tamis, autant que possible des légumes. Remettre la sauce ainsi obtenue dans la casserole, bien chauffer et servir avec la viande.
Note: si on préfère une sauce plus épaisse, compter 1½ cuil. à table de farine par tasse de jus de cuisson, faire une pâte lisse et claire avec cette farine et de l'eau froide et ajouter le tout au liquide bouillant, petit à petit et en brassant. Cuire jusqu'à ce que la sauce soit épaisse et lisse.

BOEUF BRAISÉ ET SPAGHETTI

2 cuil. à table d'huile à cuisson
De 4 à 5 livres de croupe de bœuf (voir note)
1 cuil. à thé de sel
½ tasse de carottes hachées
½ tasse de céleri haché
½ tasse d'oignon haché
1 tasse de vin rouge sec
1 boîte de 10 onces de consommé
1 boîte de 5½ onces de pâte de tomate
6 filets d'anchois, hachés finement
1 petit morceau de feuille de laurier
2 gousses d'ail, broyées
2 cuil. à table de beurre
½ livre de champignons, tranchés
Spaghetti chaud

Chauffer l'huile dans une grande casserole épaisse ou dans une rôtissoire. Y brunir la viande lentement, de tous les côtés; saupoudrer du sel. Mettre carottes, céleri et oignon dans la graisse de cuisson et faire brunir un peu ces légumes en brassant. Ajouter le vin, le consommé, la pâte de tomate, les anchois, le laurier et l'ail. Couvrir et faire mijoter 3 heures ou jusqu'à ce que ce soit tendre.
Chauffer le beurre dans une poêle épaisse. Y cuire les champignons 3 minutes, à feu doux et en brassant. Ajouter au bœuf et continuer la cuisson, à feu doux et à couvert, 30 minutes ou jusqu'à ce que la viande soit très tendre. Mettre la viande dans un plat chaud et la garder chaude.
Chauffer la sauce, à feu moyen et à découvert, jusqu'à ce qu'elle soit épaisse comme une sauce à spaghetti. Trancher la viande et la mettre dans les assiettes. Mettre du spaghetti dans chaque assiette et le napper de sauce.
Note: la croupe de bœuf est facile à trancher mais on peut, si on le préfère, utiliser une autre coupe convenant pour la cuisson au pot.

BOEUF BRAISÉ A LA SAUCE DOUCE ET PIQUANTE

2 cuil. à table d'huile à cuisson
4 livres de bœuf dans la palette
1 tasse d'oignon haché
1 cuil. à thé de sel
¼ de cuil. à thé de poivre
½ cuil. à thé de feuilles de thym séchées
½ tasse de bouillon de bœuf
⅓ de tasse de vinaigre de cidre
⅓ de tasse de miel liquide
1 cuil. à table de fécule de maïs
¼ de tasse d'eau

Chauffer l'huile dans une grande casserole épaisse ou une rôtissoire. Ajouter la viande et la bien brunir de tous les côtés. Retirer la viande de la casserole et mettre l'oignon dans le jus de cuisson. Le cuire 3 minutes, en brassant. Remettre la viande dans la casserole et la saupoudrer du sel, du poivre et du thym. Ajouter le bouillon et le vinaigre, couvrir et faire mijoter, 2 heures ou jusqu'à ce que la viande commence à être tendre. Ajouter le miel et continuer la cuisson, à petit feu et en tournant le rôti de temps à autre, 1 heure ou jusqu'à ce que ce soit vraiment tendre.
Mettre le rôti dans un plat de service chaud et le garder chaud. Chauffer le liquide de cuisson jusqu'à pleine ébullition. Ajouter la fécule de maïs à l'eau froide et faire un mélange lisse. Verser dans le liquide de cuisson bouillant, petit à petit et en brassant. Cuire, en brassant, jusqu'à ce que la sauce soit épaisse et bien lisse. Baisser le feu au plus bas et faire mijoter 3 minutes. Napper les tranches de rôti de cette sauce.

BOEUF BRAISÉ A L'ESPAGNOLE

1 piment vert
1 petit oignon
1 gousse d'ail, broyée
1 feuille de laurier, émiettée
¼ de cuil. à thé de feuilles de marjolaine séchées
½ cuil. à thé de sel
2 cuil. à table d'huile d'olive
4 livres de palette de bœuf
2 cuil. à table d'huile d'olive
1 boîte de 19 onces de tomates
¼ de cuil. à thé de cannelle
⅛ de cuil. à thé de clou de girofle en poudre
2 cuil. à thé de sel
¼ de cuil. à thé de poivre
2 tasses de vin rouge sec
1 cuil. à table de fécule de maïs
¼ de tasse d'eau froide

Couper le piment vert en bandes, en jetant le pédoncule, les grains et les petites membranes intérieures. Éplucher l'oignon et le couper en quatre. Mettre piment et oignon au hachoir en utilisant le couteau le plus fin. Ajouter l'ail, le laurier, la marjolaine, ½ cuil. à thé de sel et 2 cuil. à table d'huile d'olive et bien mêler. Frotter les deux côtés du morceau de viande de ce mélange, de façon à l'y faire bien pénétrer. Laisser reposer 1 heure.
Détacher de la viande les petites particules du mélange au piment qui n'y seraient pas solidement attachées; garder ces particules. Chauffer 2 cuil. à table d'huile dans une grande casserole épaisse ou une rôtissoire; y bien brunir la viande, des deux côtés. Ajouter les tomates, les petites particules enlevées précédemment, la cannelle, le clou de girofle, 2 cuil. à thé de sel, le poivre et le vin. Chauffer jusqu'à ébullition, baisser le feu, couvrir et faire mijoter, de 3 à 4 heures ou jusqu'à ce que la viande soit très tendre; tourner quelquefois la viande pendant ce temps.
Mettre le rôti dans un plat de service chaud. Ajouter la fécule de maïs à l'eau froide et mêler parfaitement. Chauffer le jus de cuisson du bœuf jusqu'à ébullition et y ajouter la fécule de maïs délayée, petit à petit et en brassant. Cuire jusqu'à ce que la sauce bouille et soit légèrement épaissie. Goûter et ajouter sel et poivre si cela est nécessaire. Trancher la viande et la servir avec la sauce.

OEIL DE RONDE SERVI AVEC SAUCE A L'OIGNON

1 tasse d'oignon haché
2 cuil. à thé de sel
¼ de cuil. à thé de poivre
½ cuil. à thé de feuilles de thym séchées
½ cuil. à thé de paprika
⅛ de cuil. à thé de muscade
1 rôti de 3 livres d'œil de ronde
6 tranches de bacon
Sauce à l'oignon (recette ci-après)

Chauffer le four à 325°F.
Épandre l'oignon dans une plaque à griller peu profonde.
Mêler le sel, le poivre, le thym, le paprika et la muscade et frotter tout l'extérieur du rôti du mélange. Mettre le rôti sur l'oignon, sans utiliser de clayette. Disposer les tranches de bacon, serrées les unes contre les autres, sur le dessus du rôti.
Faire rôtir au four pendant une période de 1½ à 2 heures ou jusqu'à ce qu'un thermomètre à viande indique entre 140° à 160°F (voir note). Servir en tranches minces, avec la sauce à l'oignon. (6 portions)
Note: ce rôti est meilleur saignant ou moyennement cuit; il durcira un peu si on le cuit trop.

Sauce à l'oignon

Jus de cuisson du rôti
1 gros oignon, haché
3 cuil. à table de farine
1 tasse d'eau
1 tasse de lait
Sel et poivre

Verser le jus de cuisson du rôti dans une casserole moyenne (la plus grande partie de ce jus proviendra du bacon et donnera à la sauce un goût excellent). Ajouter l'oignon et cuire, à feu doux et en brassant pendant 3 minutes. Saupoudrer de la farine et laisser bouillonner un peu. Retirer du feu et ajouter l'eau et le lait, d'un trait et en brassant. Continuer la cuisson, à feu moyen et en brassant constamment, jusqu'à ce que la sauce bouille et soit épaisse et lisse. Goûter et ajouter du sel et du poivre si cela est nécessaire.

Le filet de bœuf en croûte,
il est vrai,
n'est ni économique ni vite fait.
C'est un plat de roi.
Et les rois, ce sont vous et moi

FILET DE BOEUF EN CROÛTE

½ livre de bacon de dos, d'un seul morceau
Eau bouillante
Bouquet de feuilles de céleri
Bouquet de persil
Petite tranche d'oignon
4 grains de poivre
¼ de tasse de beurre
1 livre de champignons, finement hachés
1 gros oignon blanc, dit «espagnol», finement haché
½ tasse de persil haché
½ cuil. à thé de sel
1 pincée de poivre
½ tasse de brandy
4 livres de filet de bœuf
Brandy
2 cuil. à table de beurre ramolli
2 cuil. à table de beurre ramolli
Sel et poivre
Pâte à brioche (recette ci-après)
1 jaune d'œuf
1 cuil. à table de crème simple (15 p.c.)
Sauce au raifort (recette ci-après)
Sauce béarnaise (recette ci-après)

Préparer la pâte brioche la veille du jour où vous faites le filet en croûte.
Mettre le bacon dans une casserole. Le presque couvrir d'eau bouillante. Ajouter le céleri, le bouquet de persil, la tranche d'oignon et les grains de poivre. Couvrir et faire mijoter pendant environ 1½ heure ou jusqu'à ce que ce soit tendre. Retirer le bacon de l'eau de cuisson et le laisser refroidir.
Chauffer ¼ de tasse de beurre dans une grande poêle épaisse. Y mettre les champignons, l'oignon haché, le persil haché, ½ cuil. à thé de sel, 1 pincée de poivre et ½ tasse de brandy et cuire jusqu'à ce que le liquide soit évaporé. Retirer du feu.
Bien parer le filet de bœuf. Le couper en tranches de 1 pouce d'épaisseur, presque de part en part c'est-à-dire en laissant les tranches unies par la base. Couper le bacon en tranches minces et disposer celles-ci entre les tranches de bœuf. Ajouter 1 cuil. à table du mélange aux champignons entre les tranches, en l'étendant uniformément. Bien attacher le filet, en passant la ficelle tout autour de façon à lui redonner sa forme première.
Chauffer le four à 425°F. Mouiller le filet d'un peu de brandy et l'enduire de 2 cuil. à table de beurre. Le mettre sur une clayette, dans une rôtissoire, et le faire rôtir au four pendant 20 minutes. Le retirer du four et le bien laisser refroidir. Enlever la ficelle.
Enduire le filet de 2 cuil. à table de beurre ramolli et le saupoudrer généreusement de sel et de poivre.
Faire, avec la pâte brioche, une abaisse rectangulaire de 18×16 et de moins de ¼ de pouce d'épaisseur. La tailler pour que le rectangle soit parfait; garder les retailles de pâte pour la décoration.
Chauffer le four à 425°F.
Bien assécher le filet, avec du papier absorbant, et le mettre au centre de l'abaisse, en le retournant. Mettre

dessus, s'il y a lieu, ce qui reste du mélange aux champignons; ce dernier, toutefois, ne doit plus être humide car il amollirait la pâte qui se briserait ensuite pendant la cuisson. Envelopper tout le filet, avec la pâte, en soudant bien cette dernière où elle se superpose. Bien sceller, de la même façon, les bouts du rouleau.

Mettre, le joint en dessous, dans une plaque graissée (une plaque munie de bords, autant que possible, car l'enveloppe de pâte peut toujours se briser un peu et laisser couler du jus de cuisson). Avec les restes de pâte, faire une tresse ou des décorations en forme de fleurs ou de feuilles. Battre ensemble légèrement, à la fourchette, le jaune d'œuf et la crème. Utiliser ce mélange pour bien coller les décorations sur le dessus du rouleau.

Cuire au four pendant 15 minutes. Mouiller toute la pâte du mélange au jaune d'œuf et continuer la cuisson pendant environ 30 minutes ou jusqu'à ce que la pâte soit d'un beau brun foncé. (Si elle brunit vraiment trop vite à certains endroits, couvrir ceux-ci de petits morceaux de papier d'aluminium.)

Enlever la pâte aux deux bouts du rouleau et détailler celui-ci en tranches de 1 pouce d'épaisseur, en coupant aux mêmes endroits que précédemment. Donner, à chaque convive, une tranche de bacon et une tranche de bœuf. Servir très chaud, avec sauce au raifort ou béarnaise. (8 portions)

Pâte à brioche

½ tasse d'eau tiède
2 cuil. à thé de sucre
2 enveloppes de levure sèche
1 tasse de farine à tout usage, tamisée
3 tasses de farine à tout usage, tamisée
1 cuil. à thé de sel
2 cuil. à thé de sucre
6 œufs
½ livre de beurre froid

Mettre l'eau dans un petit bol. Ajouter 2 cuil. à thé de sucre et brasser pour le bien dissoudre. Saupoudrer de la levure et laisser reposer pendant 10 minutes. Bien brasser. Ajouter 1 tasse de farine, en brassant. Battre vigoureusement, avec une cuillère de bois, mettre sur une planche enfarinée et pétrir jusqu'à ce que la pâte soit souple et élastique. Façonner en boule et marquer sur le dessus, profondément dans la pâte, une croix; utiliser pour cette opération un couteau bien tranchant ou des ciseaux de cuisine. Déposer la boule de pâte dans un bol d'eau chaude et laisser reposer jusqu'à ce que la boule monte à la surface de l'eau et s'ouvre comme une fleur aux endroits que vous avez marqués.

Mêler, dans un grand bol, 3 tasses de farine, le sel et 2 cuil. à thé de sucre. Faire un puits, au centre des ingré-

dients, et y mettre les œufs. Mêler d'abord à la cuillère, ensuite directement avec les mains. Ramasser la pâte et la rejeter violemment contre les parois du bol, pour la bien battre; la pétrir pour qu'elle soit élastique.

Travailler le beurre, directement avec les mains et sous un jet d'eau froide, jusqu'à ce qu'il soit souple. Le tenir dans une main et le battre vigoureusement avec l'autre pour en extraire toute l'eau qui pourrait s'y trouver. L'ajouter à la pâte non levée et l'y bien incorporer, avec les mains.

Retirer de l'eau la boule de pâte levée et attendre qu'elle soit bien égouttée. L'ajouter à la pâte non levée et battre vigoureusement, avec la main (la pâte sera molle). Mettre le tout dans un bol graissé, saupoudrer légèrement de farine, couvrir d'une serviette humide et laisser lever dans un endroit chaud, 1 heure ou jusqu'au double du volume. Couvrir de papier transparent et réfrigérer jusqu'au lendemain. Abaisser la pâte avec le poing et en faire une abaisse pour envelopper le filet de bœuf.

Sauce au raifort

Ajouter à ½ tasse de crème épaisse, fouettée, 3 cuil. à table de raifort du commerce, bien égoutté, et ½ cuil. à thé de sel.

Sauce béarnaise

3 oignons verts complets, coupés
1 grosse branche de persil, hachée
½ cuil. à thé de feuilles d'estragon séchées
½ cuil. à thé de feuilles de cerfeuil séchées
¼ de tasse de vinaigre de vin
2 cuil. à table d'eau
4 jaunes d'œufs
¼ de tasse de beurre ramolli
¼ de cuil. à thé de sel
1 pincée de poivre de Cayenne

Mêler l'oignon, le persil, l'estragon, le cerfeuil, le vinaigre et l'eau, dans une petite casserole. Faire mijoter, à feu bas, pendant 5 minutes. Égoutter en ne conservant que le liquide.

Mettre les jaunes d'œufs dans la casserole supérieure d'un bain-marie. Ajouter le mélange au vinaigre, petit à petit et en battant constamment avec un fouet ou un batteur rotatif. Cuire, au bain-marie chaud (l'eau ne doit pas bouillir) et en brassant constamment, jusqu'à épaississement.

Ajouter le beurre, un petit peu à la fois, en brassant chaque fois jusqu'à ce qu'il soit fondu. (Le mélange aura alors l'apparence d'une mayonnaise.) Ajouter sel et poivre de Cayenne, au goût, et servir tiède.

Remarques: il est important que l'eau du bain-marie ne bouille pas; brasser le mélange après chaque addition de beurre. Si le mélange perd son homogénéité, l'addition de quelques gouttes d'eau froide rétablira les choses. Traditionnellement, cette sauce se sert tiède. On la fait habituellement avec des herbes fraîches mais comme on n'en a pas toujours sous la main, je recommande les herbes séchées.

ROULEAUX AU BOEUF

Pâte à brioche (voir Filet de bœuf en croûte: page 23)
5 sacs de 10 onces d'épinards frais
2 livres de bœuf haché (pris dans la palette)
½ tasse d'oignon haché
3 gousses d'ail, broyées
2 œufs, légèrement battus
3 cuil. à thé de sel
½ cuil. à thé de poivre
⅛ de cuil. à thé de muscade
1 tasse de miettes de pain frais
1 tasse de fromage bleu émietté
Approximativement 2 cuil. à table de crème simple (15 p.c.)
2 cuil. à table de ciboulette hachée
1 jaune d'œuf
1 cuil. à table de crème simple

Préparer la pâte à brioche la veille du jour où vous voulez faire les rouleaux; il faut la réfrigérer toute une nuit.

Cuire les épinards, dans une grande marmite, juste assez pour les ramollir. Les égoutter parfaitement et les hacher plutôt fin (des ciseaux de cuisine rendent ce travail facile). Mettre alors les épinards dans une grande passoire et les presser, avec le dos d'une cuillère, pour en extraire l'eau autant que possible.

Chauffer le four à 450°F. Graisser une grande plaque à biscuits, avec des rebords, si possible, pour le cas où la pâte se briserait et laisserait couler du jus de viande.

Mêler parfaitement, à la fourchette, la viande, les épinards cuits, l'oignon, l'ail, les œufs, le sel, le poivre, la muscade et les miettes de pain. Façonner, sur du papier ciré, en 2 rouleaux de 12 pouces de longueur.

Diviser la pâte à brioche en deux. Avec l'une des parts, faire une abaisse de 14×12 pouces. Battre ensemble le fromage, approximativement 2 cuil. à table de crème et la ciboulette; utiliser la quantité de crème nécessaire pour que le mélange soit lisse et s'étende bien. Badigeonner l'abaisse de pâte de la moitié du mélange en étendant ce dernier jusqu'à ½ pouce des bords. Mettre un des rouleaux de viande au centre de l'abaisse et l'envelopper de la pâte en soudant bien le joint, tout au long. Replier les bouts du rouleau par en dedans et les bien souder. Soulever délicatement le rouleau et le déposer dans la plaque, le côté joint en dessous. Le piquer, à plusieurs endroits, avec les dents d'une fourchette. Faire un deuxième rouleau avec ce qui reste de viande et de pâte.

Battre ensemble, à la fourchette, le jaune d'œuf et 1 cuil. à table de crème et badigeonner du mélange tout l'extérieur des rouleaux.

Cuire au four 10 minutes, à 450°F. Réduire la température du four à 350°F et continuer la cuisson, 50 minutes ou jusqu'à ce que la croûte des rouleaux soit dorée (la viande sera encore un peu rose). Laisser refroidir, envelopper de papier d'aluminium et réfrigérer jusqu'à peu avant le moment de servir. Couper chaque rouleau en 12 tranches et servir froid. (24 portions)

Note: ne pas vous inquiéter si la pâte se fend pendant la cuisson, les rouleaux seront tout aussi bons. S'ils sont fendus, serrer un peu l'enveloppe de papier d'aluminium avant de les mettre à réfrigérer; la pâte se soudera à la viande. On peut faire ces rouleaux à l'avance et les réfrigérer 2 ou 3 jours. On peut aussi les congeler pour une période plus longue.

BIFTECK FARCI

2½ livres de bifteck dans le haut de ronde, en une tranche de 1½ pouce d'épaisseur
1 cuil. à thé de sel
Poivre
3 cuil. à table de beurre ou d'huile à cuisson
2 gros oignons, hachés
1 gousse d'ail, émincée
½ livre de champignons frais, hachés
½ cuil. à thé de feuilles d'estragon séchées
4 jaunes d'œufs
1 tasse de miettes de pain frais
½ tasse de parmesan râpé
½ livre de desserte de jambon ou de jambon cuit, dit prêt-à-servir

Demander au boucher de fendre le bifteck en deux, horizontalement, presque entièrement c'est-à-dire de façon à obtenir une tranche deux fois plus grande que la tranche originale; cela s'appelle un bifteck papillon. (Faire cette opération vous-même, si vous le préférez, avec un long couteau bien aiguisé.) Avec le bord d'une assiette lourde, marteler la viande, au centre, tout au long de la bande non fendue et par conséquent plus épaisse; l'amincir ainsi, comme le reste de la tranche. Ouvrir le bifteck sur la table et le saupoudrer de 1 cuil. à thé de sel et d'un peu de poivre.

Chauffer le beurre ou l'huile dans une grande poêle épaisse. Y cuire l'oignon et l'ail, à feu doux et en brassant, jusqu'à ce que l'oignon soit ramolli. Ajouter les champignons et cuire environ 2 minutes, à feu vif. Retirer du feu et parsemer de l'estragon.

Battre les jaunes d'œufs 2 minutes, à la grande vitesse d'un malaxeur électrique. Ajouter les miettes de pain et le fromage, en brassant, Ajouter le mélange oignon et champignons et mêler délicatement.

Couper le jambon en minces lanières d'environ 2 pouces.

Recouvrir le bifteck papillon du mélange à l'oignon et aux champignons et disposer dessus les lanières de jambon, très près les unes des autres et parallèles aux côtés les plus courts de la tranche de viande. Rouler la viande autour de sa garniture, en partant de l'un des côtés courts. Ficeler solidement le rouleau, à plusieurs endroits.

Chauffer le four à 425°F.

Mettre le rouleau dans un plat à cuire peu profond. Cuire au four 15 minutes, à 425°F. Régler la température du four à 375°F et continuer la cuisson 30 minutes (le bifteck ne sera pas saignant sans être tout à fait à point). Laisser tiédir et bien réfrigérer. Servir en tranches plutôt minces. (De 8 à 10 portions)

Soupe à la paysanne: *recette à la page 15*

Bœuf braisé à l'espagnole: *recette à la page 21*
(pages suivantes)

PETITS PÂTÉS DE BOEUF A CONGELER

3 livres de bifteck de ronde (1 pouce d'épaisseur)
½ tasse de farine
¾ de cuil. à thé de sel
¼ de cuil. à thé de poivre
3 cuil. à table de beurre
3 cuil. à table d'huile à cuisson
2 cuil. à table d'huile à cuisson
½ tasse d'oignon haché
2 chopines (1 livre) de champignons frais, tranchés
2 tasses de bouillon de bœuf (voir note)
½ tasse de persil haché
1 cuil. à thé de sauce Worcestershire
1 cuil. à thé de sel
½ cuil. à thé de poivre
¼ de cuil. à thé de muscade
1 feuille de laurier
Pâte à tarte (voir note)
1 jaune d'œuf
1 cuil. à table d'eau

Débarrasser le bœuf de sa bordure de gras et le couper en cubes de 1 pouce de côté. Mêler la farine, ¾ de cuil. à thé de sel et ¼ de cuil. à thé de poivre, dans un plat peu profond. Passer les cubes de bœuf dans le mélange pour les enfariner de tous côtés.

Chauffer le beurre et 3 cuil. à table d'huile dans une grande casserole épaisse ou une rôtissoire. Y dorer les cubes de bœuf, de tous les cotés. Retirer ces derniers de la casserole, avec une cuillère perforée, à mesure qu'ils sont d'une belle couleur.

Ajouter, au jus de cuisson, 2 cuil. à table d'huile et y cuire l'oignon et les champignons, à feu doux et en brassant, 5 minutes ou jusqu'à ce que l'oignon soit ramolli sans être bruni. Ajouter tous les autres ingrédients, excepté la pâte à tarte, le jaune d'œuf et l'eau. Ajouter aussi les cubes de viande brunis, couvrir et faire mijoter, 1 heure ou jusqu'à ce que la viande soit tendre. Refroidir rapidement en plaçant la casserole qui contient le mélange dans de l'eau glacée.

Répartir le mélange dans 8 petites assiettes en papier d'aluminium. (On trouve ces dernières, sur le marché, en deux tailles différentes. Elles ont 4¼ pouces de diamètre sur 1½ pouce de profondeur ou 5¼ pouces de diamètre — bien qu'elles soient marquées 6 pouces — sur 1¼ pouce de profondeur. Pour cette recette, utiliser les unes ou les autres.)

Rouler la pâte en une abaisse mince et y tailler 8 ronds légèrement plus grands que le dessus des assiettes. (Si l'on n'a pas l'emporte-pièce approprié, renverser un petit bol sur la pâte et couper tout autour.) Déposer les ronds de pâte sur la préparation en les scellant bien aux assiettes, tout autour. Battre ensemble, à la fourchette, le jaune d'œuf et l'eau et badigeonner la pâte du mélange. Ne pas pratiquer de fentes dans les couvercles de pâte.

Envelopper les petits pâtés, séparément, de papier d'aluminium très épais et les congeler immédiatement.

Chauffer le four à 350°F, quand vous voudrez servir les pâtés. Débarrasser ces derniers de leur enveloppe et pratiquer une fente dans leur couvercle de pâte. Les mettre sur une plaque à biscuits. Cuire au four, 1 heure ou jusqu'à ce que la pâte soit bien brunie et l'intérieur des pâtés très chaud. (8 petits pâtés)

Note: on peut utiliser soit du bouillon maison, soit du bouillon de conserve, soit 2 cubes de bouillon de bœuf dissous dans 2 tasses d'eau bouillante.

Si l'on utilise les plus petites assiettes, préparer de la pâte comme pour une tarte de 9 pouces de diamètre, à 2 croûtes. Si l'on utilise les assiettes plus grandes, préparer de la pâte avec 3 tasses de farine ou, si l'on utilise les mélanges du commerce, 1½ enveloppe ou 1½ bâton.

BOEUF AU BROCOLI

1 livre de bifteck dans la ronde (1 pouce d'épaisseur)
1 gros brocoli frais (environ 1½ livre)
¼ de tasse d'eau
1 cuil. à table de fécule de maïs
2 cuil. à table de sauce soya
¼ de cuil. à thé de gingembre en poudre
¼ de tasse d'huile d'arachide
½ livre de champignons frais, tranchés
2 cuil. à table d'huile d'arachide
1 cuil. à thé de sel
¼ de tasse d'eau

Détailler le bifteck en tranches très minces, en coupant perpendiculairement aux fibres de la viande; couper les petites tranches en morceaux de 2 pouces de longueur. Parer le brocoli et en enlever les fleurs. Couper les tiges, en diagonale, en tranches de ¼ de pouce d'épaisseur. Couper les fleurs en bouchées. Bien mêler ¼ de tasse d'eau, la fécule de maïs, la sauce soya et le gingembre.

Chauffer ¼ de tasse d'huile, dans un *wok* ou une grande poêle épaisse, jusqu'à ce qu'elle commence à fumer. Ajouter la viande et la cuire à feu vif, en brassant, 1 minute ou jusqu'à ce qu'elle soit légèrement brunie. Ajouter les champignons et continuer la cuisson 30 secondes, en brassant. Retirer du wok viande et champignons, avec une cuillère perforée, et mettre de côté.

Mettre 2 cuil. à table d'huile, les tiges de brocoli, et le sel dans le wok et cuire 30 secondes, à feu vif et en brassant. Ajouter les fleurs de brocoli et cuire 1 minute, en brassant. Ajouter ¼ de tasse d'eau, régler le feu au degré moyen, couvrir et cuire 3 minutes. Remettre le feu au plus haut. Remettre la viande et les champignons dans le wok et cuire 1 minute, en brassant. Pousser la viande et les légumes sur les bords du plat et verser le mélange à la fécule de maïs dans le liquide au centre, petit à petit et en brassant. Cuire, en brassant, jusqu'à ce que la sauce soit épaisse et comme translucide. Bien mêler viande, légumes et sauce et servir immédiatement. (6 portions)

Filet de bœuf en croûte: *recette à la page 22*

BIFTECK A LA SUISSE

¾ de tasse de farine
1½ cuil. à table de moutarde en poudre
1½ cuil. à thé de sel
¼ de cuil. à thé de poivre
2½ livres de bifteck de ronde, en tranches de
    1 pouce d'épaisseur
3 cuil. à table d'huile à cuisson
1½ tasse d'oignon tranché
1 gousse d'ail, hachée finement
2 grosses carottes, en dés
4 tasses de tomates, pelées et hachées
    grossièrement
2 cuil. à table de sauce Worcestershire
2 cuil. à thé de cassonade
Pommes de terre, en purée ou bouillies

Mêler farine, moutarde, sel et poivre. Enfariner la viande, des deux côtés, en y faisant pénétrer la farine, autant que possible, en martelant avec un marteau à viande ou le bord d'une assiette lourde. Couper la viande en portions.
Chauffer l'huile dans une grande poêle épaisse ou dans une rôtissoire. Y bien brunir la viande des deux côtés. Parsemer de l'oignon, de l'ail et des carottes. Ajouter les tomates, la sauce Worcestershire et la cassonade. Couvrir et cuire à feu doux jusqu'à ce que les tomates commencent à se défaire. Brasser la sauce, pour en bien mêler tous les éléments, tourner les morceaux de viande, couvrir hermétiquement et faire mijoter, 2 heures ou jusqu'à ce que la viande soit très tendre. Brasser souvent et ajouter un peu d'eau, si cela est nécessaire pour empêcher la préparation d'attacher à la casserole. Servir avec les pommes de terre. (6 portions)

BIFTECK GRILLÉ AU VIN ROUGE

1 tranche de bifteck de flanc (environ 1¾ livre)
1 gousse d'ail, finement hachée
½ tasse de vin rouge sec
Sel et poivre

Débarrasser la tranche de bifteck de sa partie grasse et de ses petites membranes. La mettre dans un grand plat émaillé ou en verre. La parsemer de l'ail. Verser le vin sur le tout, couvrir et laisser mariner plusieurs heures, en tournant souvent la viande.
Chauffer le grilloir du four. Retirer le bifteck de sa marinade (conserver celle-ci), le bien égoutter et le débarrasser des petits morceaux d'ail qui pourraient y adhérer. Le mettre sur une clayette, dans une plaque. Faire griller 4 minutes du premier côté. Saler, poivrer et tourner le bifteck; faire griller 4 minutes. Saler et poivrer la viande et la mettre sur une planche ou dans un plat de service.
Verser le jus de cuisson du bifteck dans une petite casserole, ajouter la marinade et chauffer jusqu'à ébullition.
Couper le bifteck en tranches très minces, perpendiculairement aux fibres de la viande. Mettre un peu de la sauce au vin sur chaque portion. (4 portions)

RAGOÛT DE BOEUF

4 livres de bœuf à ragoût, en cubes
½ tasse de farine
6 cuil. à table d'huile à cuisson
1 gros oignon, tranché
2 cuil. à thé de sel
¼ de cuil. à thé de poivre
1 cuil. à thé de poudre de cari
1 gousse d'ail, émincée
2 tasses d'eau
3 cuil. à table de sauce au chili, du commerce
1 feuille de laurier
Nouilles bien chaudes

Passer les cubes de viande dans la farine pour les en bien enrober de tous côtés. Chauffer l'huile dans une grande rôtissoire ou une casserole épaisse. Y bien brunir les cubes de viande, de tous les côtés. A mi-temps de cette dernière opération, ajouter l'oignon, le sel, le poivre et la poudre de cari et continuer à faire brunir la viande, en brassant constamment.
Ajouter l'ail, l'eau, la sauce au chili et le laurier. Chauffer jusqu'à ébullition, baisser le feu, couvrir hermétiquement et faire mijoter, 2 heures ou jusqu'à ce que la viande soit tendre. Servir avec les nouilles. (8 portions)

RAGOÛT GARNI
DE GRANDS-PÈRES

¼ de tasse de farine
½ cuil. à thé de sel
¼ de cuil. à thé de poivre
2 livres de bœuf à bouillir, en cubes
2 cuil. à table d'huile à cuisson
4 oignons moyens, tranchés
½ tasse de jus de tomate
3 tasses d'eau bouillante
1 cuil. à thé de sel
Quelques gouttes de sauce Tabasco
6 carottes moyennes
½ tasse d'un reste de café
1 paquet de 12 onces de haricots de Lima
    congelés
1 cuil. à thé de sucre
Grands-pères relevés (recette ci-après)

Mêler, dans un plat peu profond, la farine, ½ cuil. à thé de sel et ¼ de cuil. à thé de poivre. Passer les cubes de bœuf dans le mélange pour les en enrober de tous côtés.
Chauffer l'huile dans une grande casserole épaisse ou une rôtissoire. Y brunir les cubes de bœuf de tous les côtés. Ajouter l'oignon, le jus de tomate, l'eau, 1 cuil. à thé de sel et la sauce Tabasco. Couvrir hermétiquement et faire mijoter 1 heure.
Couper les carottes, en diagonale, en morceaux de 1 pouce. Ajouter à la viande et faire mijoter environ 45 minutes.

Ajouter le café, les haricots de Lima et le sucre et faire mijoter, 30 minutes ou jusqu'à ce que tous les éléments du ragoût soient très tendres.

Déposer les grands-pères sur le dessus du ragoût et cuire comme nous l'indiquons dans leur recette. Disposer les grands-pères, en couronne, dans un grand plat de service et mettre les légumes et la viande au centre. Faire un mélange lisse avec 2 cuil. à table de farine et ¼ de tasse d'eau froide et l'ajouter au liquide du ragoût, très chaud, petit à petit et en brassant. Cuire, en brassant, jusqu'à épaississement. Verser sur la viande et les légumes. (6 portions)

Grands-pères relevés

1⅓ tasse de farine à tout usage, tamisée
2½ cuil. à thé de poudre à lever
¾ de cuil. à thé de sel
¼ de cuil. à thé de feuilles de marjolaine
    séchées
¼ de cuil. à thé de feuilles de sarriette séchées
1½ cuil. à table de graisse végétale
⅔ de tasse de lait

Tamiser, dans un bol, la farine, la poudre à lever et le sel. Ajouter la marjolaine et la sarriette et mêler délicatement, à la fourchette. Ajouter la graisse végétale et la couper finement. Ajouter le lait et mêler, délicatement et rapidement, à la fourchette. Déposer, par grosse cuillerée à thé, sur les légumes et la viande (ne pas mettre dans le liquide de cuisson). Couvrir hermétiquement et faire mijoter 15 minutes. Ne pas soulever le couvercle pendant la cuisson des grands-pères.

PÂTÉ DE BOEUF

2 livres de bœuf à bouillir, en cubes de 1½
    pouce
16 petits oignons ou 8 oignons moyens (coupés
    en deux)
2 clous de girofle
2 cuil. à table de sucre
1 tasse d'eau bouillante
1½ cuil. à thé de sel
¼ de cuil. à thé de poivre
1 cuil. à thé de sauce à bifteck
1 cuil. à table de vinaigre de vin rouge
1 petite feuille de laurier
⅛ de cuil. à thé de feuilles de thym séchées
2 cuil. à table de beurre
2 cuil. à table de farine
1 tasse d'eau
Pâte à tarte pour 2 croûtes de 9 pouces
1 jaune d'œuf
1 cuil. à table d'eau

Chauffer le four à 325°F. Graisser un plat à cuire de 2 pintes.

Mettre la viande dans le plat. Ajouter les oignons en piquant les clous de girofle dans deux d'entre eux.

Chauffer le sucre dans une grande poêle épaisse jusqu'à ce qu'il fonde et que le sirop soit d'un beau brun foncé. Retirer du feu et ajouter 1 tasse d'eau bouillante, en brassant. Remettre sur le feu et ajouter, en brassant, le sel, le poivre, la sauce à bifteck, le vinaigre, le laurier, le thym et le beurre. Mêler parfaitement la farine et 1 tasse d'eau et ajouter le mélange à la préparation bouillante, petit à petit et en brassant. Verser le tout sur la viande et les oignons.

Faire, avec la pâte, une abaisse plus grande de 1 pouce, tout autour, que le plat employé. Disposer l'abaisse, qui sera plutôt épaisse, sur le plat et retourner la pâte par en dessous, tout autour. Denteler le bord du pâté en soudant bien la pâte au plat et pratiquer une large fente, dans l'abaisse, pour laisser échapper la vapeur pendant la cuisson. Battre ensemble, à la fourchette, le jaune d'œuf et l'eau et badigeonner la pâte du mélange; ne pas toucher au bord dentelé, toutefois.

Cuire au four de 2 à 3 heures ou jusqu'à ce que la viande soit tendre. Servir très chaud. (6 portions)

RAGOÛT CHASSEUR A L'ITALIENNE

3 cuil. à table d'huile d'olive
2 livres de bœuf à ragoût, en cubes
6 petits oignons, épluchés et coupés en deux
2 gousses d'ail, broyées
1 boîte de 5½ onces de pâte de tomate
1 cuil. à table de farine
1 cuil. à thé d'assaisonnement au chili (chili
    powder)
1 cuil. à thé de feuilles d'origan séchées
1 cuil. à thé de feuilles de romarin séchées
1½ cuil. à thé de sel épicé
1 cuil. à thé de sel
1 boîte de 28 onces de tomates
½ tasse de persil finement haché
1 tasse d'eau
3 grosses carottes, en bouts de 1 pouce
8 onces de macaroni en coudes
⅓ de tasse de parmesan râpé

Chauffer l'huile d'olive dans une grande casserole épaisse ou dans une rôtissoire. Ajouter le bœuf et le cuire, en brassant, jusqu'à ce que les cubes soient légèrement brunis de tous les côtés. Ajouter les oignons et l'ail et continuer la cuisson 5 minutes, en brassant.

Mêler la pâte de tomate, la farine, l'assaisonnement au chili, l'origan, le romarin, le sel épicé et le sel ordinaire. Ajouter à la préparation chaude, ainsi que les tomates, le persil et l'eau, en mêlant bien. Chauffer jusqu'à ébullition, baisser le feu, couvrir et faire mijoter 1 heure et 15 minutes. Ajouter les carottes et faire mijoter encore, 45 minutes ou jusqu'à ce que la viande soit tendre.

Cuire le macaroni à l'eau bouillante salée, pendant la cuisson de la viande. Le rincer à l'eau froide courante, l'ajouter au ragoût et bien chauffer le tout. Ajouter le parmesan, brasser et servir immédiatement, avec beaucoup de pain croûté. (6 portions)

PETITES CÔTES BRAISÉES

2 livres de petites côtes de bœuf
1 grosse gousse d'ail, en moitiés
¼ de tasse de farine
1 cuil. à thé de sel
¼ de cuil. à thé de poivre
1 cuil. à thé de paprika
¼ de tasse d'huile
1 boîte de 19 onces de tomates
1 tasse d'eau bouillante
1 grosse carotte, pelée et coupée en dés
1 oignon moyen, tranché
1 cuil. à thé de sel
¼ de cuil. à thé de poivre
1 petite feuille de laurier

Chauffer le four à 325°F.
Couper les petites côtes en morceaux et en enlever l'excès de gras. Les frotter partout avec le côté coupé de la gousse d'ail. Mêler la farine, 1 cuil. à thé de sel, ¼ de cuil. à thé de poivre et le paprika, dans un plat peu profond, et rouler les morceaux de viande dans ce mélange pour les en bien enrober.
Chauffer l'huile dans une casserole épaisse, pouvant aller au four, ou dans une rôtissoire. Y bien brunir les petites côtes de tous les côtés, en les retirant de la casserole à mesure qu'elles sont à point.
Ne laisser, dans la casserole, que 2 cuil. à table de graisse de cuisson. Saupoudrer de ce qui reste de la farine dans laquelle on a passé les petites côtes, et laisser bouillonner un peu, en brassant constamment. Retirer du feu et ajouter les tomates et l'eau bouillante, d'un trait et en mêlant bien. Continuer la cuisson jusqu'à ébullition, en brassant constamment. Ajouter les dés de carotte, l'oignon, 1 cuil. à thé de sel, ¼ de cuil. à thé de poivre, le laurier et les petites côtes. Couvrir hermétiquement et cuire au four, de 2 à 2½ heures ou jusqu'à ce que ce soit très tendre. (4 portions)

FRICADELLES ET ASPERGES

2 livres de bifteck de ronde haché
1½ cuil. à thé de poivre grossièrement concassé
   (voir note)
¼ de tasse de beurre
2 livres d'asperges fraîches
¼ de tasse de beurre, fondu
⅓ de tasse de parmesan râpé
Sel et poivre
2 cuil. à table de beurre ramolli
1 cuil. à table de persil haché
Sel
1 tasse de vin rouge sec
½ tasse d'eau
1 cuil. à table de beurre ramolli
1 cuil. à table de farine.

Faire 4 parts de la viande et façonner chacune en une galette épaisse ou fricadelle. Saupoudrer chaque côté des fricadelles de poivre concassé en tapotant pour le faire pénétrer.
Chauffer ¼ de tasse de beurre dans une grande poêle épaisse. Y cuire les fricadelles, à feu vif, pour qu'elles soient à point et brunies des deux côtés (si on les désire saignantes, compter environ 5 minutes de cuisson de chaque côté).
Cuire les asperges, pendant la cuisson de la viande. Égoutter les asperges et leur ajouter ¼ de tasse de beurre fondu. Remuer doucement la casserole qui les contient pour les bien enrober de beurre. Les parsemer du parmesan et les saupoudrer, légèrement, de sel et de poivre.
Bien mêler 2 cuil. à table de beurre ramolli et le persil. Mettre les fricadelles dans un plat de service et les bien saler. Mettre une touche de beurre au persil sur chacune. Garder le tout bien chaud. Verser le vin et l'eau dans la poêle utilisée pour la viande et chauffer jusqu'à ébullition. Bien mêler 1 cuil. à table de beurre et la farine et ajouter ce mélange, par parcelle, au liquide bouillant, en brassant bien après chaque addition. Cuire cette sauce jusqu'à léger épaississement et la verser sur la viande. Ajouter les asperges au plat et servir immédiatement. (4 portions)
Note: le poivre grossièrement concassé se trouve dans le commerce; on peut aussi écraser soi-même des grains de poivre.

FRICADELLES AUX OIGNONS VERTS

1 livre de bœuf de palette, haché
1 cuil. à thé de sel
⅛ de cuil. à thé de poivre
1 cuil. à table de beurre doux
3 cuil. à table de beurre doux
1½ tasse d'oignons verts, en bouts de 1 pouce
½ tasse de persil haché
¾ de tasse de champignons tranchés
Sel et poivre
4 petits pains ronds, rôtis

Mêler délicatement, à la fourchette, la viande, 1 cuil. à thé de sel et ⅛ de cuil. à thé de poivre. Façonner en 4 galettes, ou fricadelles, d'environ ½ pouce d'épaisseur.
Chauffer le four à 200°F. Mettre 1 cuil. à table de beurre doux dans un plat à cuire juste assez grand pour contenir les fricadelles côte à côte. Mettre le plat au four pour faire fondre le beurre.
Chauffer fortement une grande poêle de fonte épaisse. Y brunir les fricadelles, très rapidement, des deux côtés (si la viande attache à la poêle, utiliser une très petite quantité d'huile). Retirer les fricadelles à mesure qu'elles sont à point, c'est-à-dire brunes à l'extérieur mais encore roses à l'intérieur; les mettre dans le plat à cuire et les garder chaudes, au four.
Mettre 3 cuil. à table de beurre doux dans la poêle. Ajouter les oignons, le persil et les champignons et cuire 2 minutes, à feu vif. Saler et poivrer généreusement. Mettre, dans les pains, les fricadelles et le mélange de légumes et servir immédiatement. (4 portions)

PAIN DE VIANDE FROID

1 livre de bœuf haché
½ livre de porc maigre, haché
2 tasses de miettes de pain frais
1 tasse de lait
1 œuf
¼ de tasse d'oignon finement haché
1 gousse d'ail, broyée
1¼ cuil. à thé de sel
¼ cuil. à thé de poivre
¼ cuil. à thé de moutarde en poudre
¼ cuil. à thé de sauge
1 cuil. à table de sauce Worcestershire
1 cuil. à table de raifort
1 cuil. à table de catsup

Chauffer le four à 350°F. Avoir sous la main un moule à pain, en verre à feu, d'environ 9×5×3 pouces.
Mêler la viande et les miettes de pain, dans un grand bol. Battre ensemble, à la fourchette, le lait et l'œuf et ajouter à la viande ainsi que tous les autres ingrédients. Bien mêler, à la fourchette, et tasser le mélange dans le moule.
Cuire au four 1½ heure. Enlever du moule tout liquide de cuisson et laisser refroidir le pain. Couvrir de papier d'aluminium ou de papier de cuisine transparent et réfrigérer. Excellent avec une salade de pommes de terre ou, en sandwichs, entre des tranches de pain croûté beurrées. (6 portions)

PAIN DE VIANDE VITE FAIT

1 tasse d'oignon en lamelles
1 cuil. à table d'huile à cuisson
2 livres de bœuf haché
1 tasse de crème sure, du commerce
2 œufs
1 enveloppe (1⅜ once) de mélange pour soupe à l'oignon
1 pincée de muscade
1 tasse de miettes de pain frais
Macédoine de légumes, cuite

Chauffer le four à 500°F.
Bien graisser un moule en couronne, de 9 pouces de diamètre. Défaire les lamelles d'oignon en rondelles, les étendre uniformément dans le moule, couvrir ce dernier de papier d'aluminium et chauffer au four 10 minutes.
Chauffer l'huile dans une grande poêle épaisse, pendant ce temps. Y cuire le bœuf haché, en brassant souvent, jusqu'à ce qu'il perde complètement sa couleur rosée et brunisse légèrement. Retirer du feu.

Battre ensemble légèrement, à la fourchette, la crème sure et les œufs. Ajouter le mélange pour soupe à l'oignon, la muscade et les miettes de pain. Ajouter aussi le bœuf et bien mêler.
Retirer le moule du four et enlever le papier d'aluminium. Tasser le mélange dans le moule, sur les rondelles d'oignon. Cuire au four 15 minutes (à 500°F). Allumer le grilloir du four et continuer la cuisson 5 minutes ou jusqu'à ce que le pain soit bien bruni sur le dessus. Égoutter, pour enlever le jus de cuisson, et démouler dans un plat de service. Mettre la macédoine bien chaude au centre du pain et servir immédiatement. (6 portions)

CHAUSSONS AU BOEUF ET AU CHOU

3 cuil. à table de beurre
¾ de tasse d'oignon finement haché
1½ livre de bœuf maigre, haché
4 tasses de chou râpé (à la râpe moyenne)
¾ de tasse de carottes crues râpées (à la râpe moyenne)
2 cuil. à thé de sel
¼ de cuil. à thé de poivre
¼ de cuil. à thé de macis
¼ de cuil. à thé de sauce Worcestershire
2 cuil. à table d'eau
Pâte à tarte (double quantité de la recette de base: page 149)
1 jaune d'œuf
1 cuil. à table d'eau

Chauffer le beurre dans une grande casserole. Y cuire l'oignon à feu doux, 5 minutes ou jusqu'à ce qu'il soit tendre. Ajouter la viande et la cuire, en brassant, jusqu'à ce qu'elle perde sa couleur rosée. Ajouter le chou, les carottes, le sel, le poivre, le macis, la sauce Worcestershire et l'eau, couvrir et faire mijoter 15 minutes. Découvrir et continuer la cuisson pour faire évaporer ce qui reste de liquide. Le mélange doit être bien lié sans être trop humide. Laisser refroidir.
Chauffer le four à 425°F.
Rouler la pâte, la moitié de la quantité à la fois, en une abaisse très mince et y tailler des carrés de 6 pouces de côté. Il devrait y avoir 18 carrés; aussi, faut-il rouler très mince.
Disposer les carrés de pâte sur la table et mettre sur chacun ¼ de tasse du mélange au bœuf et au chou. Humecter, d'un peu d'eau, le bord de deux côtés adjacents de chaque carré. Replier les carrés de pâte sur leur garniture, en triangles, les deux côtés secs sur les côtés humectés. Presser le bord des chaussons, avec les dents d'une fourchette, pour les bien sceller. Piquer le dessus de chaque chausson, à quelques reprises, avec une fourchette. Mettre les chaussons dans des plaques. Battre ensemble le jaune d'œuf et l'eau et badigeonner les chaussons du mélange, sans toucher aux bords cependant.
Cuire au four, de 25 à 30 minutes ou jusqu'à ce que ce soit bien bruni. Servir très chaud. (18 chaussons)

MACARONI AU BOEUF CUIT DANS UNE POÊLE

⅓ de tasse d'huile à cuisson
1 livre de bœuf haché
½ tasse d'oignon haché
1 gousse d'ail, émincée
2 tasses de macaroni en coudes, non cuit
1 tasse d'oignons verts, en allumettes
½ tasse de céleri tranché
1 tasse de haricots verts congelés, un peu décongelés
1 boîte de 28 onces de tomates
2 cuil. à thé de sel
¼ de cuil. à thé de poivre
2 cuil. à table de sauce Worcestershire
½ tasse d'olives noires, en allumettes

Chauffer l'huile dans une grande poêle épaisse. Y cuire le bœuf, en le brassant, jusqu'à ce qu'il soit légèrement bruni. Ajouter l'oignon, l'ail et le macaroni et cuire, en brassant, pour brunir légèrement le macaroni.
Ajouter les oignons verts, le céleri, les haricots, les tomates, le sel, le poivre et la sauce Worcestershire. Chauffer jusqu'à ébullition, baisser le feu, couvrir et faire mijoter, 20 minutes ou jusqu'à ce que le macaroni soit tendre. Brasser à plusieurs reprises, pendant la cuisson, et ajouter un peu d'eau si cela est nécessaire.
Ajouter les olives, bien mêler et servir. (6 portions)

PETITS ROULEAUX DE VIANDE CUITS AU FOUR

1 cuil. à table d'huile d'olive
1 gros oignon, haché
2 gousses d'ail, émincées
1 boîte de 28 onces de tomates
1 boîte de 5½ onces de pâte de tomate
1 enveloppe de 1½ once de mélange sec pour sauce à spaghetti
½ tasse d'eau
8 coquilles manicotti (voir note)
Approximativement ½ livre d'épinards
1 cuil. à table d'huile d'olive
¾ de livre de bœuf haché
¼ de tasse de piment vert finement haché
4 onces de fromage mozzarella, en très petits cubes
1 œuf, légèrement battu
¼ de tasse de parmesan râpé

Chauffer 1 cuil. à table d'huile, dans une casserole moyenne. Y cuire l'oignon et l'ail 5 minutes, en brassant. Ajouter les tomates, la pâte de tomate, le mélange pour sauce à spaghetti et l'eau. Défaire tout morceau de tomates trop gros. Chauffer jusqu'à ébullition, baisser le feu, couvrir et faire mijoter 20 minutes.
Cuire les coquilles manicotti 7 minutes, à l'eau bouillante salée. Les égoutter.
Enlever les tiges des épinards, en laver les feuilles et en mesurer 2 tasses, bien tassées. Faire cuire ces feuilles (l'eau qui reste sur elles après le lavage suffit pour la cuisson) jusqu'à ce qu'elles soient ramollies. Les égoutter et les hacher finement, avec des ciseaux de cuisine.
Chauffer 1 cuil. à table d'huile d'olive dans une poêle épaisse. Y mettre le bœuf et le piment vert et cuire, en brassant constamment, jusqu'à ce que la viande soit légèrement brunie. Retirer du feu, enlever, s'il y a lieu, l'excès de graisse de cuisson et laisser refroidir. Mêler délicatement, à la fourchette, la viande, les épinards hachés, les petits cubes de fromage et l'œuf. Farcir les coquilles de ce mélange.
Chauffer le four à 375°F. Avoir sous la main un plat à cuire en verre, de 12 × 8 × 2 pouces.
Mettre environ les trois quarts de la sauce tomate dans le plat. Y disposer les 8 coquilles farcies. Ajouter le reste de la sauce tomate et parsemer le tout du parmesan.
Cuire au four, 30 minutes ou jusqu'à ce que ce soit très chaud. (4 portions)
Note: on trouve les coquilles manicotti dans les supermarchés. Ce sont de gros tubes de pâtes alimentaires, d'un diamètre de 1¼ pouce environ sur 4 pouces de longueur. On les farcit habituellement.

*Tout bon cuisinier
se garde de dédaigner
le bœuf haché.
Il en fait de grands plats,
économiques comme il n'y en a pas!*

CHILI CON CARNE A LA MEXICAINE

1 paquet de 14 onces de haricots (kidney beans), secs
¼ de livre de lard salé, en dés
3 gousses d'ail, émincées
2 gros oignons, hachés
1 livre de bœuf maigre, en dés
1 livre de porc maigre, en dés (l'épaule de porc fait bien l'affaire)
2 boîtes de 7½ onces de sauce tomate
3 cuil. à table d'assaisonnement au chili (chili powder)
2 cuil. à thé de sel
¼ de cuil. à thé de poivre
½ cuil. à thé de feuilles d'origan séchées
1 pincée de cumin
Jus de tomate

Laver les haricots et les trier pour en retirer ceux qui ne sont pas parfaits. Les faire tremper dans 6 tasses d'eau froide, jusqu'au lendemain (ou suivre les indications sur le paquet). Les égoutter.

Faire cuire le lard salé jusqu'à ce qu'il soit croustillant, dans une grande poêle épaisse ou une rôtissoire. Ajouter l'ail et l'oignon et cuire, en brassant, jusqu'à ce que l'oignon soit ramolli.

Ajouter le bœuf et le porc et cuire, à feu doux et en brassant, jusqu'à ce que ces viandes soient légèrement brunies. Ajouter tous les autres ingrédients, excepté le jus de tomate, en brassant. Couvrir hermétiquement et faire mijoter 1½ heure ou jusqu'à ce que la viande et les haricots soient tendres. Ajouter du jus de tomate petit à petit, pendant la cuisson, si le mélange devient trop sec (il doit être bien lié sans être en sauce, une fois prêt). Goûter et rectifier l'assaisonnement si cela est nécessaire. (De 6 à 8 portions)

Note: j'aime faire ce plat dans une grande poêle électrique que l'on peut ensuite disposer sur un buffet. J'ajoute, pendant la cuisson, une bonne quantité de jus de tomate, le plus souvent toute une boîte de 19 onces.

SAUCE AUX BOULETTES DE VIANDE
(pour spaghetti)

1 livre de bœuf haché
½ livre de porc maigre haché
½ livre de veau haché
½ tasse de persil finement haché
½ tasse de parmesan râpé
2 gousses d'ail, broyées
1 tasse de chapelure fine
2 cuil. à thé de sel
¼ de cuil. à thé de poivre
1 œuf
¼ de tasse de lait
2 cuil. à table d'huile à cuisson
2 cuil. à table d'huile à cuisson
2 oignons moyens, hachés
3 boîtes de 28 onces de tomates (dites à l'italienne)
2 boîtes de 7½ onces de sauce tomate
2 boîtes de 5½ onces de pâte de tomate
1 gousse d'ail, broyée
Spaghetti cuit, bien chaud
Parmesan râpé

Mêler, dans un grand bol, le bœuf, le porc, le veau, le persil, ½ tasse de parmesan, 2 gousses d'ail, la chapelure, le sel et le poivre. Battre ensemble légèrement, à la fourchette, l'œuf et le lait et ajouter au mélange. Mêler et façonner en boulettes de 1½ pouce de diamètre.

Chauffer 2 cuil. à table d'huile dans une casserole épaisse. Brunir les boulettes, en les retirant de la casserole, à mesure qu'elles sont à point, et en ajoutant de l'huile, s'il y a lieu.

Ajouter 2 cuil. à table d'huile dans la casserole, une fois les boulettes retirées; ajouter les oignons. Cuire à feu doux et en brassant, pendant 3 minutes. Ajouter les tomates, la sauce tomate, la pâte de tomate et 1 gousse d'ail. Chauffer jusqu'à ébullition, baisser le feu, couvrir et faire mijoter pendant 2 heures.

Ajouter les boulettes et continuer la cuisson, à feu doux et à découvert, pendant 2 heures ou jusqu'à ce que la sauce soit épaisse. Goûter et ajouter du sel et du poivre, s'il y a lieu.

Servir sur du spaghetti bien chaud, avec du parmesan râpé. (De 8 à 10 portions)

PÂTÉ MAISON

½ livre de bacon
1 livre de bœuf haché
1 livre de porc haché
2 gousses d'ail, broyées
½ tasse de persil finement haché
½ cuil. à thé de feuilles d'estragon séchées
½ cuil. à thé de feuilles de thym séchées
½ cuil. à thé de paprika
1½ cuil. à thé de sel
¼ de cuil. à thé de poivre
2 œufs, légèrement battus
½ tasse de cognac
1 livre de jambon cuit haché
1½ cuil. à thé de moutarde en poudre
½ cuil. à thé de muscade
¼ de tasse de sherry sec
1 tasse d'oignons verts finement hachés
1 tasse de persil finement haché
½ tasse de sherry sec

Chauffer le four à 325°F. Disposer 3 tranches de bacon dans le fond de chacun de 2 plats en verre à feu de 8½ × 4½ × 2½ pouces.

Mêler parfaitement le bœuf, le porc, l'ail, ½ tasse de persil, l'estragon, le thym, le paprika, le sel, le poivre, les œufs et le cognac.

Mêler parfaitement le jambon, la moutarde, la muscade et ¼ de tasse de sherry.

Mettre ¼ du mélange au bœuf dans chacun des deux plats, en l'étendant et en le tassant bien. Parsemer chaque pâté de ¼ de tasse d'oignons verts et de ¼ de tasse de persil.

Recouvrir du mélange au jambon en le divisant également dans les 2 plats et en le tassant bien. Parsemer de nouveau chaque pâté de ¼ de tasse d'oignons et de ¼ de tasse de persil. Recouvrir de ce qui reste du mélange au bœuf, en le divisant dans les 2 plats et en le pressant bien. Recouvrir de ce qui reste des tranches de bacon et verser ½ tasse de sherry sur le tout.

Couvrir les plats hermétiquement avec du papier d'aluminium et cuire au four pendant 3 heures.

Retirer les moules du four, les disposer sur des clayettes, enlever le couvercle de papier d'aluminium et mettre une pesée sur les pâtés jusqu'à ce qu'ils soient refroidis. (Pour ce faire, je couvre chaque pâté de papier d'aluminium et d'un morceau de carton fort, de la grandeur exacte du pâté, et je dispose dessus les boîtes de conserve les plus lourdes que j'aie.)

Enlever la pesée, une fois les pâtés refroidis, et découvrir les moules. Bien réfrigérer avant de servir. Servir comme hors-d'œuvre, avec des craquelins ou des toasts melba, ou comme entrée, coupé en tranches.

VEAU A LA BARBECUE

2 cuil. à table d'huile à cuisson
4 livres de veau à rôtir
2 cuil. à table de cassonade
1 cuil. à table de paprika
1 cuil. à thé de sel
1 cuil. à thé de moutarde en poudre
¼ de cuil. à thé d'assaisonnement au chili (chili powder)
⅛ de cuil. à thé de poivre de Cayenne
2 cuil. à table de sauce Worcestershire
¼ de tasse de vinaigre blanc
1 tasse de jus de tomate
¼ de tasse de catsup
½ tasse d'eau
¼ de tasse de céleri finement haché
1 petit oignon, haché
Pommes de terre, pelées et coupées en deux
Carottes, pelées et coupées en gros morceaux
Petits oignons, épluchés

Chauffer l'huile dans une grande casserole épaisse ou une rôtissoire. Y bien brunir la viande de tous les côtés. Mêler, dans une autre casserole, tous les autres ingrédients excepté les pommes de terre, les carottes et les petits oignons entiers. Chauffer jusqu'à ébullition et verser sur la viande. Chauffer jusqu'à ce que l'ébullition reprenne, couvrir hermétiquement, baisser le feu et faire mijoter 1½ heures. Tourner la viande de temps en temps. Ajouter les pommes de terre, les carottes et les petits oignons, couvrir de nouveau et continuer la cuisson à feu doux, 1 heure ou jusqu'à ce que tous les éléments du plat soient tendres. Servir la viande et les légumes nappés de la sauce.

RÔTI DE VEAU SUR LE DESSUS DE LA CUISINIÈRE

2 cuil. à table de farine
1 cuil. à table de moutarde en poudre
1 cuil. à table de sucre
2 cuil. à thé de sel
¼ de cuil. à thé de poivre
½ cuil. à thé de feuilles de thym séchées
½ cuil. à thé de feuilles de sarriette séchées
De 4 à 5 livres de rôti de croupe de veau
¼ de tasse d'huile à cuisson
¼ de tasse de vinaigre blanc
½ tasse de bouillon de poulet ou d'eau
1 tasse d'oignon haché
¼ de tasse de persil haché
¼ de tasse de feuilles de céleri hachées

Mêler la farine, la moutarde, le sucre, le sel, le poivre, le thym et la sarriette et frotter la viande du mélange. (Garder ce qui reste du mélange pour épaissir ensuite la sauce.)
Chauffer l'huile dans une grande casserole épaisse ou une rôtissoire. Ajouter la viande et la bien brunir, de tous les côtés. Ajouter tous les autres ingrédients, couvrir

et faire mijoter, 2 heures ou jusqu'à ce que la viande soit tendre. Retirer la viande de la casserole et la mettre dans un plat de service chaud.
Passer le liquide de cuisson et le remettre dans la casserole. Mettre un peu d'eau froide et le reste de la farine assaisonnée avec laquelle on a frotté la viande dans un petit bocal fermant hermétiquement. Agiter et ajouter le mélange bien lisse au liquide de cuisson bouillant, petit à petit et en brassant. Faire mijoter 5 minutes, en brassant constamment. Servir avec le rôti.

VEAU AU FOUR RELEVÉ

3 cuil. à table de jus de pickles sucrés
1 cuil. à table de moutarde en poudre
1 cuil. à table de sel
1 cuil. à thé de sauge
½ cuil. à thé de feuilles de romarin séchées
1 rôti de 4 livres de croupe de veau
6 tranches de bacon

Chauffer le four à 325°F.
Mêler le jus des pickles, la moutarde, le sel, la sauge et le romarin et badigeonner le rôti du mélange. Mettre le rôti sur une clayette, dans une rôtissoire, et le recouvrir des tranches de bacon.
Faire rôtir, à découvert, 35 minutes par livre ou jusqu'à ce que ce soit très tendre.

CÔTELETTES DE FILET DE VEAU A LA SAUCE TOMATE

1 enveloppe de mélange sec pour soupe à l'oignon
1 tasse de chapelure fine
2 œufs
2 cuil. à table d'eau
6 côtelettes de filet de veau, de ¾ de pouce d'épaisseur
2 cuil. à table de beurre ou de margarine
2 cuil. à table d'huile à cuisson
½ tasse de bouillon de poulet
Sauce tomate (recette ci-après)

Écraser, du bout des doigts, les grumeaux du mélange pour soupe et le bien mêler à la chapelure, dans un plat peu profond (une assiette à tarte, par exemple). Battre ensemble à la fourchette, dans un autre plat peu profond, les œufs et l'eau. Passer les côtelettes successivement dans la chapelure, dans les œufs battus et de nouveau dans la chapelure, pour les bien enrober.
Chauffer le four à 350°F. Beurrer un plat à cuire peu profond et juste assez grand pour qu'on puisse y disposer les côtelettes en une couche simple.
Chauffer le beurre (ou la margarine) et l'huile dans une grande poêle épaisse. Y brunir doucement les côtelettes, des deux côtés. Mettre ces dernières dans le plat à cuire, à mesure qu'elles sont prêtes. Ajouter le bouillon, couvrir

hermétiquement et cuire au four 15 minutes.

Tourner les côtelettes, couvrir de nouveau et continuer la cuisson, au four toujours, pendant 15 minutes. Retirer alors le couvercle du plat et continuer la cuisson, 10 minutes ou jusqu'à ce que les côtelettes soient très tendres. Servir avec la sauce tomate. (6 portions)

Sauce tomate

2 cuil. à table d'huile d'olive
1 petite gousse d'ail, épluchée et coupée en deux
¼ de tasse d'oignon haché
¼ de tasse de céleri haché
1 tasse de champignons tranchés
½ tasse de jambon cuit finement haché
1 boîte de 14 onces de sauce tomate, du commerce
¼ de tasse d'eau
¼ de tasse de carotte finement râpée
½ cuil. à thé de sel
¼ de cuil. à thé de poivre

Chauffer l'huile dans une casserole moyenne. Y cuire l'ail 3 minutes, à feu doux. Retirer et jeter l'ail. Ajouter, à l'huile, l'oignon, le céleri, les champignons et le jambon et cuire 3 minutes, à feu doux et en brassant. Ajouter tous les autres ingrédients et chauffer jusqu'à ébullition. Baisser le feu, couvrir et faire mijoter 20 minutes. Garder bien chaud et servir avec le veau.

CÔTELETTES D'ÉPAULE DE VEAU AUX OIGNONS

2 livres de côtelettes d'épaule de veau
Farine
2 cuil. à table de beurre
2 cuil. à table d'huile à cuisson
Sel et poivre
4 gros oignons, hachés finement
½ tasse d'eau
3 cuil. à table de beurre ou de margarine
2 cuil. à table de farine
1½ tasse de lait
½ cuil. à thé de sel
⅛ de cuil. à thé de poivre noir
⅓ de tasse de parmesan râpé
¼ de tasse de parmesan râpé

Débarrasser les côtelettes de leurs petites membranes et couper la viande en portions. Passer les morceaux de viande dans la farine pour les en enrober des deux côtés. Chauffer 2 cuil. à table de beurre et l'huile, dans une très grande poêle, et y brunir légèrement la viande, des deux côtés.

Chauffer le four à 350°F. Avoir sous la main un plat à cuire juste assez grand pour qu'on puisse y disposer les côtelettes en une couche simple. Saler et poivrer généreusement les côtelettes et les disposer dans le plat.

Mettre l'oignon dans le jus de cuisson dans la poêle. Ajouter ½ tasse d'eau, couvrir et faire mijoter jusqu'à ce que l'oignon ait pris une apparence un peu translucide (ne pas laisser brunir). Retirer alors le couvercle de la poêle et continuer la cuisson à feu doux, suffisamment longtemps (5 minutes environ) pour faire évaporer tout le liquide. Ajouter 3 cuil. à table de beurre et bien mêler. Saupoudrer 2 cuil. à table de farine et brasser, pour bien mêler tous les ingrédients. Cuire 3 minutes, à feu doux et en brassant.

Retirer du feu et ajouter le lait, en brassant. Continuer la cuisson, à feu moyen et en brassant, jusqu'à ce que la sauce bouille et soit épaisse et lisse. Retirer du feu et ajouter ½ cuil. à thé de sel, ⅛ de cuil. à thé de poivre et ⅓ de tasse de parmesan. Verser la sauce sur le veau. Couvrir et cuire au four, 1 heure ou jusqu'à ce que la viande soit tendre. Retirer alors le couvercle et parsemer la préparation de ¼ de tasse de parmesan. Glisser sous le grilloir, assez loin du feu c'est-à-dire en mettant le plat dans la partie inférieure du four, et bien faire brunir. Servir immédiatement. (4 portions)

VEAU AU MARSALA

1 cuil. à table de farine
¼ de cuil. à thé de sel
1 pincée de poivre
¼ de cuil. à thé de paprika
¾ de livre de bifteck de veau (¼ de pouce d'épaisseur)
2 cuil. à table de beurre
1 cuil. à table d'huile d'olive
1 tasse de champignons frais, en tranches épaisses
⅓ de tasse de vin de Marsala
Sel et poivre
1 cuil. à table de persil haché
4 lamelles de citron

Mêler, dans un plat peu profond, la farine, ¼ de cuil. à thé de sel, 1 pincée de poivre et le paprika. Détailler le veau en deux portions. Passer les tranches de veau dans la farine pour les en bien enrober des deux côtés. **Chauffer** 1 cuil. à table de beurre et l'huile, jusqu'à ce que ces ingrédients soient brûlants, dans une grande poêle épaisse. Y cuire les champignons 2 minutes, à feu vif et en brassant. Les retirer de la poêle, avec une cuillère perforée, et les mettre de côté. Ajouter 1 cuil. à table de beurre au jus de cuisson dans la poêle et bien chauffer. Mettre le veau dans la poêle et le brunir rapidement, des deux côtés. Retirer la poêle du feu, la laisser refroidir une minute et y mettre le Marsala. Saler et poivrer légèrement le veau. Couvrir la poêle hermétiquement et faire mijoter, à feu bas, 10 minutes ou jusqu'à ce que le veau soit tendre.

Mettre le veau dans un plat de service chaud. Ajouter le persil et les champignons au jus de cuisson. (Ajouter aussi un peu d'eau bouillante, si le vin a trop diminué.) Bien chauffer et verser sur le veau. Garnir de lamelles de citron et servir immédiatement. (2 portions)

CRÈME SCHNITZEL

2 cuil. à table de farine
¼ de cuil. à thé de sel
1 pincée de poivre
1 livre de «bifteck» de veau, en tranche de
    ¼ de pouce d'épaisseur
4 tranches de bacon
1 cuil. à table de beurre
1 cuil. à table d'oignon finement haché
1 cuil. à table de paprika
1 boîte de 7½ onces de sauce tomate
½ tasse d'eau
1 paquet de 10 onces de haricots verts, taillés à
    la française
1 boîte de 19 onces de petites pommes de terre
    entières, égouttées et tranchées
½ tasse de crème sure, du commerce

Mêler farine, sel et poivre. Couper la viande en portions et les passer dans la farine assaisonnée pour les en bien enrober des deux côtés.

Faire frire le bacon, dans une poêle épaisse, jusqu'à ce qu'il soit bien croustillant. Le retirer de la poêle, l'égoutter et l'émietter. Le mettre de côté.

Ajouter le beurre à la graisse de cuisson dans la poêle et régler le feu au plus haut. Frire le veau rapidement, pour qu'il soit doré des deux côtés. Baisser le feu. Ajouter oignon, paprika, sauce tomate, eau, haricots et pommes de terre. Couvrir hermétiquement et faire mijoter 20 minutes ou jusqu'à ce que tous les éléments du plat soient tendres. Découvrir à plusieurs reprises, pendant la cuisson, séparer les haricots et ajouter de l'eau si cela est nécessaire. Ajouter la crème sure et la bien mêler au liquide de cuisson. Chauffer sans toutefois laisser bouillir et parsemer le tout des miettes de bacon. (2 ou 3 portions)

TERRINE DE VEAU

½ livre de bacon de côté
2 livres de «bifteck» de veau, en tranches de
    ¼ de pouce d'épaisseur
¾ de tasse d'oignons verts finement hachés
¾ de tasse de persil finement haché
Poivre frais moulu
Feuilles de sarriette séchées
Feuilles de basilic séchées
1 feuille de laurier
1 livre de bacon de dos, tranché très mince
½ tasse de vermouth sec

Chauffer le four à 300°F. Avoir sous la main un moule en verre à feu de 9 × 5 × 3 pouces.

Habiller le fond et les côtés du moule avec une partie du bacon de côté.

Couper le veau en morceaux, selon ses divisions naturelles, en le débarrassant des os et des petites membranes. Recouvrir le bacon dans le fond du plat avec une partie du veau, en disposant ce dernier en une seule couche. Parsemer du quart environ des oignons et du persil. Moudre un peu de poivre sur le tout et saupoudrer d'une pincée de sarriette et d'une pincée de basilic. Casser un petit morceau de la feuille de laurier et l'émietter sur la préparation. Recouvrir d'une couche simple de bacon de dos. Répéter toutes ces opérations, dans l'ordre, de façon à utiliser en entier les ingrédients précités. Terminer la terrine avec une couche de bacon de côté. Verser le vermouth sur le tout.

Couvrir hermétiquement le moule d'une double feuille de papier d'aluminium et cuire au four 3 heures.

Retirer du four. Replier plusieurs fois une feuille de papier d'aluminium très épais en un morceau qui s'ajuste exactement à l'intérieur du moule. Déposer cette sorte de couvercle sur la terrine. Tailler un carton fort en un morceau de la même forme. L'envelopper de papier d'aluminium, le mettre sur la terrine et déposer dessus un poids, comme des boîtes de conserve lourdes, un fer à repasser ou une brique. Laisser refroidir ainsi la terrine à la température de la pièce.

Bien réfrigérer, en laissant le poids sur la terrine si vous le pouvez. Démouler et servir en tranches minces. (De 8 à 10 portions)

PETITS ROULEAUX DE VEAU GARNIS

12 escalopes de veau, très minces
De 6 à 12 tranches de prosciutto (jambon italien)
    ou de jambon cuit ordinaire
1 cuil. à table de beurre ou de margarine
1 cuil. à table d'huile d'olive
1 gousse d'ail épluchée
½ tasse de bouillon de poulet ou d'eau
¼ de tasse de vin blanc sec
2 paquets de 12 onces d'épinards hachés
    congelés, dégelés et égouttés
½ cuil. à thé de sel

Placer les escalopes entre deux feuilles de papier ciré et les marteler, avec un rouleau à pâte ou un maillet, pour les amincir autant que possible. Mettre, sur chaque escalope, une tranche de prosciutto ou de jambon cuit taillée pour être légèrement plus petite que l'escalope elle-même. Rouler les escalopes, avec le jambon, en fixant solidement chaque petit rouleau avec une brochette ou un cure-dents.

Chauffer ensemble, dans une grande poêle épaisse, beurre ou margarine, huile et ail. Faire dorer les rouleaux de veau, de tous côtés, dans ce mélange. Ajouter le bouillon ou l'eau et le vin. Couvrir hermétiquement et faire mijoter 15 minutes. Retirer les rouleaux de la poêle et les garder bien chauds, jeter l'ail.

Chauffer le four à 350°F. Beurrer un plat à cuire de 10 × 6 × 2 pouces.

Faire bouillir vivement le jus de cuisson dans la poêle pour qu'il n'en reste plus que sa partie grasse. Ajouter les épinards et le sel et cuire, en brassant, 1 minute ou jusqu'à ce que les épinards soient bien chauds. Mettre les épinards dans le plat à cuire, disposer dessus les rouleaux de veau et arroser le tout du jus de cuisson qui reste. Couvrir et cuire au four, 15 minutes ou jusqu'à ce que le veau soit très tendre. (4 ou 6 portions)

ESCALOPES DE VEAU PANÉES

1½ livre d'escalopes de veau bien minces
½ tasse de lait
2 œufs
Farine
Approximativement 1 tasse de chapelure fine
3 cuil. à table de beurre ou de margarine
3 cuil. à table d'huile à cuisson
Sel et poivre

Mettre les escalopes dans un plat à cuire peu profond et verser dessus le lait. Laisser reposer 1 heure, à la température de la pièce et en tournant souvent.

Mettre les œufs dans un plat peu profond (une assiette à tarte par exemple). Verser dessus le lait dans lequel on a fait tremper les escalopes et battre, à la fourchette. Mettre environ ⅓ de tasse de farine et la chapelure dans deux autres plats peu profonds.

Passer les escalopes, successivement, dans la farine, dans les œufs battus et dans la chapelure, pour les en bien enrober.

Chauffer le beurre (ou la margarine) et l'huile dans une grande poêle épaisse. Cuire les escalopes dans cette graisse chaude jusqu'à ce qu'elles soient tendres et bien dorées, plutôt rapidement, c'est-à-dire en comptant 3 minutes de cuisson de chaque côté. Saler et poivrer et servir immédiatement. (4 portions)

BLANQUETTE DE VEAU

2 livres d'épaule de veau, en cubes
3 tasses d'eau bouillante
4 carottes moyennes
12 petits oignons ou 6 oignons moyens, en moitiés
1 poireau (la partie blanche seulement), haché
1 tasse de céleri haché
2 cuil. à thé de sel
¼ de cuil. à thé de feuilles de thym séchées
1 grande feuille de laurier
1 gousse d'ail
3 brindilles de persil
3 cuil. à table de beurre
¾ de livre de champignons frais, tranchés
¼ de tasse de jus de citron
2 cuil. à table de farine
½ tasse d'eau froide
2 jaunes d'œufs
1 tasse de crème double (35 p.c.)
¼ de tasse de persil haché

Mettre le veau dans une grande casserole ou une rôtissoire épaisse. Ajouter 3 tasses d'eau bouillante, chauffer jusqu'à ébullition, baisser le feu, couvrir et faire mijoter 30 minutes.

Couper les carottes en quatre, en longueur; couper ensuite chaque morceau en bouts de 1 pouce. Ajouter au veau ainsi que les oignons, le poireau, le céleri, le sel et le thym. Enfermer le laurier, l'ail et le persil dans un petit sachet et l'ajouter à la préparation. Chauffer de nouveau jusqu'à ébullition, baisser le feu, couvrir et faire mijoter, 1 heure ou jusqu'à ce que le veau et les légumes soient tendres.

Retirer le sachet de condiments et le jeter.

Chauffer le beurre dans une grande poêle épaisse et y ajouter les champignons. Cuire 3 minutes, à feu vif et en brassant. Ajouter au veau ainsi que le jus de citron. Chauffer jusqu'à ébullition, baisser le feu et faire mijoter 5 minutes.

Ajouter la farine à l'eau froide et mêler pour que ce soit lisse. Ajouter au mélange bouillant, en brassant, et faire mijoter 5 minutes. Battre ensemble, à la fourchette, les jaunes d'œufs et la crème. Ajouter, en brassant, un peu du liquide chaud; remettre le tout dans la casserole, en mêlant bien, et chauffer, sans toutefois laisser bouillir. Servir immédiatement, parsemé du persil et, si on le désire, de croûtons. (6 portions)

VEAU MARENGO

⅓ de tasse d'huile d'olive
3 livres de veau à bouillir (épaule ou jarret), en cubes
½ tasse d'oignon haché
1 boîte de 19 onces de tomates
2 cuil. à thé de sel
½ cuil. à thé de sucre
¼ de cuil. à thé de poivre
½ cuil. à thé de feuilles de basilic séchées
½ cuil. à thé de paprika
2 cuil. à table de farine
3 tasses de bouillon de poulet ou 3 cubes de bouillon de poulet dissous dans 3 tasses d'eau bouillante
1 tasse de vin blanc sec
16 petits oignons (ou 8 oignons moyens, coupés en deux)
8 carottes moyennes
½ livre de champignons frais, entiers
1 paquet de 12 onces de petits pois congelés

Chauffer l'huile dans une grande casserole épaisse ou dans une rôtissoire. Ajouter le veau et le cuire à feu vif jusqu'à ce qu'il soit légèrement bruni. Ajouter l'oignon haché, les tomates, le sel, le sucre, le poivre, le basilic et le paprika.

Ajouter la farine à ½ tasse de bouillon froid et brasser jusqu'à ce que le mélange soit lisse. Ajouter ce qui reste de bouillon et le vin à la préparation dans la rôtissoire et chauffer jusqu'à ébullition. Ajouter alors la farine délayée, petit à petit et en brassant. Baisser le feu, couvrir et faire mijoter, 45 minutes ou jusqu'à ce que la viande commence à être tendre. Ajouter les oignons et faire mijoter encore 15 minutes. Couper les carottes, en diagonale, en morceaux de 1 pouce. Les ajouter au ragoût et continuer la cuisson, à petit feu, pendant 15 minutes. Ajouter les champignons et faire mijoter, 10 minutes ou jusqu'à ce que la viande se défasse à la fourchette. Ajouter les pois et faire mijoter 5 minutes. Servir immédiatement. (De 6 à 8 portions)

PÂTÉ DE VEAU ET DE JAMBON

1½ livre d'épaule de veau désossée
1½ livre de jambon non cuit
2 cuil. à thé de sel
½ cuil. à thé de poivre
½ cuil. à thé de feuilles de sarriette séchées
¼ de cuil. à thé de piment de la Jamaïque
   (allspice), en poudre
⅛ de cuil. à thé de muscade
1 cuil. à thé de zeste de citron râpé
2 œufs, battus
Pâte à l'eau bouillante (recette ci-après)
4 œufs durs
1 jaune d'œuf
1 cuil. à table d'eau froide
1 enveloppe de gélatine en poudre
2 tasses de bouillon de poulet

Passer au hachoir, en utilisant le couteau le plus fin, ½ livre de veau et ½ livre de jambon. Couper ce qui reste de la viande en cubes de ½ pouce. Mêler la viande hachée, les cubes de viande, le sel, le poivre, la sarriette, le piment de la Jamaïque, la muscade, le zeste de citron et les œufs battus.

Avoir sous la main 2 moules en papier d'aluminium de 8 × 4¼ × 2¼.

Faire 3 parts de la pâte à l'eau bouillante. Faire, avec l'une d'elles, une abaisse rectangulaire de 13 × 9 pouces. En habiller l'un des moules, en ajustant bien la pâte dans les coins, avec précaution toutefois, pour ne pas l'étirer. Laisser dépasser ½ pouce de pâte tout autour du moule. Habiller pareillement l'autre moule, avec une autre part de la pâte.

Mettre, dans chaque moule, environ 1 tasse du mélange à la viande (c'est-à-dire remplir les moules au tiers environ). Mettre 2 œufs durs, bout à bout, sur la viande dans chacun des moules. Mettre le reste du mélange à la viande dans les moules (environ 2 tasses par moule) en le tassant autour des œufs et sur eux de façon à les enclore complètement.

Faire 2 parts de ce qui reste de pâte et rouler chacune en une abaisse juste un peu plus grande que le dessus des moules. Humecter les bords des abaisses du dessous, poser, sur les pâtés, les petites abaisses et bien sceller la pâte, tout autour, en pressant les deux abaisses ensemble. Tailler les abaisses du dessus pour qu'elles n'excèdent pas celles du dessous et rouler un peu la pâte, par en

dessous, tout autour des pâtés. Denteler les bords.

Chauffer le four à 425°F. Battre ensemble légèrement, à la fourchette, le jaune d'œuf et l'eau et badigeonner le dessus des pâtés du mélange. Si on le désire, tailler des feuilles et des fleurs dans les retailles de pâte et en décorer les pâtés. Faire un petit trou rond, au centre de chaque pâté, pour laisser échapper la vapeur pendant la cuisson.

Cuire au four 40 minutes. Réduire la température du four à 350°F et continuer la cuisson 1½ heure. Laisser refroidir dans les moules.

Faire tremper la gélatine 5 minutes dans ¼ de tasse de bouillon de poulet. Chauffer, jusqu'au point d'ébullition, le reste du bouillon. Ajouter la gélatine détrempée et brasser jusqu'à ce qu'elle soit dissoute. Laisser refroidir, sans toutefois réfrigérer. Verser ce mélange, dans les pâtés tiédis, par le trou au centre (un petit entonnoir facilite l'opération). Verser le bouillon, par petite quantité à la fois, en laissant le pâté l'absorber avant d'en ajouter d'autre. Mettre autant de bouillon gélatineux que le pâté peut en prendre; il remplira tous les interstices. (S'il reste du bouillon, le réfrigérer, pour en faire un aspic, ou y ajouter une desserte de légumes, pour en faire une salade.) Laisser refroidir complètement les pâtés; les réfrigérer ensuite.

Bien dégager du moule, au moment de servir, et démouler sur de la laitue. Enlever et jeter la pâte, aux deux bouts des pâtés, et couper en tranches épaisses. (De 10 à 12 portions)

Pâte à l'eau bouillante

½ livre de saindoux
½ tasse d'eau bouillante
2¾ tasses de farine à tout usage, tamisée
1 cuil. à thé de poudre à lever
1 cuil. à thé de sel
1 cuil. à thé de paprika

Couper le saindoux en petits morceaux, dans un bol. Ajouter l'eau bouillante et battre, au batteur rotatif électrique ou à main, jusqu'à ce que le mélange soit refroidi et crémeux. (Peu importe s'il reste un peu d'eau non incorporée au mélange.)

Tamiser ensemble, dans le mélange, tous les autres ingrédients. Battre, avec une cuillère de bois, jusqu'à ce que la pâte soit lisse et se détache bien des parois du bol. Envelopper de papier ciré et bien réfrigérer.

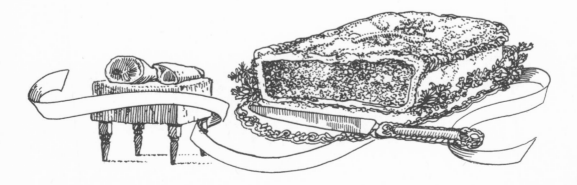

Agneau et porc

L'agneau et le porc servent à varier les menus de façon très agréable, en apportant, comme toute viande, les protéines indispensables au corps, ainsi que du fer et des vitamines B.

La fine saveur de l'agneau se trouve bien de la compagnie des herbes aromatiques comme la menthe, l'aneth, le romarin, l'origan, et des épices comme la muscade et la poudre de cari.

Les herbes et les épices ajoutent aussi très heureusement au goût du nouveau porc — nouveau puisque les méthodes d'élevage et d'usinage se sont améliorées au point de nous donner du porc qui est plus protéique tout en étant moins gras, et donc moins engraissant, qu'autrefois. Le porc, en tant que tel, et en tant que jambon et bacon, convient à toutes les occasions.

Ce chapitre contient des recettes de porc et d'agneau qui vous mettront l'eau à la bouche; il renferme également des recettes qu'il est difficile de classer très exactement, comme par exemple un accord foie et bacon particulièrement délicieux, et une pizza qui, après avoir été ma favorite, est devenue celle de milliers de Canadiens.

GIGOT D'AGNEAU
A L'ESPAGNOLE

1 gigot d'agneau
2 cuil. à table d'huile d'olive
2 gousses d'ail, broyées
1 cuil. à thé de sel
½ cuil. à thé de poivre noir grossièrement
    moulu
1 cuil. à table de persil finement haché
2 minces tranches de jambon cuit

Chauffer le four à 325°F.

Disposer le gigot sur une clayette, dans une rôtissoire. Mêler l'huile d'olive, l'ail, le sel, le poivre et le persil. Enduire les tranches de jambon d'une partie de ce mélange et les couper en fines languettes.

Faire des entailles profondes, partout dans le gigot d'agneau, avec le bout d'un couteau bien aiguisé, et y introduire les languettes de jambon en les poussant bien à l'intérieur, avec le doigt. Frotter tout le gigot de ce qui reste d'huile relevée.

Faire rôtir au four, 25 minutes par livre ou jusqu'à 170°F au thermomètre à viande, si l'on désire le rôti encore rosé, 30 minutes par livre ou jusqu'à 180°F au thermomètre si on le préfère bien cuit.

GIGOT D'AGNEAU FARCI

1 gigot d'agneau de 6 à 7 livres, désossé (voir note)
1 paquet de 12 onces d'épinards congelés
¼ de tasse de beurre
1½ tasse de miettes de pain frais
½ tasse de menthe fraîche, hachée
1 cuil. à thé de sel
¼ de cuil. à thé de poivre
⅛ de cuil. à thé de muscade
1 cuil. à table de beurre
2 tomates moyennes, pelées et coupées en dés
2 oignons moyens, grossièrement hachés
2 carottes moyennes, grossièrement hachées
2 branches de céleri, hachées
1 petit morceau de feuille de laurier
2 cuil. à table de farine
2 tasses d'eau
Sel et poivre

Demander au boucher de désosser le gigot et de l'ouvrir de façon à ce que vous puissiez l'étendre à plat sur la table, le recouvrir de la farce, le rouler, pour lui redonner sa forme, et le bien attacher.

Chauffer le four à 325°F. Avoir sous la main une plaque à rôtir, peu profonde.

Cuire les épinards, les égoutter parfaitement et les hacher.

Chauffer ¼ de tasse de beurre, dans une poêle épaisse. Y mettre les miettes de pain et cuire, à feu doux et en brassant, jusqu'à ce qu'elles soient légèrement brunies. Retirer du feu. Ajouter les épinards, la menthe, 1 cuil. à thé de sel, ¼ de cuil. à thé de poivre et la muscade et bien mêler le tout, à la fourchette. Étendre l'agneau sur la table et le recouvrir de cette farce.

Mettre 1 cuil. à table de beurre dans la poêle déjà utilisée. Ajouter les tomates et cuire, à feu doux et en brassant, 2 minutes ou jusqu'à ce que ce soit très chaud. Étendre sur la farce. Rouler le gigot, pour lui redonner à peu près sa forme première, et l'attacher solidement, à plusieurs endroits.

Étendre oignons, carottes, céleri et laurier dans la plaque à rôtir. Disposer le gigot sur ces légumes. Faire rôtir au four de 3 à 3½ heures ou jusqu'à ce que la viande soit comme vous l'aimez (175°F au thermomètre, si vous voulez la viande à point, et 182°F, si vous la préférez bien cuite).

Retirer le gigot du four et le mettre dans un plat de service chaud.

Faire refroidir rapidement, en plaçant le plat qui le contient dans de l'eau glacée, tout le jus de cuisson du gigot. Conserver 2 cuil. à table de gras et jeter le reste. Chauffer ces 2 cuil. à table de gras et les saupoudrer de 2 cuil. à table de farine, en mêlant bien. Retirer du feu et ajouter tout le jus de cuisson dégraissé, qui reste dans la plaque, et 2 tasses d'eau. Continuer la cuisson jusqu'à ébullition, en brassant constamment. Baisser le feu et cuire 5 minutes, à feu doux et en brassant souvent. Goûter; saler et poivrer si cela est nécessaire. Servir avec le gigot.

Note: on peut aussi utiliser, pour cette recette, un rôti de 5 livres d'épaule d'agneau, désossé.

AGNEAU FARCI DE FRUITS

½ tasse d'abricots secs (non cuits), hachés
½ tasse de pruneaux (non cuits), hachés
¾ de tasse de riz à longs grains, non prétraité
½ tasse de céleri finement haché
½ tasse d'oignon finement haché
¼ de tasse d'amandes mondées, en allumettes
½ cuil. à thé de feuilles de sarriette séchées
½ cuil. à thé de sel
1½ tasse d'eau bouillante
4 livres d'épaule d'agneau désossée et roulée
½ cuil. à thé de sel
Sauce à la menthe, du commerce

Mêler, dans une casserole moyenne, les abricots, les pruneaux, le riz, le céleri, l'oignon, les amandes, la sarriette et ½ cuil. à thé de sel. Ajouter l'eau bouillante. Chauffer jusqu'à ébullition, baisser le feu, couvrir et faire mijoter, 20 minutes ou jusqu'à ce que l'eau soit absorbée par les autres ingrédients.

Chauffer le four à 325°F.

Dérouler le morceau d'agneau et le saupoudrer, à l'intérieur, de ½ cuil. à thé de sel. Étendre le mélange au riz sur l'agneau et rouler de nouveau ce dernier en le ficelant solidement. (Si un peu de la garniture s'échappe du rôti quand on roule la viande, l'envelopper de papier d'aluminium et la chauffer 30 minutes au four, en même temps que le rôti.)

Mettre le rôti, le côté gras sur le dessus, sur une clayette dans une rôtissoire. Faire rôtir environ 3 heures ou jusqu'à 180°F au thermomètre à viande.

Servir avec la sauce à la menthe si on le désire.

PETITES CÔTES D'AGNEAU A LA SAUCE BARBECUE

4 livres de petites côtes d'agneau, dites côtes
    levées
2 cuil. à table d'huile à cuisson
1 boîte de 14 onces de bouchées d'ananas
1 citron, tranché mince
¾ de tasse de sauce au chili
⅓ de tasse d'oignon finement haché
2 cuil. à table de cassonade
2 cuil. à table de vinaigre
2 cuil. à thé de sauce Worcestershire
1 cuil. à thé de sel
¼ de cuil. à thé de gingembre en poudre
⅛ de cuil. à thé de miettes de piment fort séché

Dégraisser les côtes, autant que possible. Chauffer l'huile dans une grande poêle épaisse ou dans une rôtissoire. Y bien brunir les côtes.
Égoutter l'ananas, en conservant tout le jus. Ajouter les bouchées d'ananas et le citron aux côtes levées. Mêler tous les autres ingrédients et le jus d'ananas et verser le tout sur les côtes. Couvrir et faire mijoter, 1½ heure ou jusqu'à ce que la viande soit très tendre. Tourner souvent les côtes pendant la cuisson. (6 portions)

CÔTELETTES D'AGNEAU AUX PIMENTS VERTS

¼ de tasse de farine
½ cuil. à thé de poudre d'ail
6 côtelettes d'agneau, prises dans l'épaule
2 cuil. à table d'huile à cuisson
1 tasse de sauce au chili, du commerce
½ tasse de vinaigre de vin
¼ de tasse de cassonade, mesurée bien tassée
2 cuil. à table de sauce Worcestershire
2 cuil. à thé de sel
2 cuil. à thé de moutarde en pâte
6 épaisses tranches d'oignon
4 piments verts coupés en carrés de ½ pouce de
    côté (environ 3½ tasses)
Riz bien chaud

Mêler la farine et la poudre d'ail, dans un plat peu profond. Bien enfariner les côtelettes des deux côtés.
Chauffer l'huile dans une grande poêle épaisse (une poêle électrique fait bien l'affaire). Y bien brunir les côtelettes, des deux côtés. Enlever de la poêle tout excès de graisse de cuisson.
Mêler la sauce au chili, le vinaigre, la cassonade, la sauce Worcestershire, le sel et la moutarde et verser sur les côtelettes. Couvrir et faire mijoter pendant 45 minutes.
Mettre une tranche d'oignon sur chaque côtelette et parsemer le tout des morceaux de piment. Couvrir et continuer la cuisson, 15 minutes ou jusqu'à ce que les côtelettes soient très tendres. Servir avec le riz. (6 portions)

CÔTELETTES D'AGNEAU RELEVÉES

Sel et poivre
4 côtelettes d'épaule d'agneau
¼ de tasse d'huile à cuisson
1 gousse d'ail, en moitiés
½ tasse de vin blanc sec
1 tasse d'eau bouillante
1 cube de bouillon de poulet
2 lanières de zeste de citron (voir note)
8 petits oignons
8 carottes, en tranches épaisses taillées en
    diagonale
4 pommes de terre moyennes, pelées et coupées
    en quatre
Persil haché

Saler et poivrer généreusement les côtelettes. Chauffer l'huile et les morceaux d'ail dans une poêle épaisse. Retirer l'ail et le jeter. Bien brunir les côtelettes dans l'huile, des deux côtés. Ajouter le vin, l'eau, le cube de bouillon et les lanières de citron, couvrir hermétiquement et faire mijoter, 30 minutes ou jusqu'à ce que les côtelettes commencent à s'attendrir. Ajouter les oignons, les carottes et les pommes de terre, saler et poivrer généreusement, couvrir de nouveau et continuer la cuisson, 30 minutes ou jusqu'à ce que tous les légumes soient tendres. Parsemer de persil. (4 portions)
Note: avec un couteau à légumes, tailler les lanières sur toute la longueur du fruit.

AGNEAU ET RIZ BRUN

De 1 à 1½ livre d'agneau maigre, en cubes
2 cuil. à table d'huile à cuisson
1 petit oignon, tranché mince
1 petite gousse d'ail, broyée
1½ tasse de bouillon de poulet
¾ de tasse de riz brun
1½ tasse de carottes tranchées
1 tasse d'eau bouillante
¼ de cuil. à thé de feuilles de thym séchées
1 cuil. à thé de sel
⅛ de cuil. à thé de poivre
1½ tasse de petits pois frais ou congelés
¼ de tasse de persil haché

Débarrasser l'agneau de tout excès de gras. Chauffer l'huile dans une grande poêle épaisse. Ajouter l'oignon et l'ail et cuire, à feu doux et en brassant, pendant 3 minutes. Ajouter les cubes d'agneau et continuer la cuisson jusqu'à ce qu'ils soient légèrement brunis. Ajouter le bouillon de poulet et couvrir hermétiquement. Faire mijoter, de 30 à 45 minutes ou jusqu'à ce que l'agneau commence à être tendre. Ajouter tous les autres ingrédients excepté les pois et le persil. Couvrir et continuer la cuisson à feu doux, en brassant de temps à autre, de 45 minutes à 1 heure ou jusqu'à ce que le riz soit cuit et la viande tendre. Ajouter pois et persil 10 minutes avant la fin du temps de cuisson. (3 portions)

*Agneau et fines herbes font ici
pâté plus que savoureux!*

RAGOÛT D'AGNEAU
ET DE POULET

2 livres d'agneau dans l'épaule, en gros cubes
¼ de tasse d'huile à cuisson
1 poulet de 3 livres, en 8 morceaux
3 tasses d'oignon haché
2 piments verts moyens, hachés
3 grosses carottes, tranchées
2 tasses de navet en dés
2 poireaux (la partie blanche seulement),
    tranchés mince
½ tasse de céleri en dés
1 boîte de 19 onces de tomates
Eau bouillante
4 cuil. à thé de sel
½ cuil. à thé de poivre
1 petite feuille de laurier, émiettée
4 clous de girofle
1 petit oignon
1 boîte de 19 onces de pois chiches
2 cuil. à thé de graines de cumin
½ cuil. à thé de miettes de piment fort séché
Riz bien chaud

Débarrasser l'agneau de tout excès de gras. Chauffer
l'huile dans une grande casserole épaisse ou une rôtissoire.
Ajouter l'agneau et le bien brunir, en retirant les morceaux de la casserole à mesure qu'ils sont à point. Faire
brunir aussi les morceaux de poulet, en les retirant quand
ils ont pris couleur. Ajouter un peu d'huile si cela est
nécessaire.

Mettre, dans la casserole, l'oignon haché, le piment vert,
les carrottes, le navet, le poireau et le céleri et cuire,
en brassant, jusqu'à ce que l'oignon soit doré. Remettre
l'agneau et le poulet dans la casserole.

Ajouter les tomates et suffisamment d'eau bouillante pour
couvrir la viande. Ajouter le sel, le poivre et le laurier.
Piquer les clous de girofle dans le petit oignon et ajouter
à la préparation. Chauffer jusqu'à ébullition, baisser le
feu, couvrir hermétiquement et faire mijoter, 1½ heure
ou jusqu'à ce que la viande soit tendre.

Égoutter les pois chiches et les ajouter au ragoût.

Retirer environ ¾ de tasse du liquide de cuisson et le
mettre dans une petite casserole. Ajouter les graines de
cumin et le piment fort. Mettre sur feu vif et faire bouillir
pour réduire le liquide de moitié environ. Ajouter de
ce mélange au ragoût, un petit peu à la fois et en goûtant
après chaque addition, jusqu'à ce que le ragoût soit
comme vous l'aimez.

Servir avec du riz bien chaud. S'il reste du mélange
au cumin et au piment, l'offrir, s'il y a lieu, à ceux des
convives qui préfèrent un plat plus assaisonné. (8 portions)

PÂTÉ A L'AGNEAU

2 cuil. à table d'huile à cuisson
2 livres d'agneau à bouillir désossé, en cubes de
    2 pouces
⅓ de tasse de farine
3 cuil. à thé de sel
½ cuil. à thé de poivre
1 cuil. à thé de feuilles de thym séchées
¼ de tasse de persil haché
3½ tasses de jus de tomate
6 petits oignons
6 carottes moyennes, en gros morceaux
6 pommes de terre moyennes, en moitiés
1 petit navet, en gros morceaux
1 paquet de 12 onces de petits pois congelés
Pâte aux fines herbes (recette ci-après)

Chauffer le four à 325°F.

Chauffer l'huile dans une grande casserole épaisse ou
une rôtissoire qui puisse ensuite aller au four. Bien brunir
la viande dans l'huile, de tous les côtés. La saupoudrer
de la farine et laisser dorer encore un peu. Ajouter tous
les autres ingrédients, excepté les pois et la pâte aux fines
herbes. Couvrir hermétiquement et cuire au four, 2 heures
ou jusqu'à ce que la viande et les légumes soient tendres.
Ajouter alors les pois, couvrir et continuer la cuisson 10
minutes.

Retirer du four et hausser la température de ce dernier
à 450°F. Couvrir la préparation de la pâte aux fines
herbes et cuire au four, à découvert, 15 minutes ou jusqu'à
ce que la croûte soit bien brunie. (6 portions)

Pâte aux fines herbes

2 tasses de farine à tout usage, tamisée
4 cuil. à thé de poudre à lever
1 cuil. à thé de sel
2 cuil. à thé de graines de céleri
1 cuil. à thé de paprika
1 cuil. à table de persil haché
¼ de cuil. à thé de feuilles de thym séchées
½ cuil. à thé de feuilles de marjolaine séchées
¼ de tasse de graisse végétale
De ¾ de tasse à 1 tasse de lait

Tamiser ensemble, dans un bol, la farine, la poudre à
lever, le sel, les graines de céleri et le paprika. Ajouter
le persil, le thym et la marjolaine et brasser délicatement,
à la fourchette. Ajouter la graisse végétale et la couper
finement dans les ingrédients secs. Ajouter suffisamment
de lait, en brassant délicatement, à la fourchette, pour
obtenir une pâte gonflée qui soit facile à manipuler. La
mettre sur une planche enfarinée et la pétrir délicatement,
12 fois; la ramasser en boule. Rouler en une abaisse ronde
de ½ pouce d'épaisseur. Détailler en 6 pointes et déposer
sur la préparation à l'agneau comme nous l'indiquons
plus haut.

Petites côtes glacées aux pommes: *recette à la page 53*
Wieners à la choucroute: *recette à la page 58*

Pâté à l'agneau: *recette sur cette page*
(pages suivantes)

AGNEAU ET AUBERGINE

1 aubergine moyenne
½ cuil. à thé de sel
¼ de tasse de chapelure fine
¼ de tasse de farine
¼ de tasse d'huile à cuisson
1½ livre d'agneau haché
½ tasse d'oignon finement haché
¼ de tasse de vin rouge sec
½ tasse de sauce tomate
1 cuil. à table de persil haché
½ cuil. à thé de feuilles de thym séchées
1 cuil. à thé de sel
⅛ de cuil. à thé de poivre
2 tomates, pelées et tranchées
1 tasse de yogourt nature
2 jaunes d'œufs
¼ de tasse de farine
¼ de tasse de parmesan râpé
¼ de tasse de chapelure fine

Couper l'aubergine en tranches de ¼ de pouce d'épaisseur. Étendre les tranches dans un plat à cuire en verre, d'environ 13 × 9½ × 2 pouces (3 pintes), et les saupoudrer de ½ cuil. à thé de sel. Laisser reposer 1 heure.

Chauffer le four à 375°F. Retirer les tranches d'aubergine du plat et les déposer sur du papier absorbant. Assécher le plat, le graisser et en saupoudrer le fond de ¼ de tasse de chapelure. Assécher les tranches d'aubergine avec du papier absorbant.

Mettre ¼ de tasse de farine dans un plat peu profond et y passer les tranches d'aubergine pour les bien enfariner des deux côtés. Chauffer l'huile dans une grande poêle épaisse et y brunir les tranches d'aubergine légèrement, des deux côtés. Ajouter de l'huile pendant la cuisson, si cela est nécessaire. Disposer les tranches dans le plat à cuire, à mesure qu'elles sont prêtes.

Ajouter un peu d'huile au jus de cuisson dans la poêle, si celui-ci est trop réduit après la cuisson des aubergines. Ajouter l'agneau et l'oignon et cuire, à feu moyen et en brassant, jusqu'à ce que l'agneau soit légèrement bruni. Ajouter le vin, la sauce tomate, le persil, le thym, 1 cuil. à thé de sel et le poivre. Cuire 5 minutes, à feu doux et en brassant constamment. Étendre ce mélange sur les tranches d'aubergine.

Disposer les tranches de tomates sur le dessus du plat. Battre ensemble, à la fourchette, le yogourt, les jaunes d'œufs et ¼ de tasse de farine et étendre le mélange sur le plat, uniformément. Mêler le parmesan et ¼ de tasse de chapelure et parsemer le plat du mélange.

Cuire au four 40 minutes. (De 4 à 6 portions)

Pâté de porc: *recette à la page 54*

PAIN D'AGNEAU AUX FINES HERBES

2 œufs
1½ livre d'agneau haché
¼ de livre de porc haché
1 cube de bouillon de poulet
¾ de tasse d'eau bouillante
1 tasse de gruau d'avoine à cuisson rapide
¼ de tasse d'oignon finement haché
1½ cuil. à thé de sel
¼ de cuil. à thé de poivre
¼ de cuil. à thé de feuilles de basilic séchées
½ cuil. à thé de feuilles de marjolaine séchées
¼ de cuil. à thé de feuilles de romarin séchées

Chauffer le four à 350°F. Avoir sous la main un moule à pain de 9 × 5 × 3 pouces.

Mettre les œufs dans un bol et les battre légèrement, à la fourchette. Ajouter la viande et mêler délicatement, à la fourchette. Dissoudre le cube de bouillon dans l'eau bouillante et l'ajouter à la préparation, de même que tous les autres ingrédients. Mêler délicatement, à la fourchette.

Mettre dans le moule et cuire au four 1½ heure.

CROQUETTES D'AGNEAU

2 grosses carottes
1 grosse pomme de terre
1 oignon moyen
1 petite gousse d'ail
1 livre d'agneau pris dans l'épaule, haché
1½ cuil. à thé de sel
¼ de cuil. à thé de feuilles de romarin séchées
¼ de cuil. à thé de poivre
1 œuf, battu
Farine
2 cuil. à table d'huile
¼ de tasse de bouillon de poulet ou 1 cube de bouillon de poulet dissous dans ¼ de tasse d'eau bouillante
¾ de tasse de bouillon de poulet (facultatif)

Chauffer le four à 350°F.

Mettre les carottes, la pomme de terre, l'oignon et l'ail au hachoir, en utilisant le couteau le plus fin. Ajouter à l'agneau, de même que le sel, le romarin, le poivre et l'œuf et bien mêler. Façonner en 8 croquettes épaisses et bien enfariner ces dernières.

Chauffer l'huile dans une grande poêle épaisse pouvant aller au four. Y faire brunir les croquettes à feu doux. Quand toutes les croquettes sont dorées, enlever de la poêle toute la graisse de cuisson. Ajouter aux croquettes ¼ de tasse de bouillon de poulet.

Couvrir hermétiquement et cuire au four 45 minutes, en tournant les croquettes une fois.

Servir immédiatement avec une sauce faite de ¾ de tasse de bouillon de poulet épaissi, si on le désire. (4 ou 8 portions)

AGNEAU AU CARI
(à faire avec une desserte)

2 cuil. à table de beurre ou d'huile à cuisson
1 cuil. à table de poudre de cari
2 pommes à cuire, pelées, évidées et hachées
1 oignon moyen, haché
La moitié d'un piment vert moyen, haché
½ tasse de céleri haché
La moitié d'une petite gousse d'ail, émincée
2 cuil. à table de farine
2 tasses de liquide (sauce de cuisson d'agneau et
   de l'eau)
1 cuil. à table de jus de citron
Le zeste râpé d'un demi-citron
½ tasse de raisins
1 pincée de clou de girofle en poudre
2 tasses de desserte de rôti d'agneau, en cubes
   de ½ pouce
Riz bien chaud
Chutney

Chauffer le beurre dans une grande casserole. Ajouter la poudre de cari et cuire, à feu doux et en brassant, pendant 3 minutes. Ajouter les pommes, l'oignon, le piment vert, le céleri et l'ail et cuire, en brassant, pendant 3 minutes. Saupoudrer de la farine, bien mêler et retirer du feu.
Ajouter le liquide, le jus et le zeste de citron, les raisins et le clou de girofle et bien mêler. Continuer la cuisson, à feu moyen et en brassant, jusqu'à ce que la sauce bouille et soit épaisse et lisse. Baisser le feu au plus bas, couvrir et faire mijoter pendant 20 minutes, en brassant souvent. Ajouter l'agneau et faire mijoter 15 minutes.
Servir sur du riz, avec du chutney. (4 portions)

RAGOÛT D'AGNEAU
TOUT SIMPLE
(à faire avec une desserte)

¼ de tasse de beurre (ou de margarine)
1 tasse d'oignon tranché
1 tasse de céleri tranché
¾ de tasse de piment vert haché
1 cuil. à table de poudre de cari
3 tasses d'agneau cuit, en dés
⅛ de cuil. à thé de miettes de piment fort séché
1 cuil. à thé de sel
2 cuil. à thé de sucre
1 boîte de 28 onces de tomates
Riz bien chaud
Chutney (facultatif)

Chauffer le beurre ou la margarine dans une grande casserole épaisse. Ajouter l'oignon, le céleri, le piment vert et la poudre de cari. Cuire, en brassant, jusqu'à ce que l'oignon ait une apparence translucide. Ajouter tous les autres ingrédients, excepté le riz et le chutney, et faire mijoter 45 minutes, à découvert. Servir sur du riz, avec le chutney s'il y a lieu. (4 portions)

LONGE DE PORC RÔTIE

4 livres de longe de porc
Huile d'olive
Sel et poivre
½ cuil. à thé de feuilles de thym séchées
½ cuil. à thé de feuilles d'origan séchées
¼ de cuil. à thé de graines d'anis
2 cuil. à table de farine
1 oignon, en lamelles
1 tasse de bouillon de poulet
1 tasse de vin blanc sec
1 gousse d'ail, broyée
1 pincée de muscade

Frotter le rôti partout avec l'huile d'olive. Le saler et le poivrer généreusement.
Mêler thym, origan, graines d'anis et farine et frotter le dessus du morceau de viande (non les bouts) du mélange. Fixer les tranches d'oignons sur la partie grasse du rôti, avec des cure-dents.
Mettre dans une rôtissoire sur la partie osseuse (les os remplaceront la clayette), couvrir de papier de cuisine transparent et laisser reposer au réfrigérateur, au moins 8 heures. Laisser le rôti à la température de la pièce pendant 2 heures avant de le faire cuire.
Chauffer le four à 375°F. Retirer le papier transparent et cuire le rôti pendant 30 minutes. Le retirer du four et réduire la température de ce dernier à 325°F.
Mêler, dans une petite casserole, le bouillon, le vin, l'ail et la muscade, pendant les 30 premières minutes de la cuisson du veau. Faire mijoter 10 minutes. Verser sur la viande, après 30 minutes de cuisson. Continuer la cuisson au four jusqu'à 185°F au thermomètre à viande (45 minutes par livres ou environ 3 heures). Arroser souvent la viande de son jus de cuisson.

RÔTI DE PORC FARCI

¼ de tasse de beurre
1 livre de champignons frais, hachés finement
1 tasse de céleri en tranches minces
2 cuil. à table de persil haché
½ cuil. à thé de feuilles de sarriette séchées
½ cuil. à thé de feuilles de marjolaine séchées
¼ de cuil. à thé de feuilles de thym séchées
1 cuil. à thé de sel
⅛ de cuil. à thé de poivre
1 œuf, légèrement battu
2 tasses de craquelins non salés, grossièrement
   écrasés
6 livres de longe de porc

Chauffer le beurre dans une grande poêle épaisse. Y cuire les champignons et le céleri 5 minutes, à feu doux et en brassant constamment. Retirer du feu. Ajouter le persil, les fines herbes, le sel et le poivre. Laisser refroidir quelques minutes. Ajouter l'œuf et les miettes de craquelins, en mêlant bien.
Chauffer le four à 325°F. Avoir sous la main une rôtissoire juste assez grande pour contenir le rôti.

Couper la longe de porc, en travers, jusqu'à l'os du dos, de façon à obtenir environ 8 grosses côtelettes épaisses qui se tiendront par la base. Tasser la farce entre ces tranches ou côtelettes (la farce doit être bien liée pour rester en place). Commencer par farcir les tranches du milieu du rôti pour plus de facilité. Enfoncer de petites brochettes, dans le gras, à chaque bout du rôti, pour que les tranches se tiennent bien ensemble en attendant d'être attachées. Bien ficeler le rôti, horizontalement.

Disposer le rôti dans une rôtissoire, l'os du dos en dessous. Couvrir sans serrer, d'une petite tente en papier d'aluminium.

Faire rôtir au four 2 heures. Découvrir, taillader le gras du rôti à plusieurs endroits et continuer la cuisson 1 heure et 15 minutes ou jusqu'à ce que la viande soit très tendre et cuite jusqu'au centre du rôti (185° F au thermomètre).

FILET DE PORC A L'ORANGE

¼ de tasse de farine
1 cuil. à thé de sel
¼ de cuil. à thé de poivre
½ cuil. à thé de paprika
¼ de cuil. à thé de piment de la Jamaïque (allspice)
1 livre de filet de porc, tranché et martelé au pilon
2 cuil. à table d'huile à cuisson
¼ de tasse de bouillon de poulet
½ tasse de crème sure, du commerce
2 cuil. à table de jus d'orange
1 cuil. à table de zeste d'orange râpé
¼ de cuil. à thé de sel
½ cuil. à thé de sauce Worcestershire

Mêler la farine, 1 cuil. à thé de sel, le poivre, le paprika et le piment de la Jamaïque, dans un plat peu profond. Y passer les tranches de filet pour les en bien enrober des deux côtés.

Chauffer 2 cuil. à table d'huile dans une poêle épaisse. Y bien brunir les tranches de filet, des deux côtés. Ajouter le bouillon de poulet, couvrir hermétiquement et faire mijoter, 30 minutes ou jusqu'à ce que la viande soit très tendre.

Mêler la crème sure, le jus d'orange, le zeste, ¼ de cuil. à thé de sel et la sauce Worcestershire dans une petite casserole et chauffer sans toutefois laisser bouillir. Napper les tranches de filet de cette préparation, au moment de servir. (4 portions)

CÔTELETTES DE PORC AUX FRUITS

1 cuil. à thé de sel
¼ de cuil. à thé de poivre
¼ de cuil. à thé de paprika
1 cuil. à thé de sucre
⅛ de cuil. à thé de cannelle
⅛ de cuil. à thé de clou de girofle en poudre
6 côtelettes de filet de porc
2 cuil. à table d'huile à cuisson
½ tasse de jus d'orange
½ tasse d'eau
2 cuil. à table de jus de citron
6 tranches d'ananas, de conserve
6 minces tranches d'orange
Poivre

Mêler, dans un petit plat, le sel, ¼ de cuil. à thé de poivre, le paprika, le sucre, la cannelle et le clou de girofle. Saupoudrer chaque côté des côtelettes d'un peu de ce mélange et frotter la viande pour faire pénétrer les assaisonnements.

Chauffer l'huile dans une poêle épaisse. Y faire brunir les côtelettes, doucement. Ajouter le jus d'orange, l'eau et le jus de citron. Couvrir hermétiquement et faire mijoter, 40 minutes ou jusqu'à ce que les côtelettes soient bien cuites. Déposer 1 tranche d'ananas et 1 tranche d'orange sur chaque côtelette. Couvrir et faire mijoter encore 10 minutes. Poivrer légèrement. (6 portions)

CÔTELETTES DE PORC A L'ÉTOUFFÉE
(pour le barbecue)

4 côtelettes de porc
4 épaisses tranches de pomme non pelée
4 épaisses tranches de patate pelée (voir note)
4 épaisses tranches d'oignon blanc, dit espagnol
Sarriette
Muscade
Sel et poivre
Beurre

Débarrasser les côtelettes de tout excès de gras. Chauffer un peu de ce gras dans une poêle épaisse, pour la bien graisser. Jeter les morceaux de gras et faire brunir les côtelettes dans la poêle, des deux côtés.

Tailler 4 carrés de 12 pouces de côté de papier d'aluminium du type le plus épais. Mettre 1 côtelette sur chacun. Mettre 1 tranche de pomme, 1 tranche de patate et 1 tranche d'oignon sur chaque côtelette. Ajouter, à chaque portion, une pincée de sarriette et de muscade; saler et poivrer généreusement et couronner d'une noisette de beurre. Bien envelopper, en faisant des doubles plis aux paquets pour les rendre bien hermétiques. Faire rôtir, sur des charbons moyennement chauds, 1 heure ou jusqu'à ce que les côtelettes soient très tendres. (4 portions)

Note: il s'agit de la tubercule appelée généralement patate sucrée et non de pomme de terre. Si on le préfère, cuire au four, à 400°F, pendant 1 heure.

CÔTELETTES DE PORC A LA BARBECUE

⅓ de tasse d'huile à cuisson
¼ de tasse de vinaigre ou de jus de citron
2 cuil. à table d'oignon haché
1 gousse d'ail, broyée
½ cuil. à thé de sel
⅛ de cuil. à thé de poivre
½ cuil. à thé de sauge
¼ de cuil. à thé de moutarde en poudre
2 cuil. à table de sauce soya
1 cuil. à table de sauce Worcestershire
4 côtelettes de porc

Mettre tous les ingrédients, excepté les côtelettes, dans un petit bocal fermant hermétiquement. Agiter ce dernier, pour les bien mêler. Débarrasser les côtelettes de tout excès de gras et les disposer, en une couche simple, dans un plat à cuire en verre, peu profond. Verser dessus l'huile relevée. Laisser reposer 1 heure, à la température de la pièce, ou plusieurs heures, au réfrigérateur. Tourner les côtelettes de temps à autre.
Chauffer le four à 350°F. Y cuire les côtelettes, dans leur marinade, 1 heure ou jusqu'à ce que ce soit très tendre. Tourner les côtelettes une fois pendant la cuisson. (4 portions)

CÔTELETTES DE PORC ET LÉGUMES AU FOUR

6 côtelettes de porc
Farine
1 gousse d'ail, hachée
1 cuil. à thé de sel
¼ de cuil. à thé de poivre
1 cuil. à table de persil haché
2 cuil. à table de farine
6 pommes de terre moyennes, tranchées mince
2 oignons moyens, tranchés
2 tasses de lait bouillant
1½ cuil. à thé de sel
½ cuil. à thé de moutarde en poudre

Chauffer le four à 350°F.
Débarrasser les côtelettes de tous excès de gras et graisser une poêle épaisse, avec un peu de ce gras.
Passer les côtelettes dans la farine et les faire brunir dans la poêle, avec l'ail. Ajouter 1 cuil. à thé de sel et de poivre.
Mêler le persil et 2 cuil. à table de farine.
Beurrer un plat à cuire de 2 pintes et y mettre 3 des côtelettes, côte à côte. Parsemer de la moitié du mélange farine et persil et recouvrir de la moitié des tranches de pommes de terre et de la moitié de celles d'oignon. Répéter ces couches d'ingrédients.
Mêler le lait bouillant, 1½ cuil. à thé de sel et la moutarde. Verser sur les côtelettes. Couvrir hermétiquement le plat et cuire au four pendant 1½ heure. Retirer le couvercle 30 minutes avant la fin du temps de cuisson pour laisser brunir le plat. (6 portions)

Rassemblez vite huit gourmets
bien affamés
et choucroute à l'alsacienne servez!

CHOUCROUTE A L'ALSACIENNE

1 livre de bacon, en tranches de ¼ de pouce d'épaisseur
8 minces côtelettes de porc
2 livres de petites côtes découvertes, en morceaux de 2 ou 3 côtes
3 boîtes de 28 onces de choucroute
2 cuil. à thé de sel
½ cuil. à thé de poivre
2 cuil. à table de graisse de cuisson des viandes (voir plus bas)
2 gousses d'ail, épluchées
1 grosse feuille de laurier
12 baies de genièvre (facultatif: voir note)
1 gros oignon
6 clous de girofle
1 tasse de vin blanc sec (préférablement un vin alsacien)
8 pommes de terre moyennes, en moitiés
1 livre de wieners

Cuire le bacon légèrement, dans une grande poêle épaisse, juste assez pour qu'il graisse un peu cette dernière. Le retirer de la poêle. Faire frire les côtelettes dans la poêle, jusqu'à ce qu'elles soient légèrement brunies, et les en retirer. Faire brunir légèrement les morceaux de petites côtes et les retirer de la poêle. Mesurer 2 cuil. à table de la graisse de cuisson de ces viandes et jeter ce qui en reste.
Mettre 1½ boîte de choucroute dans une très grande marmite. Ajouter le bacon, les côtelettes et les petites côtes. Ajouter le sel et le poivre et couvrir de ce qui reste de la choucroute. Arroser des 2 cuil. à table de graisse de cuisson. Ajouter les gousses d'ail, entières, le laurier, les baies de genièvre et l'oignon, dans lequel on aura piqué les clous de girofle; enfoncer tous ces ingrédients dans la préparation. Verser le vin sur le tout.
Couvrir hermétiquement et faire mijoter 1 heure. Ajouter les pommes de terre et les wieners et continuer la cuisson, 1 heure ou jusqu'à ce que toutes les viandes soient tendres et les pommes de terre cuites.
Retirer tous les morceaux de viande de la marmite. Disposer la choucroute en monticule au centre d'un grand plat de service et mettre tous les morceaux de viande debout tout autour. Entourer le tout de pommes de terre. (8 portions)
Note: les baies de genièvre ne sont pas essentielles mais elles donnent à la choucroute un goût tout à fait spécial et délicieux. On les trouve dans les boutiques de spécialités alimentaires.

PETITES CÔTES DÉCOUVERTES CUITES AU FOUR

4 livres de petites côtes découvertes
1 cuil. à thé de sel
½ tasse d'oignon haché
2 gousses d'ail, broyées
1 tasse de catsup
½ tasse de sauce au chili
2 cuil. à table de vinaigre
1 cuil. à thé de sel
1 cuil. à table de moutarde en pâte
½ cuil. à thé de poivre
2 cuil. à table de sauce à bifteck
1 tasse de miel liquide

Couper les côtes en portions. Les mettre dans une grande casserole, ajouter 1 cuil. à thé de sel et couvrir d'eau bouillante. Chauffer jusqu'à ébullition, baisser le feu, couvrir et faire mijoter 30 minutes.
Mêler tous les autres ingrédients, dans une casserole. Chauffer jusqu'à ébullition, baisser le feu et faire mijoter 10 minutes.
Chauffer le four à 400°F.
Retirer les côtes de l'eau et les disposer, en une seule couche, dans une grande plaque à rôtir. Verser dessus le mélange au miel.
Cuire au four environ 45 minutes ou jusqu'à ce que les côtes soient tendres. Arroser les côtes, de temps à autre pendant la cuisson, de leur jus. (De 4 à 6 portions)

PETITES CÔTES GLACÉES AUX POMMES
(pour le barbecue)

2 livres de petites côtes découvertes
Eau bouillante
1 feuille de laurier
4 grains de poivre
1 cuil. à thé de sel
1 petit bouquet de persil
1 petite tranche d'oignon
1 cuil. à thé de sel
¼ de cuil. à thé de poivre
¾ de tasse de gelée de pomme
1 cuil. à table de jus de citron
1½ cuil. à thé de sauce Worcestershire
Quelques gouttes de sauce Tabasco
1 cuil. à thé de moutarde en poudre

Séparer les bandes de côtes en morceaux de 3 côtes chacun. Les mettre dans une grande marmite et les couvrir d'eau bouillante. Ajouter le laurier, les grains de poivre, 1 cuil. à thé de sel, le persil et la tranche d'oignon. Chauffer jusqu'à ébullition, baisser le feu, couvrir et faire mijoter 30 minutes. Retirer les côtes de l'eau et les bien égoutter.
Saupoudrer les côtes de 1 cuil. à thé de sel et de ¼ de cuil. à thé de poivre, au moment de les apprêter.

Mêler la gelée de pomme et de citron, les sauces Worcestershire et Tabasco et la moutarde dans un petit plat et le mettre sur le barbecue, à l'arrière, là où la chaleur est moins forte. Badigeonner les côtes du mélange à la gelée de pomme réchauffé et les cuire 10 minutes sur un feu de charbon bien chaud. Badigeonner de nouveau du mélange à la gelée de pomme, tourner et continuer la cuisson 10 minutes. Cuire encore 10 minutes, en badigeonnant les côtes du mélange à la gelée de pomme et en les tournant souvent, jusqu'à ce qu'elles soient bien brunies et croustillantes. (4 portions)

BOULETTES DE PORC ET LÉGUMES

1½ livre de porc maigre, haché
½ tasse d'oignons verts finement tranchés
1 tasse de miettes de pain frais
¼ de tasse de châtaignes d'eau, hachées
1 œuf
3 cuil. à table d'eau
1 cuil. à thé de sel
¼ de cuil. à thé de poivre
¼ de cuil. à thé de gingembre en poudre
2 cuil. à table d'huile à cuisson
2 tasses de bouillon de poulet
¼ de tasse de cassonade, mesurée bien tassée
¼ de tasse de vinaigre blanc
1 cuil. à table de paprika
2 tasses de carottes en fines tranches
1 tasse de céleri en tranches minces, taillées en diagonale
Sel et poivre
2 petites zuchettes, tranchées
2 cuil. à table d'eau froide
1 cuil. à table de fécule de maïs

Mêler parfaitement le porc, les oignons, les miettes de pain, les châtaignes d'eau, l'œuf, 3 cuil. à table d'eau, 1 cuil. à thé de sel, ¼ de cuil. à thé de poivre et le gingembre. Façonner en boulettes de 1 pouce de diamètre. Chauffer l'huile dans une poêle épaisse. Y bien brunir les boulettes de tous les côtés. Couvrir et cuire 10 minutes, à feu doux.
Mêler le bouillon de poulet, la cassonade, le vinaigre et le paprika et verser le mélange dans la poêle, en brassant pour incorporer ce dernier au jus de cuisson des boulettes. Ajouter les carottes et le céleri, saupoudrer de sel et de poivre, couvrir et laisser mijoter, de 10 à 15 minutes ou jusqu'à ce que les légumes commencent à être tendres. Ajouter alors les zuchettes, couvrir et faire mijoter encore 5 minutes ou juste assez pour que tous les légumes soient tendres mais encore un peu croquants. Pousser la viande et les légumes d'un côté de la poêle. Bien mêler 2 cuil. à table d'eau froide et la fécule de maïs et ajouter le mélange, bien lisse, au jus de cuisson bouillant, petit à petit et en brassant. Continuer la cuisson jusqu'à ce que la sauce soit épaisse et comme translucide. (4 portions)

PÂTÉ DE PORC

3 livres d'épaule de porc
De 1½ à 2 livres de pattes de porc
1 oignon moyen, tranché
¼ de cuil. à thé de feuilles de thym séchées
1 grosse feuille de laurier
3 clous de girofle
2 cuil. à thé de sel
6 grains de poivre
Eau bouillante
Pâte au saindoux (recette ci-après)
¾ de tasse d'oignon haché
½ cuil. à thé de sauge
1 cuil. à thé de sel
¼ de cuil. à thé de poivre
2 cuil. à table de beurre
½ tasse d'eau
1 jaune d'œuf
1 cuil. à table de lait

Enlever les os et le gras de l'épaule de porc. Jeter le gras. Couper la viande maigre en cubes de 1½ pouce et ranger ces derniers au réfrigérateur en attendant de les utiliser.

Mettre les os du porc, les pattes, l'oignon tranché, le thym, le laurier, les clous de girofle, 2 cuil. à thé de sel et les grains de poivre dans une grande casserole. Ajouter juste assez d'eau bouillante pour bien couvrir les ingrédients. Chauffer jusqu'à ébullition, baisser le feu, couvrir et faire mijoter pendant 3 heures.

Passer le bouillon. Enlever la viande maigre des pattes de porc et l'ajouter aux cubes de porc cru. Jeter tous les os. Réfrigérer le bouillon et le dégraisser, une fois refroidi. Le faire bouillir à nouveau, vigoureusement, pour en réduire la quantité à environ 2 tasses. Mettre de côté.

Chauffer le four à 325°F. Avoir sous la main un moule à charnières de 9 pouces de diamètre sur 3 pouces de hauteur.

Abaisser environ les deux tiers de la pâte au saindoux et en faire une grande abaisse ronde suffisamment grande pour couvrir le fond et les côtés du moule à charnières. La disposer dans le moule et l'y bien fixer en la soudant au bord du moule.

Mettre les cubes de viande crue et la viande des pattes, cuite, dans la pâte. Parsemer de l'oignon haché, et saupoudrer de la sauge, de 1 cuil. à thé de sel et du poivre. Parsemer de noisettes de beurre.

Abaisser ce qui reste de pâte en une abaisse ronde, juste un peu plus grande que le dessus du moule. La disposer sur la viande, en humecter le bord, par en-dessous, et souder ensemble les deux abaisses, en les pressant bien ensemble. Denteler le bord.

Faire un petit trou rond, à peu près de la grandeur d'une pièce de vingt-cinq sous, au centre de l'abaisse du dessus. Par cette ouverture, verser ½ tasse d'eau dans le pâté.

Cuire au four pendant environ 4 heures ou jusqu'à ce que le porc soit bien cuit et la pâte brune. (Battre ensemble à la fourchette, le jaune d'œuf et le lait et en mouiller la pâte, après 3 heures de cuisson.)

Retirer le pâté du four. Chauffer les 2 tasses de bouillon mises de côté et en verser dans le pâté, par la petite ouverture du centre, autant qu'il peut en contenir.

Laisser refroidir et réfrigérer ensuite pendant au moins 12 heures. Servir froid, coupé en pointes ou en grosses tranches. (De 12 à 16 portions).

Pâte au saindoux

⅔ de tasse d'eau bouillante
1⅓ tasse de saindoux
4 tasses de farine à tout usage, tamisée
1½ cuil. à thé de sel

Ajouter l'eau bouillante au saindoux et battre, avec une cuillère de bois ou au batteur rotatif, jusqu'à ce que le mélange soit en crème. Laisser refroidir. Ajouter la farine et le sel, en mêlant bien à la fourchette. Ramasser en boule, envelopper de papier ciré et réfrigérer. Rouler la pâte et l'utiliser comme nous l'indiquons dans la recette précédente.

TOURTIÈRE

2 livres de porc haché
½ livre de veau haché
1½ tasse d'eau bouillante
1½ cuil. à thé de sel
¼ de cuil. à thé de poivre
1 gros oignon, haché
1 petit bouquet de feuilles de céleri
½ cuil. à thé de piment de la Jamaïque moulu (allspice)
1 pincée de clou de girofle en poudre
1 grosse pomme de terre, pelée
Pâte à tarte (recette à la page 149) pour 2 croûtes de 9 pouces: double de la quantité

Mettre, dans une grande casserole épaisse, le porc, le veau, l'eau bouillante, le sel, le poivre, l'oignon, le céleri, le piment de la Jamaïque et le clou de girofle. Chauffer jusqu'à ébullition, baisser le feu, couvrir et cuire 30 minutes, à feu doux et en brassant de temps à autre. Ajouter la pomme de terre entière et continuer la cuisson 1 heure, à feu doux (la pomme de terre absorbera l'excès de graisse). Retirer la pomme de terre et les feuilles de céleri et jeter ces ingrédients. Laisser refroidir la viande. (La préparation devrait être épaisse mais encore liée).

Chauffer le four à 375°F.

Foncer, de la pâte, 2 assiettes à tarte de 9 pouces de diamètre. Mettre la garniture de viande dans les assiettes. Faire des couvercles aux tourtières, avec ce qui reste de pâte. Bien sceller les abaisses ensemble, tout autour des tourtières, et denteler les bords. Faire des fentes dans les couvercles de pâte pour laisser échapper la vapeur pendant la cuisson. Cuire au four, 1 heure ou jusqu'à ce que la pâte soit bien brunie. Servir très chaud. (2 tourtières ou 12 portions)

PAIN DE JAMBON

2 tasses de jambon cuit haché
1½ livre de porc haché
1 tasse de chapelure fine
1 cuil. à table de moutarde en pâte
½ cuil. à thé de sel
¼ de cuil. à thé de poivre
2 œufs, battus
1 tasse de lait
Sauce aux raisins (recette ci-après)

Chauffer le four à 350°F. Avoir sous la main un moule à pain de 9 × 5 × 3 pouces.
Mêler tous les ingrédients, excepté la sauce aux raisins. Tasser le mélange dans le moule et cuire au four 1½ heure. Servir, en tranches épaisses, avec la sauce aux raisins. (6 portions)

Sauce aux raisins

½ tasse de cassonade, mesurée bien tassée
¼ de tasse d'eau
½ tasse de gros raisins de Corinthe
2 cuil. à table de vinaigre
1 cuil. à table de beurre
¾ de cuil. à thé de sauce Worcestershire
¼ de cuil. à thé de sel
1 pincée de poivre
1 pincée de clou de girofle en poudre
1 pincée de macis
½ tasse de gelée d'airelles (atocas ou canneberges)

Faire mijoter ensemble, pendant 10 minutes, la cassonade, l'eau et les raisins. Ajouter les autres ingrédients et chauffer doucement jusqu'à ce que la gelée d'airelles soit fondue. Servir tiède.

JAMBON GLACÉ AUX RAISINS

1 demi-jambon de 6 à 8 livres (dans le jarret), étiqueté «prêt-à-servir»
½ tasse de porto
½ tasse de gros raisins de Corinthe
6 oignons verts
1 orange moyenne
1 citron
1 bocal de 9 onces de gelée de groseilles rouges
2 cuil. à table de porto
1 cuil. à thé de moutarde en pâte
1/16 de cuil. à thé de gingembre en poudre
Clous de girofle entiers

Faire rôtir le jambon selon les indications sur son emballage; ou le cuire au four, à 325°F, 15 minutes par livre. Le retirer du four 30 minutes avant la fin de sa cuisson.
Préparer la glace, comme suit, pendant la cuisson du jambon.
Mettre ½ tasse de porto et les raisins dans une petite casserole et faire bouillir jusqu'à ce que les raisins aient absorbé tout le porto et soient gonflés. Les mettre de côté.
Hacher les oignons plutôt fin. Râper l'orange et le citron pour en prendre tout le zeste. Mettre les oignons et tout ce zeste dans une petite casserole et ajouter l'eau bouillante pour tout juste couvrir les ingrédients. Chauffer jusqu'à ébullition et laisser bouillir 2 minutes. Bien égoutter et mettre dans un bol. Presser l'orange et la moitié du citron et ajouter ces jus (environ ⅓ de tasse de jus d'orange et 1 cuil. à table de jus de citron) aux oignons.
Chauffer la gelée de groseilles, en y ajoutant 2 cuil. à table de porto, juste assez pour la faire fondre. Ajouter au mélange à l'orange et aux oignons, ainsi que la moutarde et le gingembre. Bien mêler.
Retirer le jambon du four, 30 minutes avant qu'il ne soit à point. L'écorcher et tailler la couche de gras, sous la peau, avec un couteau. Piquer le jambon, un peu partout, de clous de girofle.
Enfoncer les raisins dans les sillons faits au couteau dans le gras du jambon. Badigeonner légèrement tout le jambon de la glace aux groseilles rouges. Continuer la cuisson au four pendant 30 minutes. Servir ce qui reste de la glace avec le jambon.

JAMBON GLACÉ ET ROULÉ

1 morceau de 3 livres de soc de porc roulé et fumé (cottage roll)
3 tasses d'eau bouillante
1 feuille de laurier
6 clous de girofle
1 gousse d'ail, broyée
3 grosses pommes à cuire
½ tasse de gelée de groseilles rouges
2 cuil. à table de raifort

Mettre le morceau de porc dans une marmite et ajouter l'eau bouillante, le laurier, les clous de girofle et l'ail. Couvrir et faire mijoter doucement, 1½ heure ou jusqu'à ce que la viande soit tendre. Tourner la viande à quelques reprises pendant ce temps.
Chauffer le four à 425°F.
Retirer la viande de l'eau et la débarrasser, s'il y a lieu, de son enveloppe. La mettre dans un plat à cuire de 13 × 9 × 2 pouces, graissé.
Évider les pommes, sans les peler, et les couper en rondelles épaisses. Les disposer autour de la viande, en une couche simple. Mêler la gelée et le raifort et couvrir la viande et les pommes du mélange.
Cuire au four environ 15 minutes ou jusqu'à ce que les pommes soient tendres. Arroser du jus de cuisson à quelques reprises pendant ce temps. (6 portions)

JAMBON ET OEUFS DURS GRATINÉS

6 cuil. à table de beurre
2 boîtes de 10 onces de morceaux de
 champignons, égouttés
½ tasse de farine
1 cuil. à thé de sel
¼ de cuil. à thé de poivre
¼ de cuil. à thé de feuilles de cerfeuil, séchées
4 tasses de lait
12 œufs durs, tranchés
2 tasses de jambon cuit, en cubes de 1 pouce de
 côté
1 tasse de chapelure
¼ de tasse de beurre fondu

Chauffer le four à 350°F. Beurrer un plat à cuire de 3 pintes.
Faire fondre 6 cuil. à table de beurre, dans une casserole moyenne. Y cuire les champignons, à feu doux et en brassant, jusqu'à ce qu'ils soient légèrement brunis. Saupoudrer de la farine, du sel, du poivre et du cerfeuil et bien mêler. Retirer du feu. Ajouter le lait, d'un seul coup et en mêlant. Continuer la cuisson, en brassant constamment, jusqu'à ce que la sauce bouille et soit épaisse et lisse.
Disposer, dans le plat à cuire, un tiers des tranches d'œufs. Recouvrir d'un tiers des cubes de jambon et d'un tiers de la sauce. Répéter, à deux reprises.
Mêler la chapelure et ¼ de tasse de beurre fondu. Parsemer le plat du mélange.
Cuire au four 30 minutes ou jusqu'à ce que la sauce bouillonne. (8 portions)

CHOU FARCI DE JAMBON

3 cuil. à table d'huile à cuisson
1 oignon moyen, haché
1 piment vert moyen, haché
1 boîte de 14 onces de sauce tomate
1 tasse d'eau
½ cuil. à thé de gingembre en poudre
2 cuil. à thé de cassonade
¼ de tasse de jus de citron
1 petit morceau de feuille de laurier
½ cuil. à thé de sel
⅛ de cuil. à thé de poivre
8 grandes feuilles de chou
2 tasses de jambon cuit, haché
1 tasse de pommes de terre crues, râpées
1 petit oignon, haché
½ cuil. à thé de moutarde en poudre
1 pincée de clou de girofle en poudre
1 œuf
4 carottes moyennes, en bâtonnets
2 gros piments verts, en lanières

Chauffer l'huile dans une poêle épaisse. Ajouter l'oignon et le piment vert hachés et cuire 3 minutes, à feu doux et en brassant. Ajouter la sauce tomate, l'eau, le gingembre, la cassonade, le jus de citron, le laurier, le sel et le poivre, chauffer jusqu'à ébullition, baisser le feu, couvrir et faire mijoter 15 minutes.
Mettre les feuilles de chou dans une grande casserole et les couvrir d'eau bouillante. Faire bouillir 2 minutes. Retirer de l'eau et bien égoutter les feuilles de chou. Enlever la grosse côte dure, à la base de chaque feuille. Mêler parfaitement le jambon, les pommes de terre, 1 petit oignon haché, la moutarde, le clou de girofle en poudre et l'œuf. Mettre ⅓ de tasse (ou un peu moins) du mélange sur chaque feuille de chou. Rouler les feuilles autour de leur garniture au jambon, à partir de leur base. Replier un peu à l'intérieur l'extrémité de la feuille de chou pour bien enfermer la garniture. Mettre les rouleaux dans la sauce ayant déjà mijoté 15 minutes. Couvrir la poêle et faire mijoter 30 minutes. Ajouter les carottes et faire mijoter 15 minutes. Ajouter le piment vert et faire mijoter encore 10 minutes. Pendant la cuisson, ajouter un peu d'eau si la sauce diminue trop rapidement. (4 portions)

SAUCISSES ET CHOU EN CASSEROLE

1 livre de saucisses de porc
1 gros chou bien ferme, en quartiers
Eau bouillante
3 cuil. à table de beurre
3 cuil. à table de farine
1 cuil. à thé de sel
⅛ de cuil. à thé de poivre
2 tasses de lait
1½ tasse de miettes de pain frais
3 cuil. à table de beurre, fondu

Chauffer le four à 350°F. Graisser un plat à cuire en verre de 13 × 9 × 2 pouces.
Mettre les saucisses dans une poêle épaisse. Ajouter un peu d'eau bouillante et faire mijoter jusqu'à ce que l'eau s'évapore. Frire alors les saucisses pour qu'elles soient bien cuites et brunies de tous les côtées. Couper chaque saucisse en trois morceaux.
Mettre les morceaux de chou côte à côte, dans une grande casserole, pendant la cuisson des saucisses. Couvrir à moitié d'eau bouillante. Couvrir la casserole et cuire à feu doux, 20 minutes ou jusqu'à ce que le chou soit tendre. Retirer le chou de son eau de cuisson et le hacher grossièrement. Mettre une couche de chou haché dans le plat à cuire, disposer dessus les morceaux de saucisses et couvrir de ce qui reste de chou.
Faire fondre 3 cuil. à table de beurre, dans une casserole. Saupoudrer de la farine, du sel et du poivre et laisser bouillonner un peu. Retirer du feu et ajouter le lait, d'un trait et en mêlant bien. Continuer la cuisson, à feu moyen et en brassant constamment, jusqu'à ce que la sauce bouille et soit épaisse et lisse.
Verser sur le chou et les saucisses dans le plat à cuire de telle façon que la sauce pénètre bien les couches de

ces ingrédients. Mêler les miettes de pain et 3 cuil. à table de beurre fondu et parsemer le plat du mélange. Cuire au four, 30 minutes ou jusqu'à ce que le dessus du plat soit bruni et que sa sauce bouillonne. Servir immédiatement. (4 portions)

BACON DE DOS A LA MOUTARDE

1 morceau de 2½ livres de bacon de dos
Clous de girofle
2 cuil. à table de moutarde de Dijon
2 cuil. à table de mélasse
2 cuil. à thé de zeste d'orange râpé

Chauffer le four à 350°F.
Débarrasser le bacon de sa gaine de papier, s'il y a lieu. Taillader la partie grasse du bacon et y piquer 12 clous de girofle. Envelopper de papier d'aluminium très épais, mettre dans un plat à cuire et faire rôtir au four pendant 1 heure.
Mêler la moutarde, la mélasse et le zeste d'orange. Écarter le papier d'aluminium et badigeonner le bacon du mélange. Remettre au four, en laissant le papier bien écarté et continuer la cuisson, de 45 à 60 minutes ou jusqu'à ce que la viande soit très tendre. Arroser souvent la viande, pendant ce temps, de son jus de cuisson. Servir très chaud ou froid. (De 6 à 8 portions)

Quoi de meilleur qu'une simple pizza?
Une pizza maison

MA PIZZA PRÉFÉRÉE

Pâte à pizza (recette ci-après)
2 cuil. à table d'huile d'olive
Approximativement 1½ livre de peperoni, tranché mince
½ tasse de parmesan râpé
2 boîtes de 7½ onces de sauce tomate
2 cuil. à thé de feuilles d'origan séchées
1 cuil. à thé de graines d'anis
4 gousses d'ail, broyées
2 paquets de 6 onces de tranches de mozzarella
½ tasse de parmesan râpé
2 cuil. à table d'huile d'olive

Chauffer le four à 450°F. Habiller, de la pâte, 2 assiettes à pizza de 14 pouces, comme nous l'indiquons dans la recette de pâte.
Arroser chaque abaisse de 1 cuil. à table d'huile d'olive. Mettre de côté, pour la décoration, environ 24 tranches de peperoni. Étendre le reste des tranches, uniformé-

ment, dans les deux abaisses. Parsemer chaque pizza de ¼ de tasse de parmesan râpé.
Mêler la sauce tomate, l'origan, les graines d'anis et l'ail. Verser la moitié du mélange sur chaque pizza, en l'étendant uniformément. Couper les tranches de mozzarella en bandes de 1 pouce de largeur; disposer la moitié de ces bandes sur chaque pizza. Saupoudrer chaque pizza de ¼ de tasse de parmesan râpé, l'arroser de 1 cuil. à table d'huile d'olive et la couronner de 12 tranches de peperoni, mises de côté à cet effet.
Cuire au four 25 minutes ou jusqu'à ce que la croûte soit bien brunie et que la garniture bouillonne. Servir très chaud. (2 pizzas de 14 pouces)

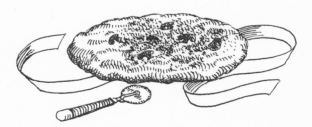

Pâte à pizza

(Quantité suffisante pour 2 pizzas de 14 pouces de diamètre)
1⅓ tasse d'eau tiède
½ cuil. à thé de sucre
1 enveloppe de levure sèche
2 cuil. à table d'huile d'olive
2 cuil. à thé de sel
De 3½ à 4 tasses de farine à tout usage, tamisée

Mettre l'eau dans un bol. Ajouter le sucre et brasser pour le bien dissoudre. Saupoudrer de la levure et laisser reposer 10 minutes. Bien brasser. Ajouter l'huile, le sel et 3½ tasses de farine. Mêler parfaitement, avec une cuillère de bois.
Mettre la pâte sur une planche enfarinée et la pétrir en y ajoutant peu à peu de la farine jusqu'à l'obtention d'une pâte ferme. Pétrir alors la pâte, 10 minutes ou jusqu'à ce qu'elle soit bien lisse. Ramasser la pâte en boule, la mettre dans un bol graissé, la couvrir d'une serviette humide et la laisser lever, dans un endroit chaud, 2 heures ou jusqu'au double du volume. L'abaisser avec le poing.
Faire deux parts de la pâte et rouler chacune en une abaisse suffisamment grande pour habiller une assiette à pizza de 14 pouces de diamètre. Si la pâte rebondit trop, la laisser reposer quelques minutes, elle sera ensuite plus facile à étendre. Si l'abaisse est trop petite quand on la met dans l'assiette, la presser, en l'étirant un peu pour pouvoir la souder fermement au bord de l'assiette, tout autour. En l'absence d'assiettes à pizza, faire des abaisses rondes, de 14 pouces de diamètre, les mettre sur des plaques à biscuits et rouler un peu la pâte par en-dessous, tout autour des abaisses, pour former un bord qui puisse retenir la garniture.
Recouvrir la pâte de la garniture désirée et cuire au four immédiatement (inutile de faire encore lever la pâte) comme il est indiqué dans la recette.

WIENERS A LA CHOUCROUTE
(pour le barbecue)

1 livre de wieners
1 tasse de choucroute de conserve, égouttée
¼ de tasse de sauce au chili
1 cuil. à thé de graines de carvi
Tranches de bacon (12 environ)

Fendre les wieners, en longueur, presque complètement c'est-à-dire de façon à ce que les deux moitiés se tiennent par la base. Mêler la choucroute, la sauce au chili et les graines de carvi et farcir chaque wiener d'une grosse cuillerée du mélange. Envelopper chaque wiener d'une tranche de bacon en fixant bien celle-ci avec une petite brochette de métal ou un cure-dents.

Cuire sur un feu de charbon de bois bien chaud, en tournant souvent les wieners, jusqu'à ce que le bacon soit croustillant. Servir bien chaud. (De 10 à 12 portions)

FOIE DE VEAU ET BACON GRILLÉS AU FOUR

1½ livre de foie de veau (ou de foie de jeune
    bœuf), en tranches de ½ pouce d'épaisseur
Sel
Poivre
Sel d'ail
8 tranches de bacon
2 gros oignons, en lamelles
Huile à cuisson
12 têtes de champignons
¼ de tasse d'eau bouillante
¼ de cuil. à thé de sauce Worcestershire

Chauffer le grilloir du four.

Parer le foie, c'est-à-dire le débarrasser de la peau fine qui l'enveloppe et des vaisseaux, s'il y a lieu; le bien assécher sur du papier absorbant. Saupoudrer légèrement les tranches des deux côtés, de sel, de poivre et de sel d'ail.

Mettre les tranches de bacon dans une plaque à griller peu profonde (sans utiliser de clayette). Mettre sous le grilloir, assez loin du feu c'est-à-dire un peu plus bas que le milieu du four. Faire griller comme on le désire, en tournant les tranches une fois. Retirer du four, enlever le bacon de la plaque et le mettre de côté (laisser la graisse de cuisson dans la plaque).

Mettre les oignons dans la plaque et remettre celle-ci au four. Faire griller les oignons, loin du feu comme précédemment, 3 minutes, en les brassant à quelques reprises. Retirer du four. Pousser les oignons à un bout de la plaque. Mettre les tranches de foie à l'autre bout. Arroser chaque morceau de quelques gouttes d'huile. Remettre au four beaucoup plus près du feu cependant. Faire griller les tranches de foie 3 minutes de chaque côté ou comme vous les aimez. A deux reprises, pendant cette cuisson, arroser le foie du jus de cuisson et brasser un peu les oignons.

Mettre une goutte d'huile à cuisson dans chaque tête de champignon. Une minute avant que le foie ne soit suffisamment cuit, ajouter, dans la plaque, le bacon et les têtes de champignons. Continuer la cuisson, en surveillant attentivement, jusqu'à ce que le bacon soit très chaud et le foie comme vous l'aimez.

Mettre le foie dans un plat de service chaud et le couvrir des oignons; décorer le plat des tranches de bacon. Arroser les champignons d'un peu du jus de cuisson et les faire dorer au four une minute. Les ajouter au plat.

Ajouter l'eau bouillante et la sauce Worcestershire au jus de cuisson dans la plaque et bien brasser le tout. Verser sur le foie et les oignons et servir immédiatement. (6 portions)

LANGUE DE BOEUF RELEVÉE DE PAMPLEMOUSSE

1 langue de bœuf de 3 à 4 livres
1 oignon moyen, tranché
1 carotte moyenne, tranchée
2 branches de céleri, hachées
2 brindilles de persil
Eau bouillante
2 cuil. à thé de sel
6 grains de poivre
¼ de tasse de beurre
3 cuil. à table de farine
¼ de cuil. à thé de sel
⅛ de cuil. à thé de poivre
3 cuil. à table de cassonade
½ tasse de jus de pamplemousse frais
1 gros pamplemousse, pelé et séparé en côtes
1 cuil. à table de zeste de pamplemousse râpé

Laver la langue et la mettre dans une grande marmite. Ajouter oignon, carotte, céleri et persil. Couvrir d'eau bouillante et ajouter 2 cuil. à thé de sel et les grains de poivre. Chauffer de nouveau jusqu'à ébullition, baisser le feu et faire mijoter, de 3 à 3½ heures ou jusqu'à ce que la viande soit très tendre.

Égoutter la langue en conservant le bouillon de cuisson et les légumes qu'il contient. Laisser refroidir la langue quelques minutes et commencer la préparation de la sauce pendant ce temps. Réduire en purée les légumes qui ont cuit avec la langue. Mesurer 3 tasses du bouillon et mettre le reste de côté (pour une soupe peut-être).

Faire fondre le beurre dans une casserole moyenne. Ajouter la farine, bien mêler et cuire jusqu'à ce que le mélange bouillonne. Retirer du feu et ajouter ¼ de cuil. à thé de sel, le poivre et la cassonade ainsi que 3 tasses de bouillon et les légumes en purée. Continuer la cuisson, en brassant constamment, jusqu'à ce que la sauce bouille et soit épaisse et lisse. Ajouter le jus de pamplemousse, en brassant, et garder le tout bien chaud.

Retirer l'os et le cartilage, du bout épais de la langue, et dépouiller cette dernière. Couper la langue en tranches minces et les disposer dans un plat de service.

Couper les côtes de pamplemousse en deux ou trois morceaux et les ajouter à la sauce, de même que le zeste de pamplemousse. Verser la sauce sur les tranches de langue et servir immédiatement. (De 6 à 8 portions)

Volailles et oeufs

Depuis la plus grosse des dindes, qui tient à peine dans le four, jusqu'au plus mini des volatiles comestibles, la volaille est un aliment favori dans le monde entier. Et le poulet semble être le préféré.

La principale raison de cette affection est peut-être qu'il peut être apprêté à toutes sortes de sauces. On le rôtit en toute simplicité ou on le transforme en mets digne des plus grands banquets.

Vous trouverez donc ici des recettes favorites de poulet et de dinde, mais aussi des façons de préparer d'autres volailles, et du gibier, pour les grandes occasions. Il faut essayer un canard à l'orange ou un faisan au riz sauvage, quand on aime manger et cuisiner.

Il y a également plusieurs recettes à base d'œufs, cet aliment naturel si économique tout en étant protéique et rempli d'autres qualités.

POULETS RÔTIS AUX CHAMPIGNONS

2 poulets à rôtir (de 4½ à 5 livres chacun)
Sel
Assaisonnement à volailles
2 oignons moyens
4 grosses brindilles de persil
2 branchettes de céleri garnies de feuilles
4 cuil. à table d'huile d'olive
2 gousses d'ail, épluchées et coupées en deux
8 grains de poivre
1 feuille de laurier
¼ de cuil. à thé de feuilles de thym séchées
4 carottes moyennes, tranchées
2 poireaux (la partie blanche seulement),
    tranchés mince
2 grosses branches de céleri, tranchées
1 oignon moyen, haché
½ tasse de vin rouge sec
½ tasse de beurre
1 grosse gousse d'ail, broyée
1½ livre (3 chopines) de champignons frais,
    tranchés
¼ de cuil. à thé de feuilles d'estragon séchées
¼ de cuil. à thé de feuilles de cerfeuil séchées
¼ de tasse de persil finement haché
3 cuil. à table de farine
1 tasse de bouillon de poulet ou 1 cube de
    bouillon dissous dans 1 tasse d'eau bouillante
½ tasse de vin rouge sec

Chauffer le four à 400°F.
Bien assécher les poulets, à l'intérieur et à l'extérieur, avec du papier absorbant. Saupoudrer légèrement l'intérieur de sel et d'assaisonnement à volailles. Mettre, dans chaque poulet, 1 oignon, 2 brindilles de persil et 1 branchette de céleri. Avec des brochettes, fixer la peau du cou au corps des poulets et replier par en dessous la pointe de leurs ailes. Brider les oiseaux et frotter chacun, partout, de 2 cuil. à table d'huile d'olive.
Mettre les poulets dans une rôtissoire, sans utiliser de clayette. Les rôtir au four, 30 minutes ou jusqu'à ce qu'ils soient légèrement brunis. Régler le feu à 375°F.
Nouer, dans un petit morceau de coton à fromage, 2 gousses d'ail, les grains de poivre, le laurier et le thym; mettre le sachet dans la rôtissoire. Mettre, autour des poulets, les carottes, le poireau, le céleri et l'oignon haché. Verser ½ tasse de vin dans la rôtissoire et continuer la cuisson, à découvert et en arrosant souvent du jus de cuisson, 1½ heure ou jusqu'à ce que les poulets soient tendres.
Mettre les poulets dans un grand plat de service réchauffé et les garder chauds. Jeter le sachet de condiments. Mettre tous les légumes et le jus de cuisson dans le bocal d'un mélangeur électrique, en deux temps si cela est nécessaire, et réduire le tout en purée. (En l'absence d'un mélangeur électrique, utiliser un tamis.)
Faire fondre le beurre, dans une grande poêle épaisse. Ajouter la gousse d'ail broyée et cuire 2 minutes, en brassant. Ajouter les champignons et les parsemer de l'estragon, du cerfeuil et du persil haché. Cuire 3 minutes, en brassant. Retirer les champignons de la poêle, avec une cuillère perforée, et les disposer dans le plat, autour des poulets.
Ajouter la farine au jus de cuisson dans la poêle, en brassant. Ajouter la purée faite avec la cuisson, petit à petit et en brassant bien après chaque addition. Ajouter aussi le bouillon de poulet. Cuire, en brassant, jusqu'à ce que la sauce soit épaisse et bien lisse. Ajouter ½ tasse de vin et chauffer de nouveau jusqu'à ébullition. Servir cette sauce très chaude, avec les poulets. (De 8 à 10 portions)

CHAPONS GLACÉS A L'ORANGE

2 chapons de 6 livres (voir note)
6 tasses d'eau
1 petite carotte, en morceaux
2 branches de céleri, avec les feuilles, en
    morceaux
1 tranche d'oignon
1½ cuil. à thé de sel
6 grains de poivre
2 brindilles de persil
½ cuil. à thé de feuilles de marjolaine séchées
½ cuil. à thé de feuilles de thym séchées
¼ de tasse de beurre
1 livre de champignons, tranchés
½ tasse d'oignon finement haché
2 paquets de 6 onces d'un mélange de riz
    ordinaire, à longs grains, et de riz sauvage
¼ de tasse de persil haché
Sel et poivre
Beurre ramolli
Glace à l'orange (recette ci-après)
Sauce au sauternes (recette ci-après)

Retirer les abats, des chapons, les laver et mettre les foies de côté. Mettre le reste des abats et les cous dans une grande casserole; ajouter l'eau, la carotte, le céleri, 1 tranche d'oignon, 1½ cuil. à thé de sel, les grains de poivre, les brindilles de persil, la marjolaine et le thym. Chauffer jusqu'à ébullition, baisser le feu, couvrir et faire mijoter 2 heures. Ajouter les foies et continuer la cuisson, à feu doux, de 6 à 8 minutes ou jusqu'à ce que les foies soient tendres. Passer le bouillon et jeter les légumes qu'il contient; hacher les abats finement.
Chauffer ¼ de tasse de beurre dans une grande casserole. Y cuire les champignons, à feu vif et en brassant vivement, jusqu'à ce qu'ils soient légèrement brunis. Retirer les champignons, avec une cuillère perforée, et les mettre de côté. Ajouter l'oignon haché au jus de cuisson et cuire 3 minutes, à feu doux et en brassant. Ajoutez 4 tasses du bouillon fait avec les abats des chapons. Ajouter aussi le riz et le persil haché. Couvrir et cuire selon les indications sur le paquet de riz.
Retirer du feu quand le riz est cuit. Ajouter les champignons et les abats hachés et bien brasser, à la fourchette. Laisser refroidir.
Chauffer le four à 325°F.

Saler et poivrer les chapons, à l'intérieur, et les farcir du riz, sans tasser ce dernier. Brider les oiseaux, les frotter, à l'extérieur, de beurre ramolli, les disposer, sur une clayette, dans une rôtissoire peu profonde et les couvrir de papier d'aluminium en disposant ce dernier comme une tente (ne pas envelopper les chapons, les couvrir seulement). Faire rôtir, en arrosant souvent du jus de cuisson, 3 heures ou jusqu'à ce que les chapons soient bien cuits. Retirer le papier d'aluminium 1 heure avant la fin du temps de cuisson pour bien brunir les chapons. Préparer la glace à l'orange, pendant la cuisson des oiseaux. Badigeonner les chapons, bien cuits, de la glace et continuer la cuisson 15 minutes; badigeonner à plusieurs reprises. Mettre dans un plat de service réchauffé et garder bien chaud pendant la préparation de la sauce. Note: on peut, si on le désire, remplacer les chapons par 2 gros poulets à rôtir.

Glace à l'orange

¼ de tasse de zeste d'orange en allumettes
   minces
½ tasse de jus d'orange
1 tasse de sirop de maïs
½ cuil. à thé de gingembre en poudre

Débarrasser de toute sa partie blanche, à l'intérieur, un morceau de pelure d'orange; y tailler ¼ de tasse d'allumettes. Mêler tous les ingrédients et badigeonner les chapons du mélange, comme nous l'indiquons.

Sauce au sauternes

¼ de tasse de zeste d'orange en allumettes
   minces
Eau bouillante
¾ de tasse de raisins secs dorés
⅓ de tasse de farine
4 tasses de liquide (ce qui reste du bouillon des
   abats des chapons et de l'eau)
Approximativement ½ cuil. à thé de sel
¼ de cuil. à thé de poivre
½ cuil. à thé de feuilles de thym séchées
1 tasse de vin blanc sucré (sauternes)

Débarrasser de toute sa partie blanche, à l'intérieur, un morceau de pelure d'orange; y tailler ¼ de tasse d'allumettes.
Couvrir d'eau bouillante les raisins et le zeste d'orange et laisser reposer 15 minutes. Égoutter.
Retirer de la rôtissoire le jus de cuisson des chapons et le refroidir rapidement en plaçant le plat qui le contient dans de l'eau glacée. Dégraisser; mettre ⅓ de tasse du gras recueilli dans une grande casserole. Ajouter la farine et cuire, en brassant, jusqu'à ce que le mélange soit légèrement bruni. Ajouter le liquide, petit à petit et en brassant. Ajouter le jus de cuisson des chapons et les petites particules brunies qui se trouveraient encore dans la rôtissoire. Cuire jusqu'à ce que la sauce bouille et soit épaisse et lisse. Ajouter le sel, le poivre, le thym, le mélange de raisins et de zeste d'orange et le vin. Chauffer, goûter et ajouter sel et poivre si cela est nécessaire.

PÂTÉ AU POULET

¾ de tasse de carottes grossièrement râpées
½ tasse de céleri tranché mince
½ tasse d'eau bouillante
½ tasse de petits pois congelés
3 tasses de poulet cuit, en morceaux
3 cuil. à table de beurre ou de graisse de poulet
1 oignon moyen, tranché
3 cuil. à table de farine
1 cuil. à thé de sel
¼ de cuil. à thé de poivre
¼ de cuil. à thé de feuilles de sarriette séchées
1 tasse de crème simple (15 p.c.)
¾ de tasse de bouillon de poulet
Pâte à tarte pour 2 croûtes de 9 pouces (recette
   à la page 149)
1 cuil. à thé de graines de céleri
1 jaune d'œuf
1 cuil. à table d'eau

Cuire les carottes et le céleri 3 minutes, dans ½ tasse d'eau bouillante. Ajouter les pois 1 minute avant la fin de la cuisson. Égoutter le tout et conserver le liquide de cuisson.
Mêler poulet, carottes, céleri et pois, dans un grand bol.
Faire fondre le beurre ou la graisse de poulet, dans une casserole moyenne. Y cuire l'oignon 5 minutes, à feu doux. Saupoudrer de la farine, du sel, du poivre et de la sarriette et bien mêler. Retirer du feu et ajouter la crème, le bouillon de poulet et le liquide de cuisson des légumes, d'un trait et en mêlant bien. Continuer la cuisson, en brassant constamment, jusqu'à ce que la sauce bouille et soit épaisse et lisse. Verser sur le mélange de poulet et de légumes et brasser délicatement, à la fourchette. Laisser refroidir. Chauffer le four à 425°F. Avoir sous la main une assiette à tarte, de 9 pouces de diamètre.
Préparer la pâte (on peut aussi utiliser un mélange), en ajoutant 1 cuil. à thé de graines de céleri aux ingrédients secs. Foncer l'assiette avec la moitié de la pâte et y mettre le mélange au poulet. Couvrir avec ce qui reste de pâte, en soudant bien les deux abaisses ensemble, tout autour, et en dentelant le bord du pâté. Battre le jaune d'œuf et 1 cuil. à table d'eau et badigeonner le couvercle de pâte du mélange, sans toucher au bord cependant. Pratiquer une grande ouverture, au centre du couvercle, pour laisser échapper la vapeur pendant la cuisson.
Cuire au four 10 minutes, à 425°F. Régler la température du four à 350°F et continuer la cuisson, 50 minutes ou jusqu'à ce que la croûte soit bien brunie et que la garniture bouillonne. Servir très chaud. (De 4 à 6 portions)

PÂTÉ AU POULET DES JOURS DE FÊTE

1 poule à l'étuvée (recette ci-après)
1 livre de ris de veau
Le jus de 1 citron
¼ de cuil. à thé de sel
4 carottes, en dés
1 oignon moyen, tranché
2 cuil. à table de persil haché
¼ de cuil. à thé de feuilles de thym séchées
1 petit morceau de feuille de laurier, émietté
½ cuil. à thé de sel
¼ de cuil. à thé de poivre
1½ tasse de bouillon de poulet
½ livre de tranches de bacon, coupées, en
    travers, en fines lanières
2 cuil. à table de graisse de poulet ou de beurre
½ livre de champignons, tranchés
¼ de tasse de graisse de poulet ou de beurre
¼ de tasse de farine
1 cuil. à thé de sel
½ cuil. à thé de poivre
¼ de cuil. à thé de feuilles de thym séchées
½ cuil. à thé de muscade
2 tasses de bouillon de poulet
¼ de tasse de brandy
¼ de tasse de vin de Madère
¼ de tasse de persil haché
4 tasses de poulet cuit, en morceaux (la poule à
    l'étuvée)
Pâte à tarte pour 2 croûtes de 9 pouces
1 jaune d'œuf
1 cuil. à table d'eau

Faire tremper les ris de veau dans de l'eau glacée, pendant 1 heure. Les mettre dans une casserole avec le jus de citron et ¼ de cuil. à thé de sel. Couvrir d'eau froide, chauffer jusqu'à ébullition, baisser le feu et faire mijoter 5 minutes. Égoutter et mettre immédiatement les ris dans de l'eau glacée. Débarrasser les ris refroidis de leur membrane extérieure et de leurs petits vaisseaux; les trancher, en travers.

Chauffer le four à 375°F.

Mettre dans un petit plat à cuire (environ 10 × 6 × 2 pouces) les dés de carottes, l'oignon, 2 cuil. à table de persil, ¼ de cuil. à thé de feuilles de thym et le laurier. Ajouter les tranches de ris et les saupoudrer de ½ cuil. à thé de sel et de ¼ de cuil. à thé de poivre. Verser 1½ tasse de bouillon sur le tout. Couvrir le plat hermétiquement et cuire au four, en arrosant de temps à autre les ris du jus de cuisson, 30 minutes ou jusqu'à ce que les ris soient tendres.

Faire frire le bacon jusqu'à ce que sa partie grasse semble translucide. L'égoutter et le laisser sécher sur du papier absorbant.

Chauffer 2 cuil. à table de graisse de poulet ou de beurre, dans une grande casserole. Y cuire les champignons 3 minutes, à feu vif et en brassant. Les retirer de la casserole avec une cuillère perforée et les mettre de côté. Ajouter ¼ de tasse de graisse de poulet ou de beurre, dans la

casserole, et chauffer. Ajouter la farine, 1 cuil. à thé de sel, ½ cuil. à thé de poivre, ¼ de cuil. à thé de thym et ½ cuil. à thé de muscade. Bien mêler et retirer du feu. Ajouter 2 tasses de bouillon de poulet, le brandy et le vin de Madère. Bien mêler et chauffer de nouveau jusqu'à ébullition, en brassant constamment. Baisser le feu et laisser mijoter 5 minutes. Goûter et ajouter du sel et du poivre s'il y a lieu. Ajouter les ris de veau ainsi que leur cuisson, le bacon et les champignons et faire mijoter 3 minutes. Ajouter le persil et les morceaux de poulet et verser dans un plat à cuire de 3 pintes.

Rouler la pâte en une abaisse un peu épaisse et un peu plus grande que la surface du plat utilisé. La déposer sur le mélange au poulet; denteler le bord du pâté en scellant bien la pâte au plat tout autour. Faire une large ouverture au centre de l'abaisse.

Battre ensemble, à la fourchette, le jaune d'œuf et l'eau et badigeonner du mélange le dessus du pâté, sans toucher au bord cependant. Cuire au four, 40 minutes ou jusqu'à ce que la pâte soit d'un beau doré et que la garniture du pâté bouillonne. (De 8 à 10 portions)

Armez-vous d'un peu de patience
et faites une cipaille,
ce merveilleux pâté d'autrefois
dont, fort heureusement,
le secret est parvenu jusqu'à nous.
Vous en serez récompensé

Poule à l'étuvée

1 poule de 5 livres, en morceaux
Eau bouillante
1 grosse carotte, en morceaux
1 grosse branche de céleri (avec les feuilles), en
    morceaux
1 épaisse tranche d'oignon
4 grosses brindilles de persil
6 grains de poivre
6 clous de girofle
1 petite feuille de laurier
2 cuil. à thé de sel

Laver les morceaux de poule et les mettre dans une grande marmite. Presque couvrir d'eau bouillante. Ajouter les autres ingrédients et chauffer jusqu'à ébullition. Baisser le feu, couvrir et faire mijoter, de 2 à 3 heures ou jusqu'à ce que ce soit tendre. Laisser refroidir.

Retirer la poule du bouillon et la désosser en gardant les morceaux de viande aussi gros que possible; jeter les os. Passer le bouillon et le réfrigérer; enlever la couche de graisse sur le dessus. Garder séparément, au réfrigérateur, la viande, le bouillon et la graisse jusqu'à ce que vous en ayez besoin. Vous obtiendrez environ 4 tasses de viande et de 3 à 4 tasses de bouillon.

CIPAILLE

4 tasses de farine à tout usage, tamisée
4 cuil. à thé de poudre à lever
1 cuil. à thé de sel
1 pincée de poivre
¾ de tasse de graisse végétale
Approximativement 1¼ tasse d'eau froide
1 poulet de 3 livres, coupé en 12 morceaux
½ tasse d'oignons verts finement tranchés
2 cuil. à table de persil haché
2 cuil. à table de feuilles de céleri hachées
1 cuil. à thé de sel
¼ de cuil. à thé de poivre
½ cuil. à thé de feuilles de marjolaine séchées
¼ de cuil. à thé de feuilles de sarriette séchées
¼ de cuil. à thé de feuilles de thym séchées
Eau bouillante
1 tasse de lait bouillant

Chauffer le four à 450°F. Graisser un plat à cuire rond, de 2 pintes, possédant un couvercle hermétique. (Un plat à cuire en verre à feu et le couvercle d'une casserole qui s'ajuste parfaitement à l'intérieur peuvent faire l'affaire; le couvercle hermétique est important.)
Tamiser, dans un bol, la farine, la poudre à lever, 1 cuil. à thé de sel et 1 pincée de poivre. Ajouter la graisse végétale et la couper finement, avec un mélangeur à pâtisserie ou avec deux couteaux. Ajouter juste assez d'eau froide pour que la pâte se tienne. (J'en ai utilisé environ 1 tasse plus 3 cuil. à table.) Ramasser la pâte en boule et la pétrir délicatement, environ 6 fois, pour la bien assouplir.
Prendre un peu moins de la moitié de la pâte et en faire une abaisse ronde suffisamment grande pour habiller tout l'intérieur du plat à cuire. Cette abaisse devrait avoir environ ¼ de pouce d'épaisseur; la bien faire adhérer à la paroi circulaire et la presser un peu pour la fixer au bord du plat. Disposer dans la pâte la moitié des morceaux de poulet (on peut désosser ceux-ci mais cela n'est pas vraiment nécessaire). Parsemer de la moitié des oignons verts, du persil, des feuilles de céleri et des assaisonnements.
Faire 2 parts de ce qui reste de pâte. Avec l'une d'elle, faire une abaisse juste assez grande pour couvrir la garniture du pâté. Faire 3 grandes fentes, dans ce cercle de pâte, et le déposer sur le poulet et les légumes. Disposer dessus le reste des morceaux de poulet, des légumes et des assaisonnements.
Faire, avec ce qui reste de pâte, une abaisse juste un peu plus grande que le dessus du plat. Y faire 3 grandes fentes et la déposer sur le pâté. Replier le bord de cette abaisse, tout autour, sur celui de l'abaisse qui habille toute la casserole et bien souder la pâte. Denteler le bord du pâté.

Verser de l'eau bouillante sur et dans le pâté jusqu'à ce que l'on constate que le pâté est entouré et rempli d'eau jusqu'au sommet. (Ce procédé semble étrange mais il donne d'excellents résultats.) Bien fixer le couvercle du plat et cuire au four 25 minutes. Abaisser la température du four à 325°F et continuer la cuisson, avec le couvercle toujours, 2 heures ou jusqu'à ce que le poulet soit tendre. La croûte sera alors d'un beau brun foncé et aura levé suffisamment pour se souder au couvercle du plat.
Retirer le couvercle et verser autant de lait bouillant que possible dans le pâté, par les fentes du couvercle; bouger les morceaux de poulet avec une fourchette, s'il le faut, pour faire pénétrer le lait partout. Le lait doit couvrir le pâté. Couvrir de nouveau le plat et cuire au four 15 minutes. Retirer le couvercle et continuer la cuisson 15 minutes. (Les morceaux de poulet baigneront dans une sauce, à l'intérieur du pâté, et la croûte de ce dernier sera brune et croustillante.) Servir immédiatement. (6 portions)

POULET CROUSTILLANT

1 tasse de flocons de maïs, grossièrement écrasés
1 cuil. à thé de sel
2 cuil. à thé de poudre de cari
¼ de cuil. à thé de gingembre en poudre
1 grosse poitrine de poulet (en 2 morceaux)
¼ de tasse de lait évaporé
Chutney aux pommes (recette ci-après)

Chauffer le four à 350°F. Doubler, de papier d'aluminium, un plat à four peu profond et juste assez grand pour contenir les deux morceaux de poulet, côte à côte.
Mêler, dans un plat peu profond, les flocons de maïs, le sel, la poudre de cari et le gingembre.
Tremper le poulet dans le lait évaporé et le tourner ensuite dans le mélange sec pour l'en bien enrober de tous les côtés. Déposer le poulet dans le plat, la peau sur le dessus, et cuire au four pendant 1 heure et 15 minutes ou jusqu'à ce que ce soit très tendre. Servir avec le chutney aux pommes. (2 portions)

Chutney aux pommes

1 tasse de pommes tranchées
2 cuil. à table d'eau
¼ de tasse de mélasse
2 cuil. à table de vinaigre
¼ de tasse de raisins
1 cuil. à thé de poudre de cari
¼ de cuil. à thé de gingembre

Mêler tous les ingrédients dans une petite casserole. Couvrir et chauffer jusqu'à ébullition. Laisser mijoter pendant 5 minutes ou jusqu'à ce que les pommes commencent à être tendres. Découvrir et continuer la cuisson, à feu doux, jusqu'à ce que les pommes soient très tendres et le mélange épais. Servir très chaud ou refroidi, avec le poulet.

ROULEAUX DE POULET VÉRONIQUE

4 grosses poitrines de poulet, coupées en deux,
    en longueur
½ livre de veau haché
¼ de cuil. à thé de feuilles d'estragon séchées
1 cuil. à table d'oignons verts, hachés
1 cuil. à table de persil haché
1 œuf
1 cuil. à table de vin blanc sec
¼ de tasse de farine
½ cuil. à thé de sel
¼ de cuil. à thé de poivre
½ cuil. à thé de paprika
1 œuf
1 cuil. à table de lait
1 tasse de fines miettes de craquelins
¼ de tasse de beurre ou de margarine
2 cuil. à table d'huile à cuisson
½ tasse d'oignons verts, hachés
¾ de tasse de bouillon de poulet
¾ de tasse de vin blanc sec
Sel et poivre
¼ de tasse de beurre ou de margarine
1 livre de champignons, tranchés
3 tasses de raisins verts sans pépins (voir note)
¼ de tasse d'eau
1 cuil. à table de fécule de maïs

Désosser les 8 morceaux de poitrines de poulet. Pour ce faire, couper aussi près des os que possible, avec un couteau bien aiguisé, et détacher la viande avec précaution, en un seul morceau. Écorcher chaque morceau, le mettre entre deux feuilles de papier ciré et le battre avec un rouleau à pâte, du côté où se trouvait la peau, pour le bien amincir et l'étendre à peu près au double de sa surface initiale. Enlever le papier du dessus et retourner le poulet, le côté écorché en dessous.

Mêler parfaitement, à la fourchette, le veau, l'estragon, 1 cuil. à table d'oignons, le persil, 1 œuf et 1 cuil. à table de vin. Répartir également le mélange sur les morceaux de poulet et rouler ces derniers autour, en commençant par leur bout le plus étroit; pincer un peu les rouleaux pour les sceller.

Mêler, dans un plat peu profond, la farine, ½ cuil. à thé de sel, ¼ de cuil. à thé de poivre et le paprika. Battre ensemble, dans un autre plat peu profond, l'œuf et le lait. Mettre les miettes de craquelins dans un troisième plat peu profond. Passer les rouleaux de poulet d'abord dans la farine, ensuite dans l'œuf battu et finalement dans les miettes. Laisser reposer les rouleaux quelques minutes pour permettre à leur enrobage de sécher un peu.

Chauffer le four à 375°F.

Chauffer ¼ de tasse de beurre (ou de margarine) et l'huile, dans une grande poêle épaisse. Y bien brunir les rouleaux de poulet, de tous les côtés. Retirer les rouleaux de la poêle, à mesure qu'ils sont prêts, et les disposer dans un grand plat à cuire peu profond (environ 13 × 9 × 2 pouces). Mettre ½ tasse d'oignons verts hachés dans le jus de cuisson dans la poêle (ajouter un peu d'huile si cela est nécessaire) et cuire 3 minutes, à feu doux. Ajouter le bouillon de poulet et ¾ de tasse de vin et chauffer jusqu'à ébullition. Goûter et ajouter du sel et du poivre si cela est nécessaire (cela dépend de ce que le bouillon était plus ou moins assaisonné). Verser le tout sur les rouleaux, couvrir le plat et cuire au four, 45 minutes ou jusqu'à ce que le poulet soit tendre.

Chauffer ¼ de tasse de beurre (ou de margarine), pendant la cuisson du poulet, et y cuire les champignons 3 minutes, à feu doux. Retirer le poulet du four, découvrir et ajouter les champignons et les raisins. Continuer la cuisson au four, à découvert, 10 minutes ou jusqu'à ce que le tout soit bien chaud.

Retirer du plat, avec une cuillère perforée, le poulet, les champignons et les raisins et disposer le tout dans un plat de service réchauffé; garder bien chaud. Verser le liquide de cuisson dans une casserole et le chauffer jusqu'à ébullition. Faire une pâte lisse, avec l'eau et la fécule de maïs, et l'ajouter au liquide bouillant, petit à petit et en brassant constamment. Faire mijoter 1 minute, en brassant. Verser sur le poulet et servir immédiatement. (8 portions)

Note: si l'on ne peut trouver des raisins verts sans pépins, utiliser les autres mais les couper en deux et les débarrasser des pépins.

POULET MARENGO VITE FAIT

1 enveloppe de 1½ once de mélange pour sauce
    à spaghetti
½ cuil. à thé de sel épicé
½ tasse de chapelure fine
1 poulet à frire, en morceaux
¼ de tasse d'huile à cuisson
½ tasse de vin blanc sec
½ tasse d'eau
3 tomates, pelées et hachées grossièrement
2 tasses de champignons frais, tranchés
½ cuil. à thé de sel
Nouilles chaudes, beurrées

Mêler le mélange pour sauce à spaghetti, le sel épicé et la chapelure. Passer les morceaux de poulet dans le mélange, pour les en bien enrober. Chauffer l'huile dans une grande poêle épaisse et y dorer les morceaux de poulet, de tous les côtés. Ajouter le vin, l'eau, les tomates, les champignons, le sel et, s'il y a lieu, ce qui reste de chapelure assaisonnée. Couvrir hermétiquement et faire mijoter, de 35 à 40 minutes ou jusqu'à ce que le poulet soit tendre. Servir avec les nouilles. (4 portions)

Poulet, riz et maïs: *recette à la page 69*

Canardeaux à l'orange: *recette à la page 76*
(*pages suivantes*)

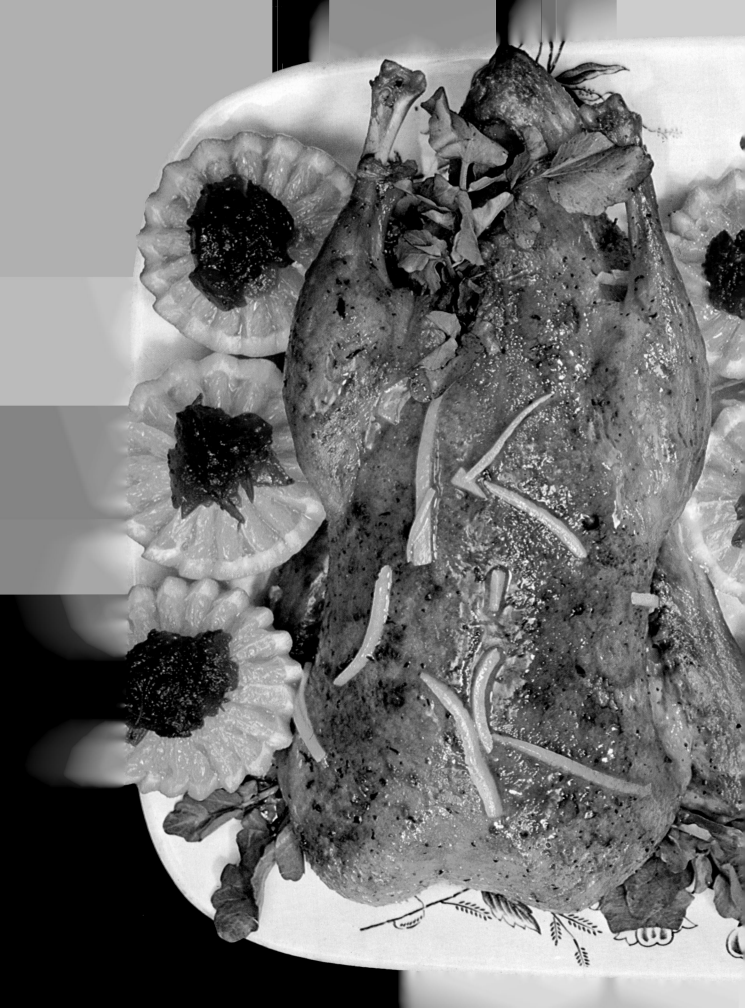

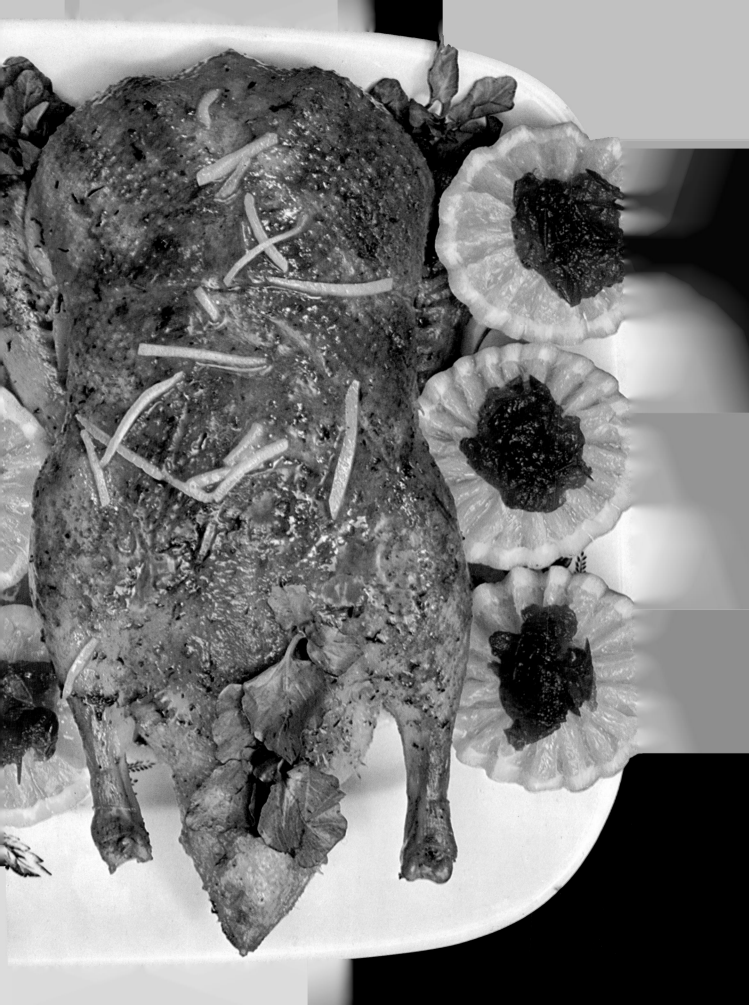

POULET FRIT AUX GRAINES DE SÉSAME

Huile à cuisson
1 œuf
2 cuil. à table de lait
1 cuil. à table de farine
½ tasse de graines de sésame
½ tasse de farine
1½ cuil. à thé de sel
1 pincée de poivre
1 poulet de 2½ à 3 livres, en morceaux

Mettre environ ½ pouce d'huile à cuisson dans une poêle électrique; régler la température de cette dernière à 350°F.
Battre à la fourchette, dans un plat peu profond, l'œuf, le lait et 1 cuil. à table de farine. Mêler les graines de sésame, ½ tasse de farine, le sel et le poivre, dans un autre plat peu profond. Passer les morceaux de poulet dans l'œuf battu et les rouler ensuite dans le mélange sec pour les en bien enrober.
Mettre les morceaux de poulet dans l'huile chaude, couvrir (en laissant ouvert le petit orifice de ventilation) et cuire, 15 minutes ou jusqu'à ce que le poulet soit d'un beau brun doré en dessous. Tourner les morceaux, réduire la température à 300°F et continuer la cuisson, à découvert, 15 minutes ou jusqu'à ce que le poulet soit très tendre et bien doré de tous les côtés. Servir immédiatement. (4 portions)

SPAGHETTI AU POULET

3 cuil. à table de beurre ou de margarine
1 poulet de 3 livres, en morceaux
1 cuil. à thé de sel
¼ de cuil. à thé de poivre
½ tasse de feuilles de céleri hachées
1 petit oignon, haché
1 tasse d'eau bouillante
5 cuil. à table de beurre ou de margarine
4 tasses de champignons frais, en tranches épaisses
3 cuil. à table de farine
De 1½ à 2 tasses de crème simple (15 p.c.)
⅔ de tasse de fromage romano râpé
¼ de tasse de sherry sec
16 onces de spaghetti, cuit

Chauffer 3 cuil. à table de beurre, dans une poêle épaisse. Y dorer légèrement les morceaux de poulet, de tous les côtés. Ajouter le sel, le poivre, les feuilles de céleri, l'oignon et l'eau. Couvrir hermétiquement et faire mijoter, 35 minutes ou jusqu'à ce que le poulet soit tendre. Retirer les morceaux de poulet de la cuisson et les laisser refroidir suffisamment pour pouvoir les manipuler. Désosser le poulet et en couper toute la chair en bouchées.

Pâté à la dinde: *recette à la page 72*

Passer le bouillon de cuisson et jeter les légumes qu'il contient.
Chauffer 5 cuil. à table de beurre, dans une casserole épaisse. Y cuire les champignons 3 minutes, à feu doux et en brassant. Saupoudrer de la farine et bien mêler. Retirer du feu.
Mesurer le bouillon de cuisson du poulet et y ajouter suffisamment de crème pour avoir 3 tasses de liquide. Ajouter au mélange aux champignons, d'un trait et en mêlant bien. Continuer la cuisson, à feu moyen et en brassant constamment, jusqu'à ce que la sauce bouille et soit épaisse et lisse. Ajouter les bouchées de poulet et le fromage et bien chauffer. Ajouter le sherry. Servir sur le spaghetti bien chaud. (6 portions)

POULET, RIZ ET MAÏS

Huile à cuisson
¼ de tasse de farine
1 cuil. à thé de sel
¼ de cuil. à thé de poivre
½ cuil. à thé de paprika
1 poulet de 3 livres, en morceaux
3 cuil. à table de beurre
1 cuil. à table d'huile à cuisson
1 tasse de riz à longs grains, non prétraité
½ tasse d'oignon haché
¼ de tasse de piment vert haché
Eau bouillante
1 cuil. à thé de sel
⅛ de cuil. à thé de poivre
1 boîte de 12 onces de maïs en grains entiers, égoutté

Chauffer ¼ de pouce d'huile à cuisson dans une grande poêle épaisse.
Mettre, dans un sac de papier ou de plastique, la farine, 1 cuil. à thé de sel, ¼ de cuil. à thé de poivre et le paprika. Secouer les morceaux de poulet dans le sac, quelques-uns à la fois, pour les bien enfariner. Les frire ensuite dans l'huile bouillante, jusqu'à ce qu'ils soient bien brunis. Baisser le feu, couvrir la poêle hermétiquement et continuer la cuisson, de 30 à 40 minutes ou jusqu'à ce que le poulet soit tendre. Tourner les morceaux de poulet, à quelques reprises, et découvrir la poêle pendant les 10 dernières minutes de cuisson pour rendre le poulet croustillant.
Préparer le riz pendant la cuisson du poulet. Chauffer le beurre et 1 cuil. à table d'huile, dans une casserole moyenne. Ajouter le riz, l'oignon et le piment vert et cuire, à feu doux et en brassant constamment, jusqu'à ce que le riz soit bien bruni. Ajouter de l'eau bouillante (la quantité indiquée sur le paquet de riz), 1 cuil. à thé de sel et ⅛ de cuil. à thé de poivre. Cuire le riz selon les indications sur le paquet.
Ajouter alors le maïs et brasser doucement, à la fourchette. Couvrir et cuire à feu doux, 5 minutes ou juste assez pour que le maïs soit bien chaud.
Mettre le mélange riz-maïs dans un plat de service et couvrir des morceaux de poulet. (4 portions)

POULET AU BEURRE ET A LA SAUCE SOYA

1 poulet de 3 livres, en morceaux
⅓ de tasse d'eau
3 cuil. à table de sauce soya
½ cuil. à thé de sel
⅛ de cuil. à thé de poivre
1½ cuil. à table de jus de citron
1 cuil. à thé de piment fort, séché et écrasé
½ tasse de beurre ou de margarine
Riz bien chaud

Chauffer le four à 400°F. Avoir sous la main un plat à cuire de 12 × 7 × 2 pouces.

Mettre les morceaux de poulet côte à côte dans le plat. Mêler, dans une petite casserole, tous les autres ingrédients excepté le riz, chauffer jusqu'à ébullition, baisser le feu et laisser bouillir 10 minutes, à feu doux. Verser sur le poulet.

Cuire au four 45 minutes ou jusqu'à ce que le poulet soit très tendre; tourner les morceaux une fois, pendant la cuisson, et les arroser de temps à autre de leur jus de cuisson. Servir avec le riz. (4 portions)

POULET FROID CROUSTILLANT

12 pilons de poulet
12 cuisses de poulet
1 tasse de beurre ou de margarine
1½ tasse de chapelure fine
½ cuil. à thé de feuilles de thym séchées
½ cuil. à thé de feuilles de marjolaine séchées
½ cuil. à thé de feuilles de romarin séchées
2 cuil. à thé de paprika
2 cuil. à thé de sel
½ cuil. à thé de poivre
3 œufs
3 cuil. à table d'eau froide
Sauces-trempettes (recettes ci-après)

Laver les morceaux de poulet et les bien assécher sur du papier absorbant.

Chauffer le four à 375°F. Mettre ½ tasse de beurre ou de margarine dans chacune de deux plaques à cuire, peu profondes et suffisamment grandes pour contenir les morceaux de poulet disposés en une seule couche. (J'ai utilisé 2 moules à gâteau roulé de 15 × 10 × 1 pouces.) Mettre au four pour faire fondre le beurre.

Mêler, dans un grand plat peu profond, chapelure, thym, marjolaine, romarin, paprika, sel et poivre. Battre ensemble les œufs et l'eau, à la fourchette, dans un autre plat peu profond.

Passer les morceaux de poulet dans les œufs battus et ensuite dans la chapelure assaisonnée, pour les en bien enrober de tous les côtés. Mettre les morceaux dans les moules et les tourner pour les bien beurrer. Autant que possible, placer les morceaux de poulet de telle façon qu'ils ne se touchent pas.

Cuire au four, en tournant les morceaux de poulet après 30 minutes de cuisson, 1 heure ou jusqu'à ce que le poulet soit bruni et tendre. Si votre four est trop petit pour recevoir les deux plaques à la fois, vous pouvez, sans mal, cuire le poulet en deux étapes. (Garder le poulet préparé à la température de la pièce en attendant de le cuire.)

Laisser refroidir et réfrigérer. Servir avec quelques-unes ou toutes les sauces-trempettes ci-dessous. (De 8 à 12 portions)

Sauce-trempette aux poireaux

1 tasse de crème double (35 p.c.)
12 onces (2 cartons) de yogourt nature
1 paquet de 2¼ onces de mélange sec pour soupe aux poireaux
¼ de livre de fromage de ferme (Colby) râpé

Fouetter la crème jusqu'à ce qu'elle forme des pics au bout des batteurs. Ajouter le yogourt, le mélange aux poireaux et le fromage, bien mêler et réfrigérer.

Sauce-trempette au fromage et au cari

8 onces de fromage à la crème (à la température de la pièce)
¼ de tasse de mayonnaise, du commerce
6 onces (1 carton) de yogourt nature
1 cuil. à table de poudre de cari
2 cuil. à thé d'oignon finement râpé
1 pincée de sel

Battre ensemble, jusqu'à ce que le mélange soit bien lisse, le fromage, la mayonnaise et le yogourt. Ajouter la poudre de cari, l'oignon et le sel, en mêlant bien. Réfrigérer. Laisser se réchauffer un peu avant de servir.

Sauce-trempette à l'oignon

1 tasse de crème double (35 p.c.)
12 onces (2 cartons) de yogourt nature
1 paquet de 2¼ onces de mélange sec pour soupe à l'oignon

Fouetter la crème jusqu'à ce qu'elle forme des pics au bout des batteurs. Ajouter le yogourt et le mélange à l'oignon, en mêlant bien. Réfrigérer.

Sauce-trempette à l'aneth

1 tasse de crème sure, du commerce
½ tasse de mayonnaise, du commerce
1 cuil. à thé de feuillage d'aneth séché ou 1 cuil. à table d'aneth frais déchiqueté aux ciseaux

Mêler tous les ingrédients et réfrigérer.

Sauce-trempette à l'ananas
(à servir chaude)

1 bocal de 9 onces de confiture d'ananas
¼ de tasse de moutarde
¼ de tasse de raifort (préparé)
¼ de cuil. à thé de gingembre en poudre

Mêler tous les ingrédients dans une petite casserole et chauffer.

POULET AU CHILI

1½ tasse de croustilles de pommes de terre (chips), grossièrement écrasées
½ cuil. à thé de sel
2 cuil. à thé d'assaisonnement au chili (chili powder)
1 poulet à frire de 3½ livres, en morceaux
⅓ de tasse de lait évaporé
Sauce épicée (recette ci-après)

Chauffer le four à 350°F. Doubler, de papier d'aluminium, un plat à cuire de 13 × 9 × 2 pouces.
Mêler les croustilles, le sel et l'assaisonnement au chili, dans un plat peu profond.
Tremper les morceaux de poulet dans le lait évaporé et les rouler ensuite dans les croustilles écrasées pour les en bien enrober. Les mettre dans le plat à cuire, le côté garni de peau sur le dessus. Cuire au four, 1½ heure ou jusqu'à ce que le poulet soit très tendre. Servir avec la sauce épicée. (4 portions)

Sauce épicée

1 cuil. à table d'huile à cuisson
1 oignon moyen, haché
La moitié d'un piment vert moyen, haché
1 boîte de 19 onces de tomates
1 cuil. à thé de sucre
¾ de cuil. à thé d'assaisonnement au chili (chili powder)
¾ de cuil. à thé de sel
Quelques gouttes de sauce Tabasco
⅓ de tasse d'olives farcies, tranchées

Chauffer l'huile dans une casserole. Y cuire l'oignon et le piment vert 3 minutes, à feu doux et en brassant. Ajouter tous les autres ingrédients et laisser mijoter 30 minutes, à découvert et en brassant de temps à autre.

AILES DE POULETS A LA POLYNÉSIENNE

⅓ de tasse de sauce soya
⅓ de tasse de jus d'ananas
1 petite gousse d'ail, broyée
½ cuil. à thé de gingembre en poudre
8 ailes de poulets
1 tasse d'ananas de conserve, en dés
1 tasse de bouillon de poulet
3 cuil. à table d'eau froide
1 cuil. à table de fécule de maïs
Riz bien chaud

Mêler la sauce soya, le jus d'ananas, l'ail et le gingembre, dans un plat suffisamment grand pour contenir les ailes de poulets. Ajouter les ailes et les laisser mariner plusieurs heures, en les tournant souvent.
Chauffer le four à 350°F. Graisser un plat à cuire peu profond, d'environ 12 × 7 × 2 pouces.
Retirer les ailes de la marinade et les mettre dans le plat à cuire. Ajouter les dés d'ananas à la marinade et chauffer jusqu'à ébullition. Verser sur le poulet. Cuire au four, en arrosant souvent du jus de cuisson, de 30 à 40 minutes ou jusqu'à ce que le poulet soit très tendre.
Mettre les ailes dans un plat de service et les garder chaudes. Chauffer le bouillon de poulet jusqu'à ébullition et le verser dans le plat à cuire, en brassant pour détacher de ce dernier toutes les petites particules rôties. Mettre le tout dans une casserole et chauffer jusqu'à ébullition. Faire un mélange lisse avec l'eau froide et la fécule de maïs. Ajouter au liquide bouillant, petit à petit et en brassant. Faire bouillir 1 minute. Verser sur les ailes de poulets et servir, avec le riz. (2 portions)
Note: si on le préfère, mettre la sauce dans 2 petits plats; les convives y tremperont les ailes.

FOIES DE POULETS ET RIZ AU FOUR

¼ de tasse de beurre
1 oignon moyen, haché
1 livre de foies de poulets, en moitiés
½ tasse de champignons frais, hachés
½ tasse de piment rouge doux, haché (voir note)
1½ cuil. à thé de sel
¼ de cuil. à thé de poivre
1 tasse de riz à longs grains (non précuit et non prétraité)
¼ de cuil. à thé de feuilles de basilic séchées
4 tomates moyennes, pelées et hachées
2 tasses de bouillon de poulet bien chaud
⅓ de tasse de parmesan râpé

Chauffer le four à 350°F. Beurrer un plat à cuire de 2½ pintes.
Chauffer le beurre dans une poêle épaisse. Y cuire l'oignon 3 minutes, à feu doux.
Ajouter les foies de poulets et continuer la cuisson 1 minute, en brassant. Ajouter les champignons et le piment rouge et cuire 1 minute, en brassant. Ajouter le sel, le poivre et le riz et cuire, en brassant constamment, 3 minutes ou jusqu'à ce que le riz soit d'un beau doré.
Retirer du feu. Ajouter le basilic et les tomates et mettre le tout dans le plat à cuire. Verser le bouillon sur le tout. Couvrir et cuire au four, 45 minutes ou jusqu'à ce que le riz soit tendre et ait absorbé à peu près tout le liquide. (S'il reste trop de liquide sur le riz, après le temps indiqué, continuer la cuisson, à découvert, jusqu'à ce qu'il disparaisse.) Retirer le plat du four et allumer le grilloir de ce dernier.
Parsemer le plat du fromage râpé et le remettre au four, assez loin du feu. En faire bien brunir toute la surface et servir immédiatement. (6 portions)
Note: en l'absence de piment rouge, utiliser du vert.

DINDE ET FARCE AUX HUÎTRES
(pour 6 convives ou plus)

1 chopine d'huîtres fraîches
Farine
1 œuf
1 cuil. à table de lait
Approximativement ¾ de tasse de fines miettes
   de craquelins
1 cuil. à table de beurre
1 cuil. à table d'huile à cuisson
1 tasse de beurre
½ tasse d'oignon haché
1½ tasse de céleri (avec les feuilles), haché
1 tasse de piment vert haché
1 tasse de champignons tranchés
6 tasses de miettes de pain frais
1 cuil. à table de sel
½ cuil. à thé de poivre
¼ de tasse de persil haché
½ cuil. à thé de sauge
¼ de cuil. à thé de feuilles de romarin séchées
¼ de cuil. à thé de feuilles de marjolaine
   séchées
1 cuil. à table de jus de citron
2 cuil. à table du jus des huîtres
1 dinde de 12 livres
Beurre fondu

Égoutter les huîtres et les assécher sur du papier absorbant. Mesurer et mettre de côté 2 cuil. à table du jus des huîtres. Passer les huîtres d'abord dans la farine, ensuite dans l'œuf, qu'on aura battu avec 1 cuil. à table de lait, et finalement dans les miettes de craquelins.

Chauffer 1 cuil. à table de beurre et 1 cuil. à table d'huile dans une grande poêle épaisse et faire frire les huîtres 1 minute ou juste assez pour qu'elles soient légèrement brunies; les retourner et les retirer de la poêle avec une spatule. Les mettre de côté.

Chauffer 1 tasse de beurre, dans la même poêle. Ajouter l'oignon, le céleri et le piment vert. Cuire 3 minutes, à feu doux et en brassant. Ajouter les champignons et continuer la cuisson 2 minutes, en brassant. Ajouter la moitié des miettes de pain et continuer la cuisson, en brassant, jusqu'à ce que le pain soit légèrement bruni.

Mettre ce qui reste de miettes de pain dans un grand bol. Ajouter sel, poivre, persil, sauge, romarin et marjolaine. Ajouter le mélange de pain et de légumes, chaud, le jus de citron et 2 cuil. à table du jus des huîtres, déjà mis de côté. Brasser le tout délicatement.

Mettre un peu de la farce dans la cavité du cou de la dinde, sans la tasser. Fermer l'ouverture avec des brochettes. Mettre une poignée de farce dans le corps de la dinde et ajouter quelques huîtres. Remplir la dinde en ajoutant, à tour de rôle, de la farce et des huîtres, sans toutefois tasser ces ingrédients. Bien fermer l'ouverture de la dinde, avec des brochettes; brider l'oiseau.

Chauffer le four à 325°F.

Mettre la dinde sur une clayette, dans une rôtissoire, et la badigeonner partout de beurre fondu. Couvrir, sans serrer, d'une sorte de tente en papier d'aluminium. Faire rôtir environ 5 heures ou jusqu'à ce qu'un des pilons

de la dinde bouge sous une légère pression. Découvrir 1 heure avant la fin du temps de cuisson, pour bien laisser brunir la dinde, et l'arroser du jus de cuisson à quelques reprises.

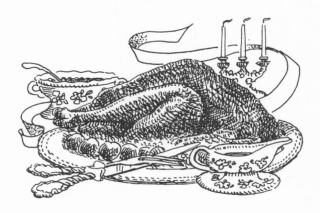

PÂTÉ A LA DINDE
(2 gros pâtés: environ 12 portions)

1 dinde de 8 livres, en morceaux
Eau
2 grosses carottes, grossièrement coupées
2 grosses branches de céleri (avec les feuilles),
   grossièrement coupées
1 petit oignon
6 clous de girofle
6 grosses brindilles de persil
12 grains de poivre
1 feuille de laurier
4 cuil. à thé de sel
¼ de tasse de graisse de dinde ou de beurre
1 livre de champignons, tranchés
2 tasses de bouillon de dinde
12 carottes moyennes, tranchées mince
1 pied de céleri moyen, tranché mince, en
   diagonale
3 cuil. à thé de sel
½ cuil. à thé de poivre
2 cuil. à thé de feuilles de thym séchées
1 cuil. à thé de feuilles de marjolaine séchées
1 cuil. à thé de feuilles de cerfeuil séchées
1 tasse de persil haché
1 livre de jambon cuit (de conserve si l'on
   veut), en languettes
1 tasse de beurre
1 tasse d'oignon haché
1 tasse de farine
6 tasses de liquide (cuisson des légumes et
   bouillon de dinde)
2 cuil. à thé de sel
¼ de cuil. à thé de poivre
¼ de cuil. à thé de muscade
1 cuil. à table de jus de citron
2 tasses de crème simple (15 p.c.)
Pâte à tarte à la sauge (recette ci-après)
1 jaune d'œuf
1 cuil. à table d'eau froide

Mettre les morceaux de dinde dans une grande marmite et les couvrir d'eau froide. Ajouter 2 carottes, 2 branches de céleri, le petit oignon dans lequel on aura piqué les clous de girofle, les brindilles de persil, les grains de poivre, le laurier et 4 cuil. à thé de sel. Chauffer jusqu'à ébullition, baisser le feu, couvrir et laisser mijoter, de 2 à 3 heures ou jusqu'à ce que la dinde soit juste tendre. Retirer les morceaux de dinde de la marmite et les laisser refroidir. Passer le bouillon, le laisser refroidir et le réfrigérer. Enlever la graisse, sur le dessus du bouillon, et la mettre de côté. Désosser tous les morceaux de dinde et couper la viande en bouchées. Réfrigérer bouillon, graisse et viande jusqu'au moment de faire les pâtés (tous ces préparatifs peuvent se faire la veille). On devrait avoir environ 10 tasses de viande et 14 tasses de bouillon.

Avoir sous la main 2 plats à cuire de 3 pintes. Chauffer ¼ de tasse de beurre ou de graisse de dinde, dans une grande poêle épaisse. Y cuire les champignons 5 minutes, à feu doux et en brassant. Retirer du feu.

Chauffer 2 tasses de bouillon, dans une grande casserole, jusqu'à ébullition. Ajouter les 12 carottes tranchées minces et le pied de céleri tranché. Chauffer de nouveau jusqu'à ébullition, baisser le feu, couvrir et cuire, 10 minutes ou pour que les légumes soient tendres mais un peu croquants. Égoutter, en conservant le liquide de cuisson.

Mêler, dans un petit plat, 3 cuil. à thé de sel, le poivre, le thym, la marjolaine, le cerfeuil et 1 tasse de persil haché.

Faire, dans les 2 plats à cuire, des couches de dinde, de champignons, de légumes et de jambon, en saupoudrant les couches de légumes d'un peu du mélange sel et fines herbes. Utiliser ainsi, en couches alternées, tous les ingrédients cités.

Chauffer 1 tasse de beurre (remplacer, si on le désire, une partie de ce dernier par de la graisse de dinde), dans une grande casserole. Y cuire l'oignon haché à feu doux et en brassant, 3 minutes ou jusqu'à ce qu'il soit ramolli. Saupoudrer de la farine et laisser bouillonner un peu. Retirer du feu et ajouter 6 tasses de liquide, d'un trait et en mêlant bien. Ajouter aussi 2 cuil. à thé de sel, le poivre et la muscade. Continuer la cuisson, en brassant, jusqu'à ce que la sauce bouille et soit épaisse et lisse. Ajouter le jus de citron et la crème, en brassant.

Verser la moitié de cette sauce dans chaque plat, sur les légumes. Laisser tiédir.

Chauffer le four à 400°F, si l'on veut cuire les pâtés immédiatement (voir note).

Préparer la pâte à la sauge, en faire deux couvercles pour les pâtés, en soudant bien la pâte aux plats, tout autour. Faire une grande fente dans chaque couvercle. Battre ensemble légèrement, à la fourchette, 1 jaune d'œuf et 1 cuil. à table d'eau et badigeonner du mélange les couvercles des pâtés, sans toucher à leurs bords cependant. Cuire au four, 1 heure ou jusqu'à ce que l'intérieur des pâtés bouillonne et que leur pâte soit d'un beau brun doré. Servir très chaud. (12 portions)

Note: on peut préparer ces pâtés la veille du jour où on les sert. Les réfrigérer alors après les avoir recouverts de pâte. Les retirer du réfrigérateur 1 heure avant de les mettre au four pour les laisser se réchauffer un peu. Faire une fente dans les couvercles, les badigeonner du

mélange au jaune d'œuf et les cuire comme nous l'indiquons.

Pâte à la sauge

2 tasses de farine à tout usage, tamisée
1 cuil. à thé de sel
2 cuil. à thé de sauge
⅔ de tasse de saindoux ou ¾ de tasse de graisse végétale
¼ de tasse d'eau glacée

Mettre la farine dans un bol. Ajouter sel et sauge et mêler à la fourchette. Ajouter saindoux ou graisse et couper grossièrement cet ingrédient dans la farine, avec un mélangeur à pâtisserie ou avec 2 couteaux. Ajouter l'eau petit à petit, en brassant chaque fois, à la fourchette, juste assez pour humecter toute la farine. Ramasser la pâte en boule et la presser fermement. En faire 2 parts et en couvrir les pâtés, comme nous l'indiquons.

DIVAN DE DINDE

⅓ de tasse de beurre ou de margarine
⅓ de tasse de farine à tout usage
¾ de cuil. à thé de sel
¼ de cuil. à thé de poivre
3 tasses de lait
¼ de cuil. à thé de moutarde en poudre
¼ de cuil. à thé de sauce Worcestershire
1 tasse de cheddar fort, râpé
2 paquets de 10 onces de brocoli congelé
1 cuil. à thé de sel
¼ de cuil. à thé de poivre
6 grosses tranches de poitrine de dinde cuite
2 jaunes d'œufs, battus
6 épaisses tranches de tomates

Chauffer le four à 375°F. Beurrer un plat à cuire en verre de 13 × 9 × 2 pouces.

Faire fondre le beurre ou la margarine, dans une casserole. Saupoudrer de la farine, de ¾ de cuil. à thé de sel et de ¼ de cuil. à thé de poivre et laisser bouillonner un peu. Retirer du feu et ajouter le lait, d'un trait. Ajouter aussi la moutarde et la sauce Worcestershire, bien mêler et continuer la cuisson, à feu moyen et en brassant, jusqu'à ce que la sauce soit épaisse et lisse. Retirer du feu et ajouter, en brassant, environ ¾ de tasse du fromage.

Faire cuire le brocoli selon les indications sur les paquets mais en optant pour le minimum de temps de cuisson indiqué. Égoutter; disposer les morceaux de brocoli dans le plat à cuire. Saupoudrer de 1 cuil. à thé de sel et de ¼ de cuil. à thé de poivre et disposer les morceaux de dinde, en une couche simple, sur le brocoli.

Ajouter les jaunes d'œufs à la sauce au fromage, en battant; verser sur la dinde et le brocoli. Couronner le plat des tranches de tomates et parsemer ces dernières de ce qui reste du fromage, ¼ de tasse environ.

Cuire au four, de 10 à 15 minutes ou jusqu'à ce que la sauce bouillonne. Allumer alors le grilloir du four et faire griller un peu le dessus du plat (attention de ne pas laisser brûler). Servir immédiatement. (6 portions)

POULETS DE CORNOUAILLES AVEC SAUCE AUX AIRELLES

8 poulets de Cornouailles (vendus congelés),
  dégelés
Sel et poivre
Feuilles de laurier
Gousses d'ail
Clous de girofle
8 minces tranches d'oignon
4 tranches de citron
8 petites touffes de feuilles de céleri
8 branches de persil
4 épaisses tranches de bacon
2 gros oignons, en quartiers
3 tasses de bouillon de poulet
⅓ de tasse de vermouth sec
¾ de tasse d'eau
⅓ de tasse de vinaigre blanc
6 clous de girofle
1 bâton de cannelle, en morceaux
1 boîte de 14 onces de compote d'airelles, du
  commerce (voir note)
¼ de tasse d'eau froide
2 cuil. à table de fécule de maïs

Chauffer le four à 450°F. Avoir sous la main une rôtissoire peu profonde, suffisamment grande pour qu'on puisse y disposer les poulets les uns à côté des autres mais en les espaçant un peu.

Laver les poulets et les bien assécher, à l'intérieur comme à l'extérieur, avec du papier absorbant. Saler et poivrer l'intérieur de chacun. Mettre, dans chaque poulet, 1 petit morceau de feuille de laurier, 1 éclat d'ail, 1 clou de girofle, 1 tranche d'oignon, ½ tranche de citron, 1 touffe de feuilles de céleri et 1 brindille de persil. Brider les poulets, c'est-à-dire leur bien attacher pattes et ailes contre le corps, et les déposer dans la rôtissoire légèrement huilée. Mettre la moitié d'une tranche de bacon sur la poitrine de chacun.

Mettre aussi, dans la rôtissoire les quartiers d'oignon, les abats des oiseaux, le bouillon de poulet et le vermouth. **Faire rôtir** au four 15 minutes, à 450°F. Baisser le feu à 350°F et continuer la cuisson, 45 minutes ou jusqu'à ce que les poulets soient tendres. Les arroser du jus de cuisson, de temps à autre, et retirer les tranches de bacon 15 minutes avant la fin du temps de cuisson.

Chauffer jusqu'à ébullition, pendant la cuisson des poulets, ¾ de tasse d'eau et le vinaigre, à quoi on aura ajouté 6 clous de girofle et la cannelle. Baisser alors le feu et laisser mijoter 10 minutes. Passer et remettre le liquide dans la casserole. Ajouter la compote d'airelles et chauffer, en brassant, pour bien mêler ces ingrédients. Mettre de côté pour la sauce.

Mettre les poulets dans un grand plat de service réchauffé et les garder chauds, dans le four chauffé au plus bas. Passer le jus de cuisson, dans un pot à mesurer, et y ajouter de l'eau, si cela est nécessaire, pour avoir 3 tasses de liquide. Mettre ce liquide dans une casserole et le chauffer jusqu'à ébullition. Agiter ensemble, dans un petit bocal fermant hermétiquement, ¼ de tasse d'eau froide

et 2 cuil. à table de fécule de maïs; ajouter le mélange au liquide bouillant, petit à petit, et cuire, en brassant, jusqu'à ce que la préparation soit épaisse et comme translucide. Goûter et ajouter sel et poivre si on le désire. Ajouter le mélange aux airelles et bien chauffer. Servir avec les poulets. (8 portions)

Note: les airelles sont communément appelées canneberges ou atocas. Choisir la compote dans laquelle les fruits sont à peu près entiers.

FAISANS ET RIZ SAUVAGE

2 faisans (environ 2½ livres chacun)
4 oignons verts, tranchés mince
2 grosses touffes de feuilles de céleri
2 grosses brindilles de persil
6 cuil. à table de beurre clarifié (voir note)
Sel et poivre
2 tasses de vin rouge sec
½ livre de champignons frais
1 cuil. à table de beurre
1 cuil. à table de farine
12 petits oignons blancs
1 tasse de riz sauvage
1 cuil. à thé de sel
¼ de tasse de beurre, fondu
¼ de tasse de persil haché

Dégeler les faisans, s'il y a lieu, et les laver. Les bien assécher avec du papier absorbant. Mettre oignons verts, céleri et persil à l'intérieur des oiseaux.

Chauffer le beurre clarifié dans une grande poêle épaisse. Y faire dorer les oiseaux, en les tournant souvent pour qu'ils soient d'une couleur uniforme partout; cette opération prend environ 30 minutes.

Les mettre dans un plat à cuire beurré juste assez grand pour qu'ils puissent y tenir côte à côte. Les saler et les poivrer.

Chauffer le four à 375°F.

Verser le vin dans la poêle déjà utilisée. Ajouter les pédicules des champignons et cuire à feu vif, en grattant la poêle pour en détacher les petites particules rôties, jusqu'à ce que le liquide soit réduit de moitié. Baisser le feu. Travailler ensemble 1 cuil. à table de beurre et la farine et ajouter au liquide bouillant, par parcelle. Cuire, en brassant, jusqu'à léger épaississement. Ajouter du sel et du poivre au goût et passer le tout, sur les faisans.

Éplucher les oignons, les couvrir d'eau bouillante et les faire mijoter, 5 minutes, ou jusqu'à ce qu'ils commencent à être tendres. Les égoutter et les ajouter aux faisans. Couvrir hermétiquement et cuire au four, 1 heure ou jusqu'à ce que les faisans soient très tendres.

Cuire le riz, pendant la cuisson des faisans. Le bien laver, à l'eau froide courante. Le mettre dans une casserole et le couvrir d'eau bouillante. Ajouter 1 cuil. à thé de sel, couvrir et faire mijoter, à feu bas, 40 minutes ou jusqu'à ce que les grains crèvent et soient tendres. Vérifier, après 30 minutes de cuisson, et ajouter un peu d'eau si cela est nécessaire. Une fois le riz tendre, le gonfler un peu, à la fourchette, et continuer la cuisson 5 minutes, à découvert.

Hacher les têtes des champignons. Chauffer ¼ de tasse de beurre, dans une grande poêle épaisse, et y cuire les champignons 2 minutes, en brassant. Retirer du feu, ajouter le persil, mêler et ajouter le tout au riz. Brasser délicatement, à la fourchette. Servir avec les faisans. (4 portions)

Note: pour clarifier du beurre, le chauffer, dans une petite casserole jusqu'à ce qu'il forme une sorte d'écume. Enlever cette écume. Verser l'huile claire qui reste (le beurre clarifié) dans un autre récipient. Jeter les résidus au fond de la casserole.

Les faisans sont morceaux de choix.
Leur accompagnement
se doit d'être raffiné.
J'ai choisi ici le riz sauvage
relevé seulement d'un peu
de beurre, de champignons et de persil

OIE RÔTIE GARNIE DE FARCE A LA SAUCE ET A L'OIGNON

3 livres d'oignons
½ tasse de beurre
½ tasse de céleri (branches et feuilles) haché
6 tasses de miettes de pain frais
1 cuil. à table de sel
½ cuil. à thé de poivre
1 cuil. à table de sauge
1 cuil. à thé de feuilles de sarriette séchées
½ cuil. à thé de feuilles de marjolaine séchées
¼ de cuil. à thé de muscade
1 oie de 10 à 12 livres
1 cuil. à table de jus de citron
Sel et poivre
2 cubes de bouillon de poulet
2 tasses d'eau bouillante
2 tasses d'eau bouillante
Sauce aux abats (recette ci-après)

Éplucher les oignons (couper les gros en quatre) et les mettre dans une grande casserole. Couvrir d'eau bouillante et faire mijoter, à couvert, 15 minutes ou jusqu'à ce que ce soit tendre. Égoutter; hacher grossièrement les oignons.

Chauffer le beurre dans une grande poêle épaisse. Y cuire le céleri, à feu doux et en brassant, pendant 3 minutes. Ajouter la moitié des miettes de pain et cuire, à feu doux et en brassant, jusqu'à ce qu'elles soient légèrement brunies.

Mettre ce qui reste des miettes dans un grand bol. Ajouter sel, poivre, sauge, sarriette, marjolaine et muscade et brasser délicatement. Ajouter les oignons et le mélange au céleri et bien mêler le tout, délicatement. Laisser refroidir. Ceci constitue la farce.

Chauffer le four à 400°F. Bien frotter l'oie, à l'intérieur et à l'extérieur, de jus de citron. La saler et la poivrer généreusement, à l'intérieur. Remplir de farce la cavité du cou; bien fermer l'ouverture en fixant la peau du cou au corps de l'oiseau avec une brochette. Remplir de farce le corps de l'animal; fermer l'ouverture avec des brochettes et réunir celles-ci avec une corde comme avec un lacet. Attacher les pattes et les ailes de l'oie à son corps et piquer la peau un peu partout, avec une fourchette, pour laisser échapper la graisse fondue pendant la cuisson.

Mettre l'oie, la poitrine en dessous, sur une clayette dans une rôtissoire. Dissoudre les cubes de bouillon dans 2 tasses d'eau bouillante; verser sur l'oie.

Faire rôtir au four, à découvert, pendant 1 heure.

Enlever de la rôtissoire tout le jus de cuisson et le jeter. Retourner l'oie dans la rôtissoire, c'est-à-dire la placer le dos en dessous, et verser dessus 2 tasses d'eau bouillante. Continuer la cuisson pendant 1 heure. Enlever et jeter le jus de cuisson. Piquer l'oie un peu partout et continuer la cuisson environ 1½ heure ou jusqu'à ce que l'oiseau soit tendre. Mettre l'oie dans un plat chaud et la garder chaude pendant la préparation de la sauce.

Note: la proportion de graisse et d'os par rapport à la chair est assez forte quand il s'agit d'une oie. En conséquence, allouer 1 livre d'oie par personne.

Sauce aux abats

Les abats de l'oie (excepté le foie)
Eau bouillante
2 grosses touffes de feuilles de céleri
2 grosses brindilles de persil
1 grosse carotte, grossièrement coupée
4 grains de poivre
½ cuil. à thé de sel
Jus de cuisson de l'oie
¼ de tasse de farine à tout usage
Eau bouillante

Mettre les abats dans une casserole, pendant la cuisson de l'oie. Couvrir d'eau bouillante et ajouter le céleri, le persil, la carotte, le poivre et le sel. Chauffer jusqu'à ébullition, baisser le feu, couvrir et faire mijoter environ 2 heures. Retirer les abats et passer le liquide, en jetant les légumes. Hacher finement les abats.

Ne laisser, dans la rôtissoire, que ¼ de tasse du jus de cuisson. Mettre la rôtissoire directement sur le feu et chauffer le jus. Saupoudrer de la farine, brasser et laisser bouillonner et brunir légèrement. Ajouter le liquide de cuisson des abats, petit à petit et en brassant pour que le mélange redevienne lisse après chaque addition. Ajouter suffisamment d'eau bouillante pour donner à la sauce la consistance désirée. Goûter et ajouter sel et poivre si cela est nécessaire. Ajouter les abats hachés et bien chauffer.

CANARDEAUX A L'ORANGE

2 canardeaux, de 4 à 5 livres chacun
⅓ de tasse de beurre
1 grosse carotte, grossièrement hachée
1 oignon moyen, grossièrement haché
2 grosses brindilles de persil
1 bouquet de céleri (2 branchettes)
1 petite feuille de laurier
1 cuil. à thé de feuilles de sarriette séchées
Sel et poivre
2 tasses de vin blanc
2 tasses de bouillon brun (recette ci-après)
2 oranges
2 cuil. à table d'eau froide
1 cuil. à thé de fécule de maïs
2 oranges
Gelée d'airelles ou de groseilles rouges
Brindilles de persil ou cresson

Bien assécher les canardeaux, à l'intérieur et à l'extérieur, avec du papier absorbant.

Chauffer le beurre, dans une petite casserole, jusqu'à ce qu'il mousse. L'écumer et jeter la mousse. Verser l'huile jaune obtenue dans une grande poêle épaisse (jeter le dépôt au fond de la petite casserole) et la chauffer. Bien dorer les carnardeaux, de tous les côtés, dans ce beurre clarifié.

Chauffer le four à 325°F.

Mettre carotte, oignon, persil, céleri, laurier et sarriette dans une très grande rôtissoire possédant un bon couvercle (ou utiliser un grand plat à cuire et du papier d'aluminium du type le plus épais en guise de couvercle). Bien saler et poivrer les canardeaux, à l'intérieur et à l'extérieur, et les disposer sur les légumes dans la rôtissoire. Ajouter le vin et le bouillon brun. Couvrir hermétiquement et faire rôtir au four, 2 heures ou jusqu'à ce que les canardeaux soient tendres. Découvrir et continuer la cuisson pour rendre la peau des oiseaux croustillante.

Presser 2 oranges, pendant la cuisson des canardeaux. Passer le jus et le mettre de côté pour la sauce. Couper les pelures de ces oranges en morceaux et mettre ces derniers à plat sur la table, la partie blanche en dessus. Avec un couteau bien aiguisé, enlever toute la partie blanche, à l'intérieur des pelures, et la jeter. Couper la partie orange des pelures en aiguillettes. Mettre dans une petite casserole, couvrir d'eau bouillante et faire mijoter, à couvert, pendant 10 minutes ou jusqu'à ce que ce soit tendre. Égoutter et mettre de côté pour la sauce.

Enlever les canardeaux de la rôtissoire, les mettre dans un plat de service chaud et garder le tout à la chaleur.

Passer le jus de cuisson, jeter les légumes et refroidir le jus rapidement en plaçant le plat qui le contient dans de l'eau glacée. Dégraisser. Mettre le jus dégraissé dans une casserole et le faire bouillir vivement, à découvert, pour le réduire à environ ¼ de sa quantité initiale.

Bien mêler l'eau et la fécule de maïs et ajouter au jus de cuisson bouillant, petit à petit et en brassant. Baisser le feu. Ajouter le jus d'orange et les aiguillettes de pelure d'orange et faire mijoter 5 minutes.

Couper 2 oranges en tranches épaisses et en garnir le plat de service. Mettre une touche de gelée au centre

de chaque tranche d'orange et compléter la décoration du plat avec des touffes de persil ou de cresson. Servir, en nappant chaque portion de canardeau d'un peu de sauce. (De 6 à 8 portions)

*Les canardeaux à l'orange figurent
au menu des restaurants
les plus huppés.
Servez-les aussi chez vous.
Faciles à préparer,
ils ne manquent jamais
de faire d'un repas un vrai festin*

Bouillon brun

1½ livre de jarret de bœuf, en morceaux
1½ livre de jointures de veau, en morceaux
2 cuil. à table d'huile à cuisson
2 carottes, grossièrement coupées
2 oignons, tranchés
6 grains de poivre
4 clous de girofle
1 cuil. à table de sel
16 tasses d'eau bouillante
1 bouquet de céleri (2 branchettes)
2 grosses brindilles de persil
1 petite feuille de laurier

Chauffer le four à 375°F.

Mettre le jarret de bœuf et les jointures de veau dans un grand plat à cuire peu profond et les arroser de l'huile. Cuire au four, 30 minutes ou jusqu'à ce que les morceaux soient bien brunis, en retournant deux ou trois fois ces derniers. Parsemer des carottes et des oignons et continuer la cuisson, 10 minutes ou jusqu'à ce que les légumes soient un peu brunis.

Mettre le tout dans une grande marmite et ajouter tous les autres ingrédients. Chauffer jusqu'à ébullition, écumer, baisser le feu au plus bas, couvrir et faire mijoter, 3 heures ou jusqu'à ce que la viande se détache des os.

Laisser refroidir, dégraisser et passer le bouillon. Mettre dans des bocaux et ranger au réfrigérateur. On peut aussi congeler ce bouillon en prenant soin alors de ne remplir les bocaux que jusqu'à deux pouces du bord (le bouillon prend de l'expansion en se congelant et casserait les bocaux). Utiliser pour les canardeaux ou pour des soupes. (Environ 2½ pintes)

SOUFFLÉ AU BROCOLI

1 paquet de 10 onces de brocoli haché congelé
6 œufs
¼ de cuil. à thé de crème de tartre
⅓ de tasse de beurre ou de margarine
⅓ de tasse de farine
1¼ tasse de lait
½ cuil. à thé de sel
¼ de cuil. à thé de poivre
¼ de cuil. à thé de sel d'ail
½ cuil. à thé de feuilles de marjolaine séchées
½ tasse de cheddar fort, râpé
2 cuil. à table de cheddar fort, râpé

Cuire le brocoli selon les indications sur son emballage mais en comptant le plus court des temps de cuisson suggérés. Égoutter parfaitement.

Chauffer le four à 350°F. Hausser de 3 pouces le bord d'un plat à soufflé de 8 tasses à l'aide d'une double bande de papier d'aluminium fixée bien solidement. Beurrer légèrement cette bande, sans toucher au plat toutefois.

Mettre les blancs d'œufs dans un grand bol et les jaunes dans un autre. Ajouter la crème de tartre aux blancs et battre ces derniers jusqu'à ce qu'ils forment des pics au bout des batteurs. Mettre de côté.

Faire fondre le beurre, ou la margarine, dans une casserole moyenne. Ajouter la farine, brasser et laisser bouillonner un peu. Retirer du feu et ajouter le lait, d'un trait et en mêlant bien. Continuer la cuisson, en brassant constamment, jusqu'à ce que la sauce soit épaisse et lisse. Retirer du feu et ajouter le sel, le poivre, le sel d'ail et la marjolaine.

Bien battre les jaunes d'œufs. Y ajouter le mélange chaud, petit à petit et en battant. Ajouter le brocoli et ½ tasse de cheddar et bien mêler le tout. Incorporer les blancs d'œufs au mélange au brocoli, aussi rapidement que possible, en ne brassant, délicatement, que juste ce qu'il faut pour bien mêler.

Mettre le tout dans le plat à soufflé. Parsemer de 2 cuil. à table de cheddar râpé et cuire au four, 50 minutes ou jusqu'à ce que le soufflé soit à point. Servir immédiatement. (6 portions)

OMELETTE SOUFFLÉE A LA CALIFORNIENNE

6 œufs
1 paquet de 4 onces de fromage à la crème
   (à la température de la pièce)
¼ de tasse de lait
¾ de cuil. à thé de sel
⅛ de cuil. à thé de poivre
2 cuil. à table de beurre
1 cuil. à table d'oignon vert finement tranché
Sauce à la californienne (recette ci-après)

Chauffer le four à 350°F.

Battre les jaunes d'œufs, à la grande vitesse d'un malaxeur électrique, 5 minutes ou jusqu'à ce qu'ils soient épais et d'un beau jaune citron. Ajouter le fromage à la crème et battre jusqu'à ce que le mélange soit homogène. Ajouter le lait, le sel et le poivre.

Chauffer le beurre dans une grande poêle épaisse (une poêle de fonte, de 10 pouces de diamètre, fait bien l'affaire). Y cuire l'oignon 2 minutes, à feu doux. Battre les blancs d'œufs en une neige ferme mais non sèche. Les incorporer à la préparation et mettre le tout dans la poêle. Cuire à feu doux, 10 minutes ou jusqu'à ce que l'omelette prenne et soit légèrement brunie en dessous. Continuer alors la cuisson au four, 15 minutes ou jusqu'à ce que l'omelette soit ferme et brunie sur le dessus. Couper en pointes et servir immédiatement, avec la sauce. (De 4 à 6 portions)

Sauce à la californienne

1 boîte de 7½ onces de sauce tomate
¼ de cuil. à thé d'assaisonnement au chili
   (chili powder)
½ tasse d'olives noires en allumettes

Mettre la sauce tomate et l'assaisonnement au chili dans une petite casserole et faire mijoter 5 minutes. Ajouter les olives et servir sur les pointes d'omelette, comme nous l'indiquons dans la recette précédente.

OMELETTE AU FROMAGE COTTAGE

4 jaunes d'œufs
½ cuil. à thé de sel
⅛ de cuil. à thé de poivre
¼ de cuil. à thé de paprika
¼ de cuil. à thé de feuilles de cerfeuil séchées
¼ de tasse de lait
¾ de tasse de fromage cottage en crème
3 cuil. à table de pimento de conserve, haché
1 cuil. à table de persil haché
4 blancs d'œufs
1 cuil. à table de beurre

Chauffer le four à 350°F.

Battre les jaunes d'œufs, à la grande vitesse d'un malaxeur électrique, 5 minutes ou jusqu'à ce qu'ils soient épais et d'un beau jaune citron. Ajouter, en brassant, les assaisonnements, le lait, le fromage, le pimento et le persil. Battre les blancs d'œufs en une neige ferme mais non sèche. Les incorporer au mélange.

Faire fondre le beurre dans une poêle épaisse, de 10 pouces de diamètre, que l'on pourra ensuite mettre au four (une poêle de fonte par exemple). Mettre la préparation dans la poêle et cuire à feu doux, 10 minutes ou jusqu'à ce que l'omelette prenne et soit légèrement brunie en dessous.

Cuire alors au four, de 10 à 15 minutes ou jusqu'à ce que l'omelette soit brunie sur le dessus. Creuser une marque au centre de l'omelette, d'un bord à l'autre, la replier en deux, la mettre dans un plat de service (on peut aussi la couper en pointes) et servir immédiatement. (4 portions)

OEUFS ET RIZ EN CASSEROLE

2 tasses de riz cuit
1 tasse de cheddar fort, râpé
¾ de tasse de persil haché
¾ de tasse d'olives noires, en allumettes
2 œufs durs, hachés
¼ de tasse de beurre (ou de margarine), fondu
½ cuil. à thé de sel
¼ de cuil. à thé de poivre
2 œufs
¼ de tasse de cheddar fort, râpé

Chauffer le four à 350°F. Beurrer un plat à cuire de 1 pinte.

Mêler délicatement, à la fourchette, le riz, 1 tasse de cheddar, le persil, les olives, les œufs durs, le beurre, le sel et le poivre.

Casser 2 œufs et en séparer les jaunes des blancs. Battre les jaunes légèrement, à la fourchette, et les ajouter à la préparation. Battre les blancs jusqu'à ce qu'ils soient fermes et les incorporer délicatement à la préparation. Mettre dans le plat à cuire et parsemer de ¼ de tasse de cheddar.

Cuire au four, 40 minutes ou jusqu'à ce que ce soit légèrement bruni, gonflé et ferme. (4 portions)

OEUFS DURS ET OIGNONS EN CASSEROLE

2 gros oignons blancs, dits espagnols ou des Bermudes
Eau bouillante
2 cuil. à table de beurre
2 cuil. à table d'huile d'olive
¼ de tasse de beurre
¼ de tasse de farine
1 tasse de lait
½ cuil. à thé de sel
¼ de cuil. à thé de poivre
2 cuil. à thé de moutarde en poudre
1 pincée de poivre de Cayenne
½ tasse de fromage emmental râpé
¼ de tasse de crème simple (15 p.c.)
6 œufs durs
3 cuil. à table de persil

Chauffer le four à 400°F. Beurrer un plat à cuire peu profond (1½ pinte), d'environ 10 × 6 × 2 pouces.

Couper les oignons en deux. Mettre ensuite leur côté coupé à plat sur la table et les trancher en lamelles. Mettre le tout dans un bol, couvrir d'eau bouillante et laisser reposer 5 minutes. Bien égoutter.

Chauffer 2 cuil. à table de beurre et l'huile, dans une grande poêle épaisse. Y cuire les oignons, à feu doux et en brassant, 15 minutes ou jusqu'à ce qu'ils soient ramollis sans être brunis.

Chauffer ¼ de tasse de beurre, dans une casserole. Saupoudrer de la farine et bien mêler. Retirer du feu et ajouter le lait, d'un trait. Ajouter aussi le sel, le poivre,

la moutarde et le poivre de Cayenne et bien mêler. Continuer la cuisson, à feu moyen et en brassant constamment, jusqu'à ce que la sauce bouille et soit épaisse et lisse. Ajouter le fromage et la crème, en brassant.

Couper les œufs en deux et retirer les jaunes des blancs. Mettre les jaunes dans un tamis à grosses mailles et détailler les blancs en tranches minces.

Étendre le tiers de l'oignon dans le plat à cuire et le parsemer du tiers des blancs d'œufs. Presser sur le tout, à travers le tamis, le tiers des jaunes d'œufs et parsemer de 1 cuil. à table de persil. Répéter ces couches d'ingrédients, à deux reprises. Verser la sauce au fromage sur le tout. Cuire au four, 15 minutes ou jusqu'à ce que la sauce bouillonne et que le dessus du plat soit légèrement bruni. (4 portions)

Note: ce plat fait merveille avec le poisson et, servi avec ce dernier, a un rendement de 6 portions.

QUICHE AUX SAUCISSES

Pâte à tarte pour 1 croûte de 9 pouces
1 paquet de 10 onces d'asperges congelées
½ livre de saucisses, coupées en rondelles de ¼ de pouce d'épaisseur
1 gros oignon, en tranches très minces
1 tasse de cheddar fort en cubes de ¼ de pouce
4 œufs
1½ tasse de crème simple (15 p.c.)
¼ de cuil. à thé de feuilles de sarriette séchées
½ cuil. à thé de sel
¼ de cuil. à thé de poivre

Chauffer le four à 450°F. Avoir sous la main une assiette à tarte de 9 pouces.

Foncer l'assiette avec la pâte en construisant un bord haut et dentelé qui retiendra bien la garniture; couvrir ce bord d'une étroite bande de papier d'aluminium. Cuire au four 5 minutes. (Ne pas piquer la pâte avec une fourchette comme on le fait habituellement quand on cuit une croûte à blanc; la presser seulement un peu si elle gonfle.) Retirer du four et laisser refroidir.

Cuire les asperges, juste assez pour qu'elles soient tendres mais encore un peu croquantes. Les bien égoutter et les laisser s'assécher sur du papier absorbant. Les couper en bouts de ½ pouce.

Bien cuire les tranches de saucisses, dans une grande poêle épaisse, tout en les faisant dorer légèrement. Les retirer de la poêle, avec une cuillère perforée, et les mettre dans la pâte. Ne laisser dans la poêle qu'une cuillerée à table de graisse de cuisson. Y cuire l'oignon, à feu doux et en brassant, jusqu'à ce qu'il soit ramolli. Mettre sur la saucisse dans la pâte. Ajouter les cubes de cheddar et les bouts d'asperges.

Battre ensemble, à la fourchette, les œufs et la crème. Ajouter les assaisonnements, en mêlant bien. Verser dans la pâte, sur les autres ingrédients. Cuire 15 minutes, au four à 450°F. Baisser le feu à 350°F et continuer la cuisson, 30 minutes ou jusqu'à ce qu'un couteau inséré dans la quiche, à un pouce du bord, en ressorte sec. Servir très chaud. (6 portions)

Poisson et fruits de mer

Poissons de mer et d'eau douce, crustacés, coquillages . . . l'eau des rivières, des lacs, des océans nous prodigue ses bontés à l'infini.

Et il faut savoir en profiter. Bien des gens qui disent ne pas aimer le poisson changent d'avis quand ils le mangent bien préparé. La chair de tous les poissons est tendre au départ. C'est une cuisson trop longue qui peut les rendre durs et sans jus, que le produit soit frais, surgelé ou en conserve.

S'ils sont bien préparés, les poissons, les coquillages et les crustacés deviennent délectables. Leur goût est fin, leur chair délicate et ils sont riches en excellents nutriments.

MORUE A LA PORTUGAISE

2 livres de filets de morue congelés
Huile de maïs
2 tasses de tomates pelées, épépinées et hachées
   finement
½ tasse d'oignon haché finement
¼ de tasse de piment vert haché finement
1 cuil. à thé de sel
⅛ de cuil. à thé de poivre noir
½ cuil. à thé de feuilles de basilic séchées
¼ de cuil. à thé de feuilles de thym séchées
¼ de cuil. à thé de feuilles d'estragon séchées
¼ de tasse d'huile de maïs

Dégeler le poisson suffisamment pour pouvoir en séparer les filets.
Chauffer le four à 500°F. Enduire d'huile de maïs un grand plat à cuire.
Mêler les tomates, l'oignon, le piment, le sel, le poivre, les fines herbes et ¼ de tasse d'huile, dans un bol.
Disposer les filets dans le plat à cuire, en une couche simple si possible. Les recouvrir du mélange aux tomates. Cuire au four, de 10 à 15 minutes ou jusqu'à ce que le poisson se défasse aisément à la fourchette. Servir immédiatement. (6 portions)

AIGLEFIN EN CASSEROLE

2 livres de filets d'aiglefin
1 bouquet de feuilles de céleri (2 petites
   branches)
2 brindilles de persil
¼ de cuil. à thé de feuilles de thym séchées
1 petit morceau de feuille de laurier
1 cuil. à table de jus de citron
2 grains de poivre
1 cuil. à thé de sel
Eau bouillante
3 cuil. à table de beurre
1 oignon moyen, en lamelles
2 tasses de champignons tranchés
¼ de tasse de pimento, en allumettes
¼ de tasse de beurre
¼ de tasse de farine
1 tasse de court-bouillon (dans lequel on a cuit
   le poisson)
½ cuil. à thé de sel
¼ de cuil. à thé de poivre
¼ de cuil. à thé de feuilles d'estragon séchées
1 pincée de feuilles de marjolaine séchées
1 pincée de feuilles de cerfeuil séchées
1 tasse de crème simple (15 p.c.)
2 jaunes d'œufs
1 tasse de cubes de pain, de ¼ de pouce
2 cuil. à table de beurre fondu

Chauffer le four à 325°F. Beurrer un plat à cuire de 12 × 7 × 2 pouces.
Couper le poisson en portions et le mettre dans une grande poêle épaisse. Ajouter céleri, persil, thym, laurier, jus de citron, grains de poivre et 1 cuil. à thé de sel. Couvrir d'eau bouillante. Chauffer jusqu'à ébullition, baisser le feu et faire mijoter 5 minutes ou juste assez pour que le poisson se défasse à la fourchette. Retirer le poisson du court-bouillon, passer ce dernier et en conserver 1 tasse pour la sauce.
Faire fondre 3 cuil. à table de beurre dans la poêle déjà utilisée et y cuire l'oignon, à feu doux et en brassant, pendant 3 minutes. Ajouter les champignons et continuer la cuisson, en brassant, pendant 2 minutes. Retirer du feu et ajouter le pimento, en mêlant.
Faire fondre ¼ de tasse de beurre, dans une casserole. Saupoudrer de la farine, en mêlant. Retirer du feu et ajouter 1 tasse de court-bouillon, d'un seul coup et en brassant. Ajouter ½ cuil. à thé de sel, ¼ de cuil. à thé de poivre, l'estragon, la marjolaine et le cerfeuil. Bien mêler et continuer la cuisson, à feu moyen et en brassant constamment, jusqu'à ce que la sauce bouille et soit épaisse et lisse. Battre ensemble, à la fourchette, la crème et les jaunes d'œufs et ajouter au mélange chaud, en brassant. Chauffer sans toutefois laisser bouillir.
Mettre un peu de sauce dans le plat à cuire et y disposer les morceaux de poisson. Parsemer du mélange d'oignon et de champignons et recouvrir de ce qui reste de sauce.
Ajouter les cubes de pain au beurre fondu et brasser délicatement pour bien beurrer les cubes. Étendre sur le dessus du plat.
Cuire au four, 30 minutes ou jusqu'à ce que la sauce bouillonne et que le dessus du plat soit légèrement bruni. (De 4 à 6 portions)

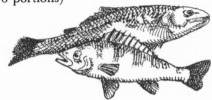

AIGLEFIN RELEVÉ
DE PAMPLEMOUSSE

1½ livre de filets d'aiglefin
1 cuil. à thé de sel
⅛ de cuil. à thé de poivre
2 cuil. à table de jus de pamplemousse
¾ de tasse de cubes de pain de ½ pouce
3 cuil. à table de beurre fondu
¼ de cuil. à thé de feuilles de thym séchées
1 pamplemousse, en côtes
Beurre fondu

Chauffer le four à 400°F. Beurrer un plat à cuire peu profond (environ 12 × 7 × 2 pouces).
Couper le poisson en portions. Saler et poivrer les morceaux, de chaque côté, et les disposer dans le plat, en une couche simple. Asperger du jus de pamplemousse.
Mêler les cubes de pain, le beurre et le thym; mettre sur le poisson. Cuire au four 15 minutes. Disposer les côtes de pamplemousse sur le poisson, les badigeonner légèrement de beurre fondu et continuer la cuisson, 10 minutes ou jusqu'à ce que le poisson se défasse à la fourchette. Servir immédiatement. (4 portions)

*Océans, lacs et rivières recèlent
des trésors. Apprêtez
simplement mais très attentivement
poisson et fruits de mer*

POISSON A LA REINE

1 livre de filets d'aiglefin congelés
2 cuil. à table de beurre ou de margarine
2 cuil. à table de farine
½ cuil. à thé de sel
⅛ de cuil. à thé de poivre de Cayenne
1 tasse de lait
1 cuil. à table de pimento de conserve, haché
1 tasse de petits pois cuits
Riz bien chaud, pommes de terre en riz ou
    pommes de terre au four

Couper le bloc de poisson en trois morceaux. Mettre 1½ pouce d'eau dans une grande poêle épaisse et chauffer jusqu'à ébullition. Ajouter le poisson et le faire mijoter, 10 minutes ou jusqu'à ce qu'il se défasse aisément à la fourchette. Retirer le poisson de l'eau, avec une spatule à œufs, et l'émietter dans un bol.

Chauffer le beurre ou la margarine dans une casserole moyenne. Saupoudrer de la farine, du sel et du poivre de Cayenne et bien mêler. Retirer du feu et ajouter le lait, d'un trait et en mêlant bien. Continuer la cuisson, à feu moyen et en brassant, jusqu'à ce que la sauce soit épaisse et lisse. Ajouter le pimento, les pois et le poisson émietté et chauffer, environ 4 minutes, à feu doux et en brassant de temps à autre.

Servir sur le riz ou les pommes de terre. (4 portions)

POISSON EN PÂTE A LA BIÈRE

2 livres de poisson (aiglefin ou morue), frais ou
    congelé
Friture
Jus de citron
1 tasse de farine à tout usage, tamisée
1 cuil. à thé de sel
3 cuil. à thé de paprika
1 bouteille de 12 onces de bière
Farine

Dégeler le poisson, s'il y a lieu, pour pouvoir en bien séparer les filets.

Chauffer l'huile à 400°F, dans une casserole profonde ou une friteuse électrique. (Il faut remplir la casserole au tiers, environ). Couper le poisson en portions et arroser chaque morceau d'un peu de jus de citron.

Tamiser ensemble, dans un bol, la farine, le sel et le paprika. Ajouter la bière, petit à petit et en battant jusqu'à ce que la pâte soit lisse.

Mettre un peu de farine dans un plat peu profond et y passer les morceaux de poisson pour les bien enfariner des deux côtés. Les tremper ensuite dans la pâte à la bière pour les en bien enrober.

Faire frire dans l'huile bien chaude, environ 4 minutes, en tournant les morceaux une fois. L'enveloppe de pâte doit être croustillante et d'un beau brun doré et le poisson cuit complètement. Égoutter sur du papier absorbant et servir très chaud. (De 4 à 6 portions)

POISSON CUIT AU FOUR

2 livres de filets de poisson congelé (sole ou
    aiglefin)
½ tasse de babeurre
2 cuil. à thé de sel
⅛ de cuil. à thé de poivre
½ cuil. à thé de feuilles de thym séchées
1 tasse de chapelure fine
2 cuil. à table de persil finement haché
2 cuil. à table d'huile à cuisson
Sauce tartare chaude (recette ci-après)

Dégeler le poisson suffisamment pour pouvoir en séparer les filets.

Chauffer le four à 500°F. Huiler un plat à cuire en verre, de 13 × 9 × 2 pouces.

Passer les filets d'abord dans le babeurre, auquel on aura ajouté le sel, le poivre et le thym, ensuite dans la chapelure et finalement dans le persil haché pour les en enrober des deux côtés. Mettre les filets dans le plat à cuire, en une couche simple si possible. Arroser de l'huile.

Cuire au four, de 15 à 20 minutes ou jusqu'à ce que le poisson soit doré et s'émiette aisément à la fourchette. Ne pas retourner les filets. Servir immédiatement, avec la sauce tartare. (6 portions)

Sauce tartare chaude

1 cuil. à table de beurre
1 cuil. à table de farine
½ tasse de lait
¼ de cuil. à thé de sel
1 pincée de poivre
¼ de tasse de mayonnaise, du commerce
½ cuil. à thé d'oignon râpé
6 petites olives farcies, finement hachées
1 cuil. à table de légumes sucrés au vinaigre
    (pickles) finement hachés
1 cuil. à table de persil finement haché

Faire fondre le beurre, dans une petite casserole. Saupoudrer de la farine et bien mêler. Retirer du feu et ajouter le lait, d'un trait. Ajouter aussi le sel et le poivre. Continuer la cuisson, à feu moyen et en brassant, jusqu'à ce que la sauce bouille et soit épaisse et lisse.

Ajouter tous les autres ingrédients et chauffer sans toutefois laisser bouillir. Servir très chaud.

SOLE ET AVOCAT

1 livre de filets de sole, frais ou congelés
Sel
Poivre
1 cuil. à table de jus de limette
1 gros avocat
¼ de tasse de farine
4 cuil. à table de beurre
¼ de tasse de crème simple (15 p.c.)
1½ cuil. à thé de jus de limette
¼ de tasse de noix de coco en flocons, rôtie

Dégeler le poisson, s'il y a lieu, suffisamment pour pouvoir en séparer les filets. Disposer ces derniers, en une couche simple, dans un grand plat peu profond. Saler et poivrer légèrement les filets et les arroser de 1 cuil. à table de jus de limette. Laisser reposer 10 minutes.
Couper l'avocat en deux et en retirer le noyau. Le peler et le couper en cubes de ½ pouce.
Mettre la farine dans un plat peu profond.
Chauffer 2 cuil. à table de beurre, dans une grande poêle épaisse. Passer les filets dans la farine et les mettre ensuite dans le beurre bien chaud. Brunir les filets d'un côté. Ajouter, dans la poêle, 1 cuil. à table de beurre et retourner les filets; les faire brunir sans toutefois les cuire trop longtemps.
Disposer les filets dans un plat de service chaud. Ajouter, dans la poêle, ce qui reste de beurre (1 cuil. à table), la crème et les cubes d'avocat. Chauffer à feu doux, en brassant, pendant 1 minute. Verser sur le poisson. Arroser le plat de 1½ cuil. à thé de jus de limette et le parsemer de la noix de coco. Servir immédiatement. (2 ou 3 portions)

SOLE AMANDINE

½ tasse de farine
1 cuil. à thé de sel
¼ de cuil. à thé de poivre
1 cuil. à thé de paprika
2 livres de filets de sole
3 cuil. à table de beurre
3 cuil. à table d'amandes, en allumettes
3 cuil. à table de jus de citron
1 cuil. à thé de zeste de citron râpé
3 cuil. à table de ciboulette hachée
⅓ de tasse d'huile à salade

Mêler, dans un plat peu profond, la farine, le sel, le poivre et le paprika. Couper le poisson en portions après l'avoir dégelé, s'il y a lieu, pour en séparer les filets; passer les morceaux dans la farine assaisonnée pour les en bien enrober, des deux côtés.
Chauffer le beurre dans une petite poêle épaisse. Y faire dorer les amandes, à feu doux et en brassant. Ajouter le jus et le zeste de citron ainsi que la ciboulette.
Chauffer l'huile dans une grande poêle épaisse et y faire frire le poisson vivement, jusqu'à ce qu'il soit bien doré des deux côtés. Le disposer dans un plat de service chaud et verser dessus le beurre aux amandes. Servir immédiatement. (6 portions)

SOLE ET ASPERGES

1 livre de filets de sole congelés
1 paquet de 10 onces d'asperges congelées
2 cuil. à table d'huile à cuisson
½ cuil. à thé de sel
1 cuil. à table d'huile
½ cuil. à thé de sel
Poivre noir
½ tasse d'eau froide
1 cuil. à thé de fécule de maïs

Dégeler la sole suffisamment pour en séparer les filets. Les couper, si nécessaire, en portions.
Couper les asperges encore congelées, en diagonale, en bouts de 1 pouce.
Chauffer 2 cuil. à table d'huile dans une poêle épaisse. Y mettre les asperges et les saupoudrer de ½ cuil. à thé de sel. Cuire à feu vif, en brassant constamment ou en secouant la poêle, jusqu'à ce que les asperges soient dégelées, bien chaudes mais à peine cuites. Les retirer de la poêle avec une cuillère perforée et les mettre dans un petit plat de service, chaud. Régler le four au plus bas et y garder les asperges bien chaudes.
Ajouter 1 cuil. à table d'huile au jus de cuisson dans la poêle. Y cuire vivement les morceaux de poisson, pendant 2 minutes. Tourner les morceaux délicatement, les saupoudrer de ½ cuil. à thé de sel et d'un peu de poivre et continuer la cuisson, 2 minutes ou jusqu'à ce que le poisson se défasse aisément à la fourchette. Les mettre dans le plat, à côté des asperges.
Mêler l'eau et la fécule de maïs, pendant la cuisson du poisson. Ajouter au jus de cuisson, sitôt le poisson retiré de la poêle, petit à petit et en brassant. Cuire, en brassant, jusqu'à ce que cette sauce soit légèrement épaissie et comme translucide. Verser sur le poisson et servir immédiatement. (3 portions)

SOLE AVEC SAUCE
AUX CREVETTES

2 livres de filets de sole congelés
3 cuil. à table de beurre
2 petits oignons, hachés finement
½ livre de champignons, hachés finement
2 cuil. à table de farine
1½ cuil. à thé de sel
¼ de cuil. à thé de poivre
1 tasse de crème simple (15 p.c.)
⅔ de tasse de vin blanc sec
¼ de tasse d'eau
2 cuil. à table de persil finement haché
1 boîte de 4¼ onces de petites crevettes, égouttées et rincées à l'eau froide courante
½ tasse de gruyère râpé

Dégeler le poisson suffisamment pour en séparer les filets.
Chauffer le four à 400°F. Beurrer un plat à cuire de 13 × 9 × 2 pouces.
Disposer les filets dans le plat à cuire, côte à côte si possible.

Chauffer le beurre dans une poêle épaisse. Y cuire l'oignon et les champignons, en brassant, jusqu'à ce que les oignons soient ramollis. Saupoudrer de la farine, du sel et du poivre et bien mêler. Retirer du feu. Ajouter la crème, le vin et l'eau, en brassant. Continuer la cuisson, à feu moyen et en brassant constamment, jusqu'à ce que la sauce bouille et soit épaisse et lisse. Retirer du feu et ajouter le persil et les crevettes. Verser sur les filets de poisson et parsemer du gruyère.

Cuire au four, 25 minutes ou jusqu'à ce que le poisson se défasse aisément à la fourchette. (6 portions)

ROULEAUX DE SOLE NAPPÉS DE SAUCE AU CITRON

2 livres de filet de sole
3 tasses d'eau
2 minces tranches d'oignon
1 carotte moyenne, tranchée
1 petit morceau de feuille de laurier
1 petit bouquet de feuilles de céleri
2 brindilles de persil
2 grains de piment de la Jamaïque (allspice)
6 grains de poivre
2 cuil. à thé de sel
2 cuil. à table de beurre
2 cuil. à table de farine
1 tasse de bouillon de cuisson du poisson
1 cuil. à table de jus de citron
1 pincée de poivre
1 jaune d'œuf
¼ de tasse de crème double (35 p.c.)
2 cuil. à table de persil

Fendre les filets en deux, en suivant la ligne qui les divise naturellement, pour en faire deux étroites bandes. Rouler ces bandes sur elles-mêmes et fixer les rouleaux avec des cure-dents.

Chauffer ensemble, dans une poêle épaisse et profonde, eau, oignon, carotte, laurier, feuilles de céleri, persil, piment de la Jamaïque, grains de poivre et sel. Couvrir et faire bouillir 10 minutes. Mettre les rouleaux de poisson dans la poêle, couvrir de nouveau et faire mijoter, 10 minutes ou jusqu'à ce que le centre des petits rouleaux soient tendres. Retirer les rouleaux de leur bouillon, les débarrasser des cure-dents et les disposer dans un plat de service chaud. Garder bien chaud.

Passer le bouillon de cuisson et en mesurer 1 tasse, pour la sauce.

Faire fondre le beurre dans une casserole. Saupoudrer de la farine et bien mêler. Retirer du feu et ajouter la tasse de bouillon de cuisson du poisson, le jus de citron et le poivre. Bien mêler.

Continuer la cuisson, à feu moyen et en brassant constamment, jusqu'à ce que la sauce bouille et soit épaisse et lisse. Battre ensemble, à la fourchette, le jaune d'œuf et la crème et ajouter un peu de la sauce chaude, à ce mélange, en brassant. Remettre le tout dans la casserole et chauffer sans toutefois laisser bouillir. Ajouter le persil. Verser sur le poisson et servir immédiatement. (De 4 à 6 portions)

PERCHE DE MER THERMIDOR

2 livres de filets de perche de mer congelés
¼ de tasse de beurre fondu
2 cuil. à table de jus de citron
1 cuil. à thé d'oignon finement haché
Quelques gouttes de sauce Tabasco
2 cuil. à table de beurre
2 cuil. à table de farine
¼ de cuil. à thé de moutarde en poudre
¼ de cuil. à thé de paprika
½ cuil. à thé de sel
3 cuil. à table de vin blanc sec
1 tasse de lait
¼ de cuil. à thé de feuilles de cerfeuil séchées
1 pincée de feuilles d'estragon séchées
2 jaunes d'œufs
½ tasse de crème double (35 p.c.)
Paprika

Dégeler le poisson suffisamment pour pouvoir en séparer les filets. Écorcher le poisson si on le désire (quand les filets sont encore partiellement congelés, la peau s'en arrache aisément).

Chauffer le four à 375°F. Beurrer 6 plats à cuire individuels, d'environ 12 onces chacun.

Couper les filets en carrés de 1 pouce de côté. Les répartir également dans les plats à cuire. Mêler le beurre fondu, le jus de citron, l'oignon et la sauce Tabasco et verser le mélange sur le poisson. Cuire au four, 25 minutes ou jusqu'à ce que le poisson se défasse aisément à la fourchette.

Chauffer 2 cuil. à table de beurre dans une casserole, pendant la cuisson du poisson. Saupoudrer de la farine, de la moutarde, de ¼ de cuil. à thé de paprika et du sel et bien mêler. Retirer du feu et ajouter le vin, le lait, le cerfeuil et l'estragon. Bien mêler. Continuer la cuisson, en brassant constamment, jusqu'à ce que la sauce bouille et soit épaisse et lisse.

Battre ensemble, à la fourchette, les jaunes d'œufs et la crème. Ajouter au mélange un peu de la sauce bien chaude, petit à petit et en brassant. Remettre le tout dans la casserole, en brassant, et continuer la cuisson 2 minutes, en brassant toujours.

Retirer les plats du four, une fois le poisson cuit, et allumer le grilloir.

Verser la sauce sur le poisson et saupoudrer le tout de paprika. Faire griller, en plaçant les plats à mi-hauteur du four, jusqu'à ce que la sauce bouillonne et que le dessus en soit légèrement bruni. Servir immédiatement. (6 portions)

PERCHE DE MER BARBECUE

1 livre de filets de perche de mer, congelés
¼ de tasse de beurre (ou de margarine), fondu
1 cuil. à table de jus de citron
2 cuil. à table de catsup
1 cuil. à thé de sauce Worcestershire
⅛ de cuil. à thé de moutarde en poudre
½ cuil. à thé de sel
1 tombée de poivre
1 cuil. à table d'oignon finement haché
2 cuil. à table de persil haché

Dégeler le poisson, juste assez pour pouvoir en séparer les filets. Chauffer le grilloir du four. Graisser un plat à cuire peu profond, juste assez grand pour contenir les filets de perche disposés en une couche simple; y mettre les filets, la peau en dessous.
Mêler tous les autres ingrédients et déposer le mélange sur les filets. Faire griller à environ 3 pouces sous le feu (sans retourner les filets), 10 minutes ou jusqu'à ce que le poisson se défasse aisément à la fourchette. Servir immédiatement. (3 portions)

FLÉTAN A LA SAUCE TOMATE

2 darnes de flétan, d'environ ¾ de livre chacune
½ cuil. à thé de sel
⅛ de cuil. à thé de poivre
1 cuil. à thé de jus de citron
3 cuil. à table d'huile d'olive
2 grosses tomates, pelées et hachées
1 oignon moyen, haché
1 gousse d'ail, broyée
½ cuil. à thé de sel
1 cuil. à thé de sucre
¼ de tasse de persil haché
3 cuil. à table de pâte de tomate
¼ de tasse de sherry
½ tasse d'eau
¼ de cuil. à thé de feuilles de menthe séchées
4 tranches de citron
1 cuil. à table de beurre
Riz bien chaud

Chauffer le four à 375°F. Graisser un plat à cuire peu profond et juste assez grand pour contenir les darnes, côte à côte. Y mettre les darnes, les saupoudrer de ½ cuil. à thé de sel et du poivre et les arroser du jus de citron.
Chauffer l'huile d'olive, dans une casserole moyenne. Y cuire les tomates, l'oignon et l'ail, à feu doux et en brassant, 5 minutes ou jusqu'à ce que ce soit ramolli. Ajouter ½ cuil. à thé de sel, le sucre, le persil, la pâte de tomate, le sherry, l'eau et la menthe et laisser mijoter 10 minutes, à découvert.
Verser cette sauce sur le poisson. Disposer les tranches de citron sur les darnes et parsemer le tout du beurre, en noisettes. Couvrir le plat hermétiquement, avec du papier d'aluminium. Cuire au four environ 30 minutes. Servir avec le riz. (4 portions)

SAUMON GRILLÉ

⅓ de tasse d'huile à salade
1½ cuil. à thé de zeste de citron râpé
⅓ de tasse de jus de citron
1 petite gousse d'ail, broyée
1 cuil. à thé de sucre
¼ de cuil. à thé de poivre
1 cuil. à thé de sel
½ cuil. à thé de feuilles d'origan séchées
4 darnes de saumon, de 1 pouce d'épaisseur
⅓ de tasse d'olives farcies, tranchées (facultatif)

Mêler l'huile, le zeste et le jus de citron, l'ail, le sucre, le poivre, le sel et l'origan.
Bien graisser la clayette d'une plaque à griller. Disposer dessus les tranches de saumon et les badigeonner généreusement du mélange au citron. Faire griller au four pendant environ 5 minutes, à 4 pouces sous la source de chaleur. Tourner les darnes délicatement, les badigeonner de nouveau du mélange au citron et les faire griller, 2 ou 3 minutes ou jusqu'à ce que le saumon se défasse facilement à la fourchette.
Ajouter, si on le désire, les tranches d'olives à ce qui reste du mélange au citron et chauffer jusqu'au point d'ébullition. Servir avec le saumon. (4 portions)

ASPERGES ET SAUMON

2 livres d'asperges fraîches
¼ de tasse de beurre, fondu
½ cuil. à thé de feuilles de basilic séchées
1 cuil. à table de jus de citron
4 darnes de saumon, de ¾ de pouce d'épaisseur
1 cuil. à table de beurre
½ tasse de champignons tranchés
1 boîte de 10 onces de crème de champignons
½ tasse de lait

Laver les asperges et casser l'extrémité dure des tiges. Les disposer, en une couche simple, dans une grande poêle épaisse. Ajouter ¼ de pouce d'eau bouillante, couvrir et cuire, de 8 à 10 minutes ou jusqu'à ce que ce soit tendre. Égoutter les asperges et les garder chaudes.
Mêler, dans un petit plat, ¼ de tasse de beurre fondu, le basilic et le jus de citron. Mettre les darnes de saumon sur un gril graissé et les badigeonner du beurre au citron. Mettre au four, sous le grilloir, et cuire 5 minutes de chaque côté ou jusqu'à ce que le poisson se défasse aisément à la fourchette.
Chauffer 1 cuil. à table de beurre, dans une petite casserole, pendant la cuisson des asperges et du saumon. Ajouter les champignons et cuire 3 minutes, à feu doux et en brassant. Ajouter la crème de champignons et le lait et chauffer.
Mettre asperges et saumon dans des assiettes et napper les asperges de la sauce aux champignons. (4 portions)

Poisson en pâte à la bière: *recette à la page 81*

Homard thermidor: *recette à la page 91*
(pages suivantes)

DARNES DE SAUMON
AVEC SAUCE AU CRABE

2 tasses d'eau
2 minces tranches de citron
½ cuil. à thé de sel
½ cuil. à thé de graines de fenouil
1 petit morceau de feuille de laurier
6 darnes de saumon, de ½ à ¾ de pouce
    d'épaisseur
¼ de tasse d'eau froide
1 cuil. à table de fécule de maïs
¼ de tasse de crème sure, du commerce
2 cuil. à table de beurre
1 pincée de muscade
¼ de tasse de persil haché
1 boîte de 6 onces de chair de crabe, égouttée
    et émiettée

Mettre, dans une grande poêle, 2 tasses d'eau, les tranches de citron, le sel, les graines de fenouil et le laurier; chauffer jusqu'à ébullition. Ajouter le saumon, le couvrir et le faire mijoter, 5 minutes ou jusqu'à ce qu'il se défasse aisément à la fourchette (vérifier près de la grosse arête dorsale). Retirer le saumon, délicatement, et le disposer dans un plat de service chaud. Garder chaud, dans un four tiède.
Passer l'eau de cuisson du saumon et en garder 1 tasse. Mettre cette tasse d'eau dans une casserole et chauffer jusqu'à ébullition. Faire un mélange lisse avec ¼ de tasse d'eau froide et la fécule de maïs. Ajouter au liquide bouillant, petit à petit et en brassant. Laisser bouillir jusqu'à ce que la sauce soit épaisse et comme translucide. Retirer du feu. Ajouter la crème sure, le beurre, la muscade, le persil et la chair de crabe, en brassant. Chauffer sans toutefois laisser bouillir.
Servir le saumon en nappant chaque portion d'un peu de la sauce au crabe. (6 portions)

SAUMON FARCI
AU CONCOMBRE

¼ de tasse de beurre
½ tasse d'oignon finement haché
½ tasse de céleri finement haché
3 tasses de miettes de pain frais
1½ tasse de concombre pelé, épépiné et
    finement haché
1 cuil. à thé de sel
¼ de cuil. à thé de poivre
½ cuil. à thé de brindilles d'aneth séchées ou
    ¼ de cuil. à thé de graines d'aneth écrasées
4 livres de saumon en un seul morceau
Sel et poivre
1 cuil. à table d'huile à cuisson

Pétoncles au cari: *recette à la page 92*

Chauffer le four à 450°F. Beurrer un plat à cuire peu profond et suffisamment grand pour qu'on puisse y mettre le morceau de saumon.
Chauffer le beurre, dans une grande poêle épaisse et y cuire l'oignon et le céleri, à feu doux et en brassant, jusqu'à ce que l'oignon soit ramolli mais non bruni. Ajouter la moitié des miettes de pain et continuer la cuisson, en brassant, jusqu'à ce que les miettes soient légèrement brunies. Ajouter au reste des miettes ainsi que le concombre, 1 cuil. à thé de sel, ¼ de cuil. à thé de poivre et l'aneth.
Saler et poivrer le saumon à l'intérieur. Remplir le saumon de la farce, fermer l'ouverture avec des brochettes et lacer, avec une bonne ficelle, pour retenir la farce dans le poisson. Mesurer l'épaisseur du poisson farci, le mettre dans le plat à cuire et l'arroser de l'huile. Cuire au four, en comptant 10 minutes de cuisson par pouce d'épaisseur du poisson. Servir immédiatement. (8 portions)

PAIN DE SAUMON

2 boîtes de 7¾ onces de saumon rose
2 œufs
1 tasse de liquide (le jus de conserve du saumon
    et du lait)
1 cuil. à thé de sel
¼ de cuil. à thé de sauge
1 tasse d'un mélange de petits pois et de
    carottes, de conserve, bien égoutté
2 tasses de nouilles fines, cuites
Sauce aux œufs (recette ci-après)

Chauffer le four à 350°F. Graisser un moule à pain de 9 × 5 × 3 pouces.
Égoutter le saumon, en conservant son jus de conserve. Mesurer ce jus et y ajouter du lait pour avoir 1 tasse de liquide. Émietter le saumon.
Battre les œufs légèrement. Ajouter la tasse de liquide, le sel et la sauge, en brassant. Ajouter le saumon émietté, les pois, les carottes et les nouilles et mêler délicatement.
Mettre le mélange dans le moule. Cuire au four, 1 heure ou jusqu'à ce que le pain soit pris. Le démouler dans un plat de service chaud. Servir en tranches épaisses, nappées de la sauce aux œufs. (6 portions)

Sauce aux œufs

6 cuil. à table de beurre ou de margarine
6 cuil. à table de farine
¾ de cuil. à thé de sel
⅛ de cuil. à thé de poivre
1½ tasse de lait
2 œufs durs, en dés

Faire fondre le beurre, dans une casserole. Saupoudrer de la farine, du sel et du poivre et laisser bouillonner un peu. Retirer du feu et ajouter le lait, d'un trait et en mêlant bien. Continuer la cuisson, à feu moyen et en brassant constamment, jusqu'à ce que la sauce bouille et soit épaisse et lisse. Ajouter les œufs durs et continuer la cuisson jusqu'à ce qu'ils soient chauds.

SAUMON ET POMMES DE TERRE EN CASSEROLE

4 tasses de pommes de terre en tranches minces
1 boîte de 7¾ onces de saumon
3 cuil. à table de beurre
¼ de tasse de farine
1 cuil. à thé de sel
⅛ de cuil. à thé de poivre
2 tasses de liquide (le jus de conserve du
    saumon et du lait)
2 cuil. à table de moutarde en pâte
1 tasse d'oignon en tranches minces

Chauffer le four à 350°F. Beurrer un plat à cuire de 1½ pinte.

Cuire les tranches de pommes de terre à l'eau bouillante salée, environ 10 minutes. Les égoutter immédiatement.

Égoutter le saumon, en conservant le jus de conserve, et le défaire en bouchées. Mesurer ce jus de conserve et y ajouter du lait pour avoir 2 tasses de liquide.

Chauffer le beurre dans une casserole moyenne. Ajouter farine, sel et poivre et bien mêler. Retirer du feu et ajouter les deux tasses de liquide, d'un trait et en mêlant. Ajouter la moutarde, en mêlant. Continuer la cuisson, à feu moyen et en brassant constamment, jusqu'à ce que la sauce bouille et soit épaisse et lisse. Régler le feu au plus bas et continuer la cuisson 2 minutes, en brassant.

Étendre, dans le plat à cuire, environ le quart des tranches de pommes de terre. Recouvrir du tiers du saumon, du tiers des oignons et d'un quart de la sauce. Répéter ces couches d'aliments deux fois. Recouvrir finalement de ce qui reste de pommes de terre et de ce qui reste de sauce.

Cuire au four, 45 minutes ou jusqu'à ce que les pommes de terre soient tendres et que la sauce bouillonne. (4 portions)

ÉPERLANS AU PARMESAN

1 livre d'éperlans congelés
¼ de tasse de beurre (ou de margarine), fondu
1 gousse d'ail, broyée
¼ de tasse de chapelure fine
¼ de tasse de parmesan râpé
1 cuil. à table de persil finement haché
¼ de cuil. à thé de sel

Faire dégeler les éperlans, les vider et les débarrasser de leur grosse arête dorsale si cela est nécessaire (voir note). Laver les poissons et les assécher avec du papier absorbant.

Chauffer le four à 450°F. Graisser un plat à cuire peu profond, d'environ 12 × 7 × 2 pouces.

Mêler le beurre fondu et l'ail, dans un plat peu profond. Mêler la chapelure, le parmesan, le persil et le sel, dans un autre plat peu profond. Passer les petits poissons, d'abord dans le beurre à l'ail, ensuite dans le mélange sec pour les en enrober des deux côtés. Les mettre dans le plat à cuire, la peau en dessous. Cuire au four, 8 minutes ou jusqu'à ce que les éperlans soient brunis et se défassent aisément à la fourchette. (3 portions)

Note: il est facile de vider les éperlans et de les débarrasser de leur arête dorsale. Avec des ciseaux de cuisine, couper la tête, juste sous les branchies. Tailler aussi les nageoires et la queue. Ouvrir le ventre du poisson, en longueur, et le bien vider. Ouvrir les poissons à plat sur la table. Avec la pointe d'un couteau, dégager l'extrémité de l'arête dorsale, du côté de la tête. Saisir alors cette extrémité et arracher toute l'arête, avec précaution, pour enlever, en même temps, les petites arêtes rattachées à la grosse dorsale et ne pas déchirer la chair. Cuire les petits poissons ouverts.

MACARONI AU THON ET AUX HARICOTS

2 tasses de macaroni
2 paquets de 10 onces de haricots verts, taillés
    à la française, congelés
2 cuil. à table de vinaigrette
1 boîte de 7 onces de thon, égoutté
1 boîte de 10 onces de morceaux de
    champignons
¼ de tasse de beurre
⅓ de tasse d'oignon finement haché
3 cuil. à table de farine
1½ cuil. à thé de sel
¼ de cuil. à thé de poivre
2 tasses de liquide (le jus de conserve des
    champignons et du lait)
1 tasse de cheddar fort, râpé

Chauffer le four à 375°F. Beurrer un plat à cuire en verre de 12 × 7 × 2 pouces.

Cuire le macaroni, dans une abondante quantité d'eau bouillante salée, 7 minutes ou jusqu'à ce qu'il soit juste tendre.

Cuire les haricots, dans une petite quantité d'eau bouillante, jusqu'à ce qu'ils soient tendres mais encore un peu croquants. Les égoutter et les étendre dans le plat à cuire. Les arroser de la vinaigrette. Défaire le thon en morceaux et en parsemer uniformément les haricots.

Égoutter les champignons en mettant leur jus de conserve dans un récipient à mesurer. Chauffer le beurre dans une casserole moyenne et y cuire les champignons et l'oignon 3 minutes, à feu doux. Saupoudrer de la farine, du sel et du poivre et bien mêler. Retirer du feu. Ajouter du lait, au jus de conserve des champignons, pour avoir 2 tasses de liquide. Ajouter ce liquide à la farine délayée, d'un trait et en mêlant bien. Continuer la cuisson, à feu moyen et en brassant constamment, jusqu'à ce que la sauce bouille et soit épaisse et lisse. Ajouter la moitié du cheddar et le macaroni cuit. Bien mêler et verser le tout dans le plat, sur les haricots et le thon. Parsemer de ce qui reste du cheddar.

Cuire au four, 20 minutes ou jusqu'à ce que ce soit très chaud. (6 portions)

QUEUES DE HOMARD FARCIES

12 queues de homard congelées (voir note)
1 petite tranche d'oignon
1 petite carotte, en morceaux
1 branche de céleri (avec les feuilles), coupées
2 branches de persil
1 petite feuille de laurier
2 cuil. à thé de sel
4 grains de poivre
¾ de tasse de beurre
6 cuil. à table de farine
1½ cuil. à thé de sel
1½ cuil. à thé de paprika
¼ de cuil. à thé de feuilles d'estragon séchées
1 pincée de poivre de Cayenne
3 tasses de crème simple (15 p.c.)
3 cuil. à table de jus de citron
½ tasse de fromage parmesan râpé
½ tasse de chapelure fine
2 cuil. à table de beurre fondu

Mettre les queues de homard congelées dans une grande marmite. Ajouter la tranche d'oignon, la carotte, le céleri, le persil, le laurier, 2 cuil. à thé de sel et les grains de poivre. Ajouter suffisamment d'eau bouillante pour couvrir complètement les queues. Chauffer jusqu'à ébullition, baisser le feu, couvrir et laisser bouillir jusqu'à ce que ce soit tendre. (Le temps de cuisson varie selon la grosseur des queues. Compter environ 1 minute de cuisson par once plus 2 minutes pour les queues congelées et 1 minute de cuisson par once plus 1 minute pour les queues préalablement décongelées.) Égoutter et rincer rapidement sous un jet d'eau froide.

Couper, avec des ciseaux de cuisine, le dessous des coquilles et retirer la chair des queues, avec les doigts. (Ne pas jeter les coquilles, vous en aurez besoin.) Réfrigérer la chair.

Couper en dés la chair du homard.

Chauffer le beurre dans une grande poêle épaisse. Ajouter le homard et cuire, à feu doux et en brassant, pendant 3 minutes. Saupoudrer de la farine, du sel, du paprika, de l'estragon et du poivre de Cayenne et bien mêler. Retirer du feu et ajouter la crème, d'un trait et en mêlant bien. Continuer la cuisson, à feu moyen et en brassant constamment, jusqu'à ce que la sauce bouille et soit épaisse et lisse. Ajouter le jus de citron et retirer du feu immédiatement.

Mettre les coquilles dans un plat à four peu profond et juste assez grand pour contenir les coquilles côte à côte. (Si les coquilles sont serrées les unes contre les autres, elles ne verseront pas sur le côté quand vous les remplirez de la garniture.) Mettre la garniture dans les coquilles, à la cuillère, en la montant en dôme aussi haut que possible. Couvrir le plat de papier d'emballage transparent et réfrigérer jusqu'à peu avant le moment de servir.

Chauffer le four à 350°F en temps voulu pour que les homards puissent cuire pendant 30 minutes.

Mêler le parmesan, la chapelure et le beurre fondu. Parsemer généreusement les queues de homard du mélange. Cuire au four pendant environ 30 minutes ou jusqu'à ce que la garniture bouillonne et que le dessus

des coquilles soit bruni. Servir immédiatement. (6 portions)

Note: certaines boutiques et les poissonneries vendent les queues de homard congelées. Ces queues pèsent habituellement environ 4 onces pièce; je les achète de cette taille. Ce plat est plutôt riche et pour un repas de fin de soirée, deux queues par personne suffisent. Si vous préférez terminer la cuisson des queues tout de suite après les avoir farcies, c'est-à-dire sans les réfrigérer, chauffer le four à 450°F. Parsemer les queues, remplies de garniture encore chaude, du mélange à la chapelure et cuire pendant environ 12 minutes ou jusqu'à ce que le dessus soit doré.

HOMARD THERMIDOR

4 petits homards, cuits
1 cuil. à table de beurre
1½ cuil. à thé d'oignon finement émincé
2 cuil. à table de farine
1½ tasse de lait, frissonnant
¼ de cuil. à thé de sel
1 pincée de poivre blanc
1 brindille de persil
1 pincée de muscade
⅓ de tasse de crème double (35 p.c.)
2 cuil. à thé de jus de citron
1 cuil. à table de sherry sec
1 cuil. à thé de moutarde en poudre
1 pincée de poivre de Cayenne
Quelques gouttes de sauce Worcestershire
Sel et poivre
¼ de tasse de parmesan râpé
Paprika
¼ de tasse de beurre ramolli

Fendre les homards en deux, en longueur. Enlever les pinces. Retirer la viande des carapaces et des pinces et la couper en gros morceaux. Ne pas briser les carapaces.

Faire fondre le beurre dans une casserole. Y cuire l'oignon à feu doux pendant 3 minutes. Saupoudrer de la farine et cuire, en brassant, jusqu'à ce que ce soit doré. Retirer du feu et ajouter le lait chaud, en brassant. Ajouter ¼ de cuil. à thé de sel, le poivre blanc, le persil et la muscade. Continuer la cuisson, à feu moyen et en brassant constamment, jusqu'à ce que la sauce commence à bouillir. Baisser alors le feu au plus bas et continuer la cuisson, en brassant souvent, pendant 20 minutes. Passer la sauce et la remettre dans la casserole.

Ajouter la crème, le jus de citron, le sherry, la moutarde, le poivre de Cayenne et la sauce Worcestershire, en brassant. Saler et poivrer au goût. Ajouter les morceaux de homard et bien chauffer.

Disposer les demi-carapaces dans un plat à four peu profond. Y mettre le mélange au homard et parsemer le tout, uniformément, du parmesan râpé. Décorer d'un peu de paprika et parsemer de noisettes de beurre.

Glisser au four, sous le grilloir, et bien faire dorer. Servir immédiatement. (4 portions)

Note: on peut utiliser la même recette pour préparer 2 gros homards ou 3 de grosseur moyenne.

PÉTONCLES SAUTÉS

1½ livre de pétoncles
½ tasse de sauce au chili
½ tasse de catsup
1 cuil. à table de raifort (préparé)
1 cuil. à thé de sauce Worcestershire
1 cuil. à table de jus de citron
2 cuil. à thé de moutarde en pâte
1 pincée de feuilles d'estragon séchées
2 cuil. à table de beurre
1 cuil. à table d'huile à cuisson
1 gousse d'ail, épluchée et coupée en deux
Persil haché

Laver les pétoncles et les bien assécher sur du papier absorbant.

Mêler la sauce au chili, le catsup, le raifort, la sauce Worcestershire, le jus de citron, la moutarde et l'estragon.

Chauffer le beurre, l'huile et l'ail, dans une grande poêle épaisse. Y cuire les pétoncles, à feu vif et en brassant, 5 minutes ou jusqu'à ce qu'ils soient tendres et légèrement brunis. Jeter l'ail. Verser le mélange à la sauce au chili sur les pétoncles et chauffer jusqu'au point d'ébullition. Parsemer généreusement de persil haché. Excellent avec des nouilles. (De 4 à 6 portions)

COQUILLES SAINT-JACQUES AU GRATIN

1 livre de pétoncles
⅔ de tasse de vin blanc sec
⅓ de tasse d'eau
2 brindilles de persil
1 petit oignon, coupé en deux
3 cuil. à table de beurre
1 tasse de champignons frais, tranchés
1 cuil. à table de farine
½ cuil. à thé de sel
⅛ de cuil. à thé de poivre
2 cuil. à table de jus de citron
1 boîte de 10 onces de soupe aux crevettes
1 jaune d'œuf
⅓ de tasse de crème double (35 p.c.)
¼ de tasse de beurre
1 tasse de cubes de pain de ⅛ de pouce
½ tasse de parmesan râpé
Paprika

Rincer les pétoncles. Chauffer le vin et l'eau, auxquels on aura ajouté le persil et l'oignon, jusqu'au point d'ébullition. Ajouter les pétoncles et faire mijoter pendant 5 minutes. Égoutter; conserver l'eau de cuisson mais jeter le persil et l'oignon. Couper les pétoncles en deux s'ils sont gros.

Chauffer 3 cuil. à table de beurre, dans une casserole, et y ajouter les champignons. Faire cuire à feu doux pendant 3 minutes. Saupoudrer de la farine, de ½ cuil. à thé de sel, de ⅛ de cuil. à thé de poivre et laisser bouillonner un peu. Retirer du feu et ajouter le jus de citron et ½ tasse du liquide de cuisson des pétoncles, d'un trait. Continuer la cuisson, à feu doux et en brassant, jusqu'à ce que le mélange bouille de nouveau et soit bien lisse.

Ajouter la soupe aux crevettes, non diluée, et bien mêler.

Battre ensemble, à la fourchette, le jaune d'œuf et la crème. Ajouter à la préparation, en brassant. Ajouter les pétoncles et bien chauffer.

Faire fondre ¼ de tasse de beurre dans une poêle épaisse. Ajouter les cubes de pain et les bien faire dorer, en brassant. Retirer du feu, ajouter le parmesan et mêler délicatement.

Mettre les pétoncles dans 6 coquilles creuses ou dans 6 plats à cuire individuels. Parsemer des cubes de pain au fromage et saupoudrer de paprika.

Mettre sous le grilloir, à mi-hauteur du four, et faire griller pendant 5 minutes ou jusqu'à ce que ce soit bien chaud et doré (attention de ne pas laisser brûler le dessus du plat). Servir immédiatement. (6 portions)

PÉTONCLES AU CARI

1 livre de pétoncles congelés, décongelés
¼ de tasse de chapelure fine
¼ de cuil. à thé de sel
3 cuil. à table de beurre
1 cuil. à thé de poudre de cari
2 cuil. à thé de jus de citron
4 minces tranches de citron

Chauffer le four à 450°F. Beurrer 4 grands plats ou coquilles à pétoncles, individuels.

Rincer les pétoncles à l'eau froide courante et les bien assécher. Mêler la chapelure et le sel, dans un plat peu profond, et y rouler les pétoncles pour les en bien enrober de tous les côtés. Répartir les pétoncles dans les coquilles, en les y disposant côte à côte.

Faire fondre le beurre dans une petite casserole. Ajouter la poudre de cari et cuire 2 minutes, à feu doux et en brassant. Ajouter le jus de citron. Arroser les pétoncles du mélange. Mettre 1 tranche de citron sur chaque coquille et cuire au four, 15 minutes ou jusqu'à ce que les pétoncles soient tendres. Servir immédiatement. (Pour 4 personnes, comme entrée)

QUEUES DE LANGOUSTINES GRILLÉES

1½ livre de queues de langoustines (scampi), congelées
¾ de tasse de beurre, fondu
2 gousses d'ail, broyées
2 cuil. à thé de sel
¾ de tasse d'huile d'olive
¼ de tasse de persil finement haché
⅛ de cuil. à thé de feuilles d'estragon séchées
2 cuil. à table de jus de citron
Poivre noir frais moulu
½ tasse de chapelure fine

Faire dégeler les queues de langoustines, les laver et enlever, à l'aide de ciseaux de cuisine, la membrane sèche qui ferme leur écale.

Chauffer le grilloir du four.

Ajouter, au beurre fondu, l'ail, le sel, l'huile, le persil, l'estragon, le jus de citron et une tombée de poivre. Tremper chaque queue de langoustine dans ce mélange. Passer le dessus des queues dans la chapelure. Disposer, en une couche simple et les écales en dessous, dans un plat à cuire peu profond.

Faire griller 5 minutes, en arrosant les queues, à quelques reprises, d'un peu du beurre relevé. Mettre ce qui reste de ce beurre dans des petits plats. Les convives y tremperont les bouchées de langoustines. Servir immédiatement. (4 portions)

CRABE ET SAUCE AUX CREVETTES

¼ de livre de crevettes fraîches, crues
1 tasse d'eau bouillante
1 petit bouquet de feuilles de céleri
2 brindilles de persil
3 grains de poivre
2 cuil. à table de beurre
1 cuil. à table d'oignon finement haché
2 cuil. à table de farine
¾ de tasse de crème simple (15 p.c.)
¾ de tasse du bouillon de cuisson des crevettes
1 cuil. à thé de sel
¼ de cuil. à thé de poivre
1 pincée de feuilles d'estragon séchées
1 cuil. à thé de jus de citron
1⅓ tasse de crabe cuit ou 1 boîte de 6 onces de crabe, défait en morceaux
1 cuil. à table de persil haché
1 cuil. à table de beurre
Riz cuit chaud
Persil haché

Mettre les crevettes lavées dans une petite casserole. Ajouter l'eau bouillante, les feuilles de céleri, le persil et les grains de poivre. Chauffer jusqu'à ébullition, baisser le feu, couvrir et faire mijoter 5 minutes. Retirer du feu et laisser refroidir les crevettes dans le court-bouillon. Égoutter, en conservant le bouillon. Décortiquer les crevettes, les parer et les hacher finement. Passer le bouillon de cuisson et en mettre de côté ¾ de tasse.

Faire fondre 2 cuil. à table de beurre, dans une casserole. Ajouter l'oignon et cuire, à feu doux et en brassant, pendant 3 minutes. Saupoudrer de la farine et bien mêler. Retirer du feu et ajouter la crème et ¾ de tasse de bouillon, d'un trait. Continuer la cuisson à feu moyen, en brassant constamment, jusqu'à ce que la sauce bouille et soit épaisse et lisse. Baisser le feu au plus bas et ajouter le sel, le poivre, l'estragon et le jus de citron, en brassant. Faire mijoter 5 minutes, en brassant souvent. Ajouter les crevettes hachées, le crabe, 1 cuil. à table de persil et 1 cuil. à table de beurre. Bien chauffer.

Servir sur du riz très chaud, garni de persil haché. (3 ou 4 portions)

PAELLA

3 poitrines de poulet, entières
½ tasse d'huile d'olive
2 gousses d'ail, taillées en allumettes
1 gros piment vert, taillé en allumettes
⅓ de tasse d'oignon finement haché
2 cuil. à thé de paprika
½ cuil. à thé de poivre
2 tasses de riz à longs grains, non précuit ou prétraité
1 paquet de 12 onces de pois verts congelés
2 grosses tomates, pelées et hachées grossièrement
4 tasses de bouillon de poulet
¼ de cuil. à thé de safran
1 livre de crevettes crues, décortiquées et parées
16 palourdes (dans leur écale)
Persil haché
Quartiers de citron

Demander au boucher de séparer les poitrines de poulet en moitiés et de couper (chair et os) chaque moitié en 4 morceaux; vous aurez ainsi 24 morceaux.

Utiliser 2 poêles épaisses, de 10 pouces de diamètre (voir note). Dans chacune, chauffer ¼ de tasse d'huile. Dans chacune, ajouter la moitié du poulet et le bien brunir. Ajouter, dans chaque poêle, la moitié de l'ail, du piment vert, de l'oignon, du paprika et du poivre. Bien mêler et continuer la cuisson à feu doux pendant 3 minutes. Retirer du feu.

Ajouter la moitié du riz, des pois et des tomates dans chaque poêle. Chauffer le bouillon de poulet jusqu'à ébullition. Ajouter le safran et brasser jusqu'à ce qu'il soit dissous. Ajouter la moitié du bouillon dans chaque poêle. Cuire pendant 10 minutes, à découvert et à feu modérément haut. Ne pas brasser.

Ajouter les crevettes, en les enfonçant bien dans le liquide. Baisser le feu, couvrir hermétiquement et faire mijoter, de 10 à 15 minutes ou jusqu'à ce que le poulet et le riz soient tendres.

Chauffer le four à 350°F.

Brasser légèrement, à la fourchette, et cuire au four, à découvert, 15 minutes ou jusqu'à ce que presque tout le liquide soit absorbé.

Nettoyer parfaitement les palourdes, avec une brosse. Les cuire à la vapeur, 10 minutes ou jusqu'à ce que les écales s'ouvrent; utiliser, pour ce faire, une marmite à pression ou disposer les palourdes dans une passoire, au-dessus d'eau bouillante, dans une casserole hermétiquement fermée.

Parsemer la paella cuite de persil haché et disposer joliment, sur le dessus du plat, les palourdes cuites et les quartiers de citron. (8 portions)

Note: Si vous avez une poêle à paella, l'utiliser, bien sûr, à la place des deux poêles.

Et si vous ne pouvez vous procurer de crevettes et de palourdes fraîches, utiliser 4 boîtes de 4½ onces de crevettes (égouttées et rincées) et 1 boîte de 5 onces de palourdes (égouttées). Ajouter ces fruits de mer à la préparation 15 minutes avant la fin de la cuisson, en les enfonçant bien dans le mélange.

CREVETTES GRILLÉES

2 livres de grosses crevettes crues
½ tasse d'huile d'olive
½ cuil. à thé de sel
¼ de cuil. à thé de poivre
2 cuil. à table de persil finement haché
1 pincée de feuilles d'estragon séchées
¼ de tasse de beurre
3 cuil. à table de jus de citron
Riz bien chaud

Décortiquer et nettoyer les crevettes. Bien mêler, dans un petit bol, l'huile, le sel, le poivre, le persil et l'estragon. Passer les crevettes dans le mélange pour les en bien enrober. Les mettre dans une plaque en métal peu profonde.
Chauffer le grilloir du four. Griller les crevettes au four, 3 minutes de chaque côté ou jusqu'à ce qu'elles soient cuites à point. Les mettre dans un plat de service chaud.
Chauffer ensemble le beurre et le jus de citron, pendant la cuisson des crevettes. Ajouter le jus de cuisson des crevettes. Bien chauffer et verser sur les crevettes. Servir immédiatement, avec du riz. (De 4 à 6 portions)

ENTRÉE DE PÉTONCLES

· 1 livre de pétoncles
⅔ de tasse de vin blanc sec
⅓ de tasse d'eau
2 brindilles de persil
1 petit oignon, coupé en deux
1 cuil. à table de jus de citron
1 cuil. à table de vinaigre à l'estragon
2 œufs durs
2 cuil. à table de moutarde en pâte
¼ de cuil. à thé de sel
1 pincée de poivre blanc
¼ de cuil. à thé de feuilles d'estragon séchées
½ tasse d'huile d'olive
Le jus de ½ citron
1½ cuil. à thé de câpres hachées
1½ cuil. à thé de persil haché
Laitue

Bien rincer les pétoncles, à l'eau froide courante.
Mettre le vin, l'eau, le persil et l'oignon dans une casserole et chauffer jusqu'à ébullition. Ajouter les pétoncles et faire mijoter 5 minutes. Égoutter et couper en deux tout pétoncle trop gros; laisser refroidir. Arroser de 1 cuil. à table de jus de citron et du vinaigre à l'estragon, couvrir et réfrigérer, en brassant de temps à autre.
Couper les œufs durs en deux, en retirer les jaunes et les passer au tamis fin.
Ajouter la moutarde, le sel, le poivre et l'estragon. Ajouter l'huile et le jus de citron, goutte à goutte, en mêlant bien après chaque addition. Ajouter les blancs d'œufs, hachés très fin, les câpres et le persil.
Habiller de laitue des coupes à sorbet, au moment de servir. Y mettre les pétoncles, les napper de la sauce et servir immédiatement. (4 portions)

ENTRÉE DE FRUITS DE MER ET D'AVOCAT

1 boîte de 6 onces de homard, défait grossièrement
1 boîte de 4½ onces de petites crevettes (dites à cocktail)
1 boîte de 5 onces de chair de crabe, émiettée
1 boîte de 3¾ onces de thon, défait grossièrement
2 cuil. à thé de câpres
2 cuil. à thé de ciboulette hachée
2 cuil. à thé de persil haché
½ tasse de crème sure, du commerce
⅓ de tasse de mayonnaise
¼ de cuil. à thé de moutarde en poudre
2 cuil. à thé de jus de conserve des câpres
¼ de cuil. à thé de sel
1 pincée de poivre
2 gros avocats (ou 4 petits)
Laitue

Mettre, dans un bol, homard, crevettes, crabe, thon, câpres, ciboulette et persil et mêler délicatement, à la fourchette. Mêler la crème sure, la mayonnaise, la moutarde, le jus de câpres, le sel et le poivre et ajouter aux fruits de mer. Brasser délicatement, à la fourchette, couvrir et bien réfrigérer.
Servir sur des pointes d'avocat disposées sur de la laitue. Ou, si vous utilisez les petits avocats, les couper en deux et en farcir une moitié pour chaque convive. (8 portions)

CREVETTES ET OEUFS DURS AU CARI

3 cuil. à table de mayonnaise
¼ de tasse de yogourt nature
2 cuil. à thé de poudre de cari
¼ de tasse de chutney, du commerce, haché si cela est nécessaire
2 cuil. à thé de jus de citron
1 cuil. à table de raisins secs
1 livre de petites crevettes cuites et congelées, décongelées
3 œufs durs, hachés
Laitue Iceberg

Mêler parfaitement la mayonnaise, le yogourt, la poudre de cari, le chutney et le jus de citron. Ajouter tous les autres ingrédients, excepté la laitue, bien mêler et réfrigérer.
Déchiqueter à la main suffisamment de laitue pour en habiller 8 coupes à sorbet ou petits plats à entrée en verre. Garnir les coupes ou les plats de laitue, au moment de servir, et y répartir le mélange aux crevettes. Servir immédiatement. (8 portions)

Légumes, riz et pâtes

En France, où les légumes sont très appréciés, on les sert souvent en plat séparé. Et s'ils sont si appréciés, c'est qu'on les sert, du plus humble jusqu'au plus prestigieux, avec respect et imagination. Prenons-en de la graine pour accorder, nous aussi, à nos beaux légumes, toute l'attention qu'ils méritent. Que seraient nos repas sans les légumes? Ils apportent de la couleur, des goûts et des textures différentes, et une grande richesse en vitamines et sels minéraux.

Voici bien des qualités . . . mais qualités qui se manifestent seulement si la cuisson est juste à point. Elle ne doit surtout pas être trop prolongée.

En plus, les légumes ne sont pas exigeants pour être à leur mieux. Une pincée d'herbes aromatiques, un peu d'oignon, un soupçon de sucre . . . et voilà un goût qui s'affirme et nous ravit.

Le riz et les pâtes ne sont pas non plus très difficiles à préparer pour être délicieux. Et si nourrissants! Comme en témoignent les recettes à la fin du chapitre.

ASPERGES A L'ITALIENNE

8 onces de nouilles fines
1 petite gousse d'ail, épluchée
1 livre d'asperges fraîches
3 cuil. à table d'huile à cuisson
1 boîte de 4½ onces de champignons tranchés, égouttés
½ cuil. à thé de sel
¼ de tasse de fromage romano râpé

Remplir une grande casserole d'eau bouillante salée. Ajouter les nouilles. Piquer le morceau d'ail d'un cure-dents, pour ne pas avoir de difficulté à le retrouver après la cuisson, et l'ajouter. Cuire les nouilles, 5 minutes ou comme il est indiqué sur leur emballage. Égoutter, jeter le morceau d'ail et rincer les nouilles à l'eau froide courante.
Laver les asperges et casser leur extrémité trop dure. Couper les tiges, en diagonale, en morceaux de ½ pouce; laisser les pointes entières, toutefois. Chauffer l'huile dans une grande poêle épaisse. Ajouter les asperges, couvrir et cuire à feu moyen, en secouant souvent la poêle, de 5 à 8 minutes ou juste assez pour que les asperges soient tendres mais encore un peu croquantes. Ajouter les nouilles et les champignons. Cuire à feu moyen, en mêlant délicatement tous les ingrédients, jusqu'à ce que ce soit bien chaud. Saupoudrer du sel et parsemer du fromage. Servir immédiatement. Excellent avec le poulet frit. (4 portions)

AVOCATS FARCIS DE RIZ
(servir comme un légume)

2 cuil. à table de beurre
½ tasse de riz non précuit ou prétraité
¼ de tasse d'oignon finement haché
¼ de tasse de céleri finement haché
1 tasse de bouillon de poulet bouillant (voir note)
½ cuil. à thé de sel
1 œuf battu
1 tasse de cheddar fort, râpé
¼ de cuil. à thé de sauce Worcestershire
½ tasse de persil haché
3 avocats moyens
½ tasse de chapelure fine
2 cuil. à table de beurre fondu

Chauffer le beurre dans une casserole moyenne. Y cuire le riz, en brassant, jusqu'à ce qu'il soit doré. Ajouter l'oignon et le céleri et continuer la cuisson 3 minutes, à feu doux et en brassant. Ajouter le bouillon de poulet et le sel, couvrir et faire mijoter, 20 minutes ou jusqu'à ce que le riz soit tendre. (S'il est encore trop humide, continuer la cuisson quelques minutes, à découvert.) Retirer du feu. Bien mêler, à la fourchette, l'œuf, le fromage et la sauce Worcestershire, ajouter au riz, ainsi que le persil, et bien mêler le tout.
Chauffer le four à 350°F.
Couper les avocats en deux et en retirer les noyaux. Disposer les moitié d'avocats dans un plat à cuire peu profond et mettre ¼ de pouce d'eau bouillante dans ce plat. Remplir les creux des avocats du mélange au riz. Mêler la chapelure et le beurre et couvrir le riz du mélange. Cuire au four, 20 minutes ou jusqu'à ce que la chapelure soit bien dorée et que les avocats soient très chauds. Excellent avec du poulet. (6 portions)
Note: on peut remplacer le bouillon par 1 cube de bouillon de poulet dissous dans 1 tasse d'eau bouillante.

BROCOLI A LA SAUCE MOUTARDE

¼ de tasse de beurre
1 cuil. à table d'oignon haché finement
¼ de tasse de farine
¾ de tasse de lait
¾ de tasse de bouillon de poulet
1½ cuil. à table de jus de citron
1 cuil. à table de moutarde en pâte
1 cuil. à thé de sucre
½ cuil. à thé de sel
3 livres de brocoli

Faire fondre le beurre, dans une casserole moyenne. Y cuire l'oignon 3 minutes, à feu doux et en brassant. Ajouter la farine et bien mêler. Retirer du feu et ajouter le lait et le bouillon de poulet, d'un trait et en mêlant bien. Continuer la cuisson, à feu moyen et en brassant, jusqu'à ce que la sauce bouille et soit épaisse et lisse. Ajouter, en brassant, jus de citron, moutarde, sucre et sel. Garder bien chaud. (Si l'on fait la sauce à l'avance, placer la casserole qui la contient dans de l'eau bouillante.)
Cuire le brocoli, dans une petite quantité d'eau bouillante salée, jusqu'à ce qu'il soit tendre. Le servir immédiatement, nappé de la sauce moutarde. (8 portions)

BÂTONNETS DE CAROTTES AU FOUR

1 livre de carottes
2 cuil. à thé de sucre
1 cuil. à thé de sel
⅛ de cuil. à thé de poivre
2 cuil. à thé de feuillage de fenouil déchiqueté aux ciseaux
¼ de tasse de beurre ou de margarine

Chauffer le four à 400°F. Beurrer un plat à cuire peu profond (environ 10 × 6 × 2 pouces).
Racler ou peler les carottes et les détailler en bâtonnets d'environ 2 pouces de longueur. Les mettre dans le plat à cuire. Saupoudrer du sucre, du sel, du poivre et du fenouil. Parsemer du beurre, en noisettes. Couvrir le plat, en utilisant du papier d'aluminium si le plat n'a pas de couvercle.
Cuire au four, 30 minutes ou jusqu'à ce que les carottes soient tendres. (4 portions)

CAROTTES SAVOUREUSES

1 livre de carottes (environ 6 moyennes)
½ tasse d'eau
1 cube de bouillon de poulet
¼ de tasse de beurre
3 oignons moyens, tranchés
1 cuil. à table de farine
½ cuil. à thé de sel
1 pincée de poivre
1 pincée de sucre
¼ de cuil. à thé de feuilles de thym séchées
¾ de tasse d'eau

Peler les carottes et les couper en minces bâtonnets d'environ 2 pouces de longueur.
Mettre ½ tasse d'eau dans une casserole moyenne, chauffer jusqu'à ébullition et ajouter le cube de bouillon; brasser pour le bien dissoudre. Ajouter les carottes et cuire, à couvert, pendant 10 minutes. Ne pas égoutter.
Chauffer le beurre, pendant ce temps, dans une poêle épaisse. Y cuire l'oignon 5 minutes, à couvert, en secouant souvent la poêle pour empêcher l'oignon d'attacher au fond. Retirer le couvercle et ajouter, en mêlant, la farine, le sel, le poivre, le sucre et le thym. Retirer du feu et ajouter ¾ de tasse d'eau, d'un seul coup et en mêlant bien. Continuer la cuisson, à feu moyen et en brassant constamment, jusqu'à ce que la sauce bouille et soit épaisse et lisse. Ajouter les carottes et leur liquide de cuisson et faire mijoter, à couvert, 5 minutes ou jusqu'à ce que les carottes soient tendres. Servir immédiatement. (De 4 à 6 portions)

NOUILLES ET CÉLERI AU FOUR

3 tasses de céleri en tranches de ¼ de pouce d'épaisseur
½ tasse d'eau bouillante
¼ de cuil. à thé de sel
¼ de tasse de beurre ou de margarine
1 boîte de 5 onces de châtaignes d'eau, tranchées
1 boîte de 10 onces de crème de poulet
¼ de cuil. à thé de sel
1 pincée de poivre
1 boîte de 5 onces de nouilles chinoises

Chauffer le four à 400°F. Beurrer un plat à cuire de 1½ pinte.
Cuire le céleri, dans l'eau bouillante à laquelle on aura ajouté ¼ de cuil. à thé de sel, 10 minutes ou jusqu'à ce qu'il soit tendre mais encore un peu croquant. Retirer du feu et ne pas égoutter. Ajouter le beurre ou la margarine, les châtaignes, la crème de poulet, ¼ de cuil. à thé de sel et le poivre. Mêler délicatement.
Étendre un tiers des nouilles dans le plat à cuire. Ajouter la moitié du mélange au céleri. Couvrir de la moitié de ce qui reste de nouilles, du reste du mélange au céleri et du reste des nouilles. Cuire au four 10 minutes, à couvert. Découvrir et continuer la cuisson, 5 minutes ou jusqu'à ce que la préparation bouillonne. (4 portions)

CHOU-FLEUR EN VINAIGRETTE

1 chou-fleur moyen
2 piments verts
2 tomates
¼ de tasse de vinaigre de vin
¾ de tasse d'huile d'olive
1 cuil. à thé de sel
⅛ de cuil. à thé de poivre
1 cuil. à thé de paprika
2 cuil. à table d'olives farcies hachées
1 cuil. à table de relish sucré, du commerce
2 oignons verts, hachés, ou 1 cuil. à table de ciboulette déchiquetée aux ciseaux
Laitue

Défaire le chou-fleur en petits bouquets. Le cuire 3 minutes, à couvert, dans une petite quantité d'eau bouillante. Ajouter le piment que l'on aura coupé, en longueur, en fines lanières et continuer la cuisson, 5 minutes ou jusqu'à ce que les légumes soient tendres mais encore un peu croquants. Égoutter. Mettre les légumes chauds dans un plat de verre, peu profond, et y ajouter les tomates, que l'on aura pelées et coupées en six.
Mettre, dans un petit bocal fermant hermétiquement, le vinaigre, l'huile, le sel, le poivre, le paprika, les olives, le relish ainsi que les oignons ou la ciboulette; agiter vigoureusement, pour bien mêler le tout. Verser la vinaigrette sur les légumes et laisser refroidir ceux-ci en brassant, délicatement, à deux ou trois reprises. Couvrir alors de papier de cuisine transparent et réfrigérer jusqu'au moment de servir.
Retirer les légumes de la vinaigrette, avec une cuillère perforée, et les disposer sur de la laitue. Servir comme une salade. (4 portions)

CHOU-FLEUR A L'ORIENTALE

1 chou-fleur moyen
2 cuil. à table de beurre
1 oignon moyen, finement haché
½ tasse de céleri haché
1 cube de bouillon de poulet
1 tasse d'eau bouillante
¼ de tasse d'eau froide
1 cuil. à table de fécule de maïs
1 cuil. à table de sauce soya
2 cuil. à table de persil finement haché

Laver le chou-fleur et le défaire en bouquets. Déposer les bouquets dans de l'eau bouillante salée et cuire, 15 minutes ou juste assez pour que le chou-fleur soit tendre.
Chauffer, pendant ce temps, le beurre dans une casserole. Y cuire l'oignon et le céleri, à feu doux et en brassant, pendant 5 minutes. Ajouter le cube de bouillon et l'eau bouillante et chauffer jusqu'à ébullition. Faire un mélange lisse avec l'eau froide, la fécule de maïs et la sauce soya; ajouter à la sauce bouillante, petit à petit et en brassant constamment. Laisser bouillir pendant 1 minute. Ajouter le persil.
Mettre le chou-fleur chaud dans un plat de service et verser dessus la sauce. Servir immédiatement. (4 portions)

HARICOTS VERTS
AUX AMANDES

¼ de tasse de beurre ou de margarine
½ tasse d'amandes mondées, en allumettes
½ cuil. à thé de sel
2 cuil. à thé de jus de citron
2 paquets de 12 onces de haricots verts, en fine
   julienne (à la française), congelés

Chauffer le beurre ou la margarine dans une casserole
ou une poêle épaisse. Y cuire les amandes, à feu doux
et en brassant souvent, jusqu'à ce qu'elles soient dorées.
Retirer du feu. Ajouter le sel et le jus de citron, en
brassant.
Cuire les haricots, selon les indications sur les paquets,
et les égoutter. Verser les amandes sur les haricots et
servir immédiatement. (6 portions)

*Le plus grand tort qu'on puisse faire
aux légumes est de les trop cuire*

PETITS OIGNONS EN CRÈME

2 livres de petits oignons (de 26 à 32 selon leur
   taille)
2 cuil. à table de beurre ou de margarine
2 cuil. à table de farine
½ cuil. à thé de sel
1 pointe de poivre
¼ de cuil. à thé de feuilles de sarriette séchées
1 pointe de paprika
1½ tasse de lait
½ tasse de cacahuètes salées, grossièrement
   hachées
⅓ de tasse de chapelure fine
2 cuil. à table de beurre (ou de margarine),
   fondu

Éplucher les oignons et les cuire à l'eau bouillante
légèrement salée, 10 minutes ou juste assez pour qu'ils
soient tendres. Les égoutter en conservant ½ tasse de leur
liquide de cuisson.
Chauffer le four à 375°F. Beurrer un plat à cuire de
1½ pinte.
Faire fondre 2 cuil. à table de beurre ou de margarine,
dans une casserole. Saupoudrer de la farine, du sel, du
poivre, de la sarriette et du paprika et bien mêler. Retirer
du feu et ajouter, d'un trait, le lait et ½ tasse du liquide
de cuisson des oignons. Bien mêler et continuer la cuisson,
à feu moyen et en brassant, jusqu'à ce que la sauce bouille
et soit épaisse et lisse. Ajouter les cacahuètes.
Mettre les oignons dans le plat à cuire. Verser dessus
la sauce et brasser délicatement, à la fourchette.
Mêler la chapelure et le beurre fondu et parsemer le
plat du mélange. Cuire au four, 20 minutes ou jusqu'à
ce que la sauce bouillonne. (6 portions)

RONDELLES D'OIGNON FRITES

2 oignons, dits espagnols ou des Bermudes,
   moyens
1 tasse de lait
½ cuil. à thé de sel
Friture (au moins 4 pouces d'épaisseur)
1 tasse de farine à tout usage, tamisée
½ cuil. à thé de sel
½ cuil. à thé de paprika
½ cuil. à thé de feuilles de marjolaine séchées
⅔ de tasse d'eau
2 cuil. à table d'huile d'olive
1 blanc d'œuf

Peler les oignons et les couper en tranches de ⅜ de pouce
environ, c'est-à-dire en tranches plutôt épaisses. Séparer
les tranches en rondelles.
Mettre le lait et ½ cuil. à thé de sel dans un plat de
verre. Y mettre les rondelles et les laisser reposer 30
minutes, en les tournant souvent.
Chauffer la friture à 380°F.
Tamiser, dans un bol, la farine, ½ cuil. à thé de sel
et le paprika. Ajouter la marjolaine. Ajouter l'eau et
brasser pour obtenir un mélange lisse. Ajouter l'huile en
battant. Battre le blanc d'œuf en une neige ferme qui
ne soit pas sèche et l'incorporer à la pâte.
Tremper les rondelles dans la pâte, quelques-unes à la
fois, et les secouer un peu pour en faire tomber l'excès
de garniture. Les faire frire, quelques-unes à la fois, 2
minutes ou jusqu'à ce qu'elles soient légèrement brunies.
Égoutter sur du papier absorbant et saler légèrement.
Servir très chaud. (4 portions)

PANAIS EN CASSEROLE

1½ livre de panais
3 cuil. à table de beurre
¼ de tasse d'oignon haché
3 cuil. à table de farine
½ cuil. à thé de sel
1 pincée de poivre
1 cuil. à thé de sucre
¼ de cuil. à thé de feuilles de basilic séchées
1½ tasse de jus de tomate
¼ de tasse de chapelure fine
1 cuil. à table de beurre fondu

Peler les panais et les couper en cubes de ½ pouce (il
devrait y avoir environ 4 tasses de panais). Cuire, à l'eau
bouillante salée, jusqu'à ce que ce soit tendre; égoutter.
Chauffer le four à 400°F. Beurrer un plat à cuire de
1½ pinte.
Faire fondre 3 cuil. à table de beurre, dans une casserole
moyenne. Y cuire l'oignon 3 minutes, à feu doux et en
brassant. Saupoudrer de la farine, du sel, du poivre, du
sucre et du basilic et bien mêler. Retirer du feu et ajouter
le jus de tomate, d'un seul coup et en brassant. Continuer
la cuisson, à feu doux et en brassant, jusqu'à ce que
la sauce bouille et soit épaisse et lisse.
Mettre les panais dans le plat à cuire. Verser dessus la
sauce tomate et brasser délicatement, à la fourchette.

Mêler la chapelure et 1 cuil. à table de beurre fondu et parsemer le plat du mélange. Cuire au four, 15 minutes ou jusqu'à ce que la préparation bouillonne. (6 portions)

PETITS POIS EN CRÈME

2 cuil. à table de beurre
2 cuil. à table d'oignons verts hachés
1 cuil. à table de farine
1 cuil. à thé de sucre
1 pincée de feuilles de thym séchées
1 pincée de muscade
½ cuil. à thé de sel
1 pincée de poivre
¾ de tasse de lait
2 paquets de 12 onces de petits pois congelés

Faire fondre le beurre dans une petite casserole. Y cuire les oignons 5 minutes, à feu doux et en brassant. Saupoudrer de la farine, du sucre, du thym, de la muscade, du sel et du poivre. Bien mêler et retirer du feu. Ajouter le lait, d'un trait, en mêlant bien. Continuer la cuisson, à feu moyen et en brassant constamment, jusqu'à ce que la sauce bouille et soit épaisse et lisse. Régler le feu au plus bas et continuer la cuisson 10 minutes, en brassant de temps à autre.

Cuire les petits pois, dans une petite quantité d'eau bouillante salée, juste assez pour qu'ils soient tendres mais encore un peu croquants. Les égoutter, les ajouter à la sauce bien chaude et servir immédiatement. Si vous devez faire attendre les petits pois, les garder bien chauds dans un bain-marie, au-dessus d'eau bouillante. (8 portions).

GALETTE DE POMMES DE TERRE A LA SUISSE

9 pommes de terre moyenne
1½ cuil. à thé de sel
4 tranches de bacon, en petits carrés
¼ de tasse d'oignon haché
¼ de tasse de piment vert haché (facultatif)
Approximativement 6 cuil. à table d'huile à
    cuisson
Approximativement 4 cuil. à table de beurre

Bien brosser les pommes de terre (ne pas les peler) et les mettre dans une grande casserole. Ajouter suffisamment d'eau bouillante pour les couvrir complètement. Faire bouillir vivement pendant 10 minutes ou jusqu'à ce qu'on puisse enfoncer la pointe d'un couteau 1 pouce dans une pomme de terre avant qu'elle ne touche la partie non encore cuite de la tubercule. Égoutter immédiatement les pommes de terre et les laisser refroidir suffisamment pour pouvoir les manipuler. Les peler et les mettre dans un bol. Couvrir de papier de cuisine transparent et réfrigérer 1 heure.

Râper les pommes de terre juste avant de cuire la galette. Utiliser une râpe fine et faire les petits filaments aussi longs que possible. Ajouter le sel et brasser délicatement à la fourchette.

Faire frire, dans une petite poêle épaisse, les morceaux de bacon jusqu'à ce que leur partie grasse semble translucide. Ajouter l'oignon et le piment vert et continuer la cuisson, en brassant, jusqu'à ce que ces légumes soient ramollis. Retirer du feu.

Mettre 3 cuil. à table d'huile et 2 cuil. à table de beurre dans une poêle de fonte épaisse, de 10 pouces de diamètre. Y mettre la moitié des pommes de terre et les presser fermement avec le dos d'une pelle à tourner les œufs. Couvrir du mélange au bacon en l'étalant jusqu'à 1 pouce du bord, tout autour. Étaler sur le tout, uniformément, le reste des pommes de terre. Souder les pommes de terre ensemble, tout autour de la galette, en pressant bien avec la pelle.

Cuire à feu modérément haut, de 8 à 10 minutes ou jusqu'à ce que le dessous de la galette soit bien bruni. Mettre une grande assiette ou une plaque à biscuits sur le dessus de la poêle. Retourner la poêle et l'assiette ensemble, en les tenant fermement.

Remettre la poêle sur le feu et y mettre, de nouveau, de l'huile et du beurre. (J'ai dû utiliser les mêmes quantités de ces ingrédients, soit 3 cuil. à table d'huile et 2 cuil. à table de beurre, que la première fois.) Bien chauffer. Faire glisser la galette dans la poêle, avec précautions, le côté bruni sur le dessus. La presser fermement et continuer la cuisson, 8 minutes ou jusqu'à ce que la galette soit bien brunie en dessous et croustillante tout autour.

Retourner dans un grand plat de service, chaud, couper en pointes et servir immédiatement. (De 6 à 8 portions)

POMMES DE TERRE AU FROMAGE
(pour le barbecue)

4 tranches de bacon
3 grosses pommes de terre, dites à cuire au four
1 gros oignon, tranché
1 tasse (environ ¼ de livre) d'un fromage
    fondu, en cubes de ½ pouce
¾ de cuil. à thé de sel
¼ de cuil. à thé de poivre
½ cuil. à thé de feuilles de cerfeuil séchées
2 cuil. à table de beurre ou de margarine
1 cuil. à table de graisse de bacon

Faire frire le bacon jusqu'à ce qu'il soit croustillant. L'égoutter sur du papier absorbant et l'émietter. Peler et trancher les pommes de terre. Les mettre sur 2 grands morceaux, superposés, de papier d'aluminium du type le plus épais. Ajouter l'oignon, séparé en rondelles. Ajouter les miettes de bacon, le fromage, le sel, le poivre et le cerfeuil et bien mêler le tout, délicatement. Parsemer du beurre ou de la margarine, en noisettes, et arroser de la graisse de bacon. Envelopper, sans serrer, en scellant bien le paquet par de doubles plis. Cuire, à environ 4 pouces des charbons brûlants, 1 heure ou jusqu'à ce que les pommes soient tendres; tourner le paquet à mi-temps de cuisson. (4 portions)

Note: si on le préfère, cuire au four, à 400°F, pendant à peu près le même temps.

COURGE GLACÉE
(pour le barbecue)

1 courge acorn
¼ de tasse de beurre ou de margarine
¼ de tasse de cassonade, mesurée bien tassée
¼ de cuil. à thé de muscade
½ cuil. à thé de sel
⅛ de cuil. à thé de poivre

Couper la courge, en longueur, en bâtonnets d'environ ½ pouce d'épaisseur. Peler tous ces bâtonnets et les mettre sur deux grands morceaux, superposés, de papier d'aluminium du type le plus épais. Faire fondre le beurre (ou la margarine) et y ajouter tous les autres ingrédients. Verser sur la courge et envelopper le tout, sans serrer, en scellant bien le paquet par de doubles plis. Cuire, à environ 4 pouces de charbons brûlants, 45 minutes ou jusqu'à ce que ce soit tendre; tourner les paquets à mi-temps de cuisson. (2 portions)
Note: si on le préfère, cuire au four, à 400°F, pendant 1 heure.

COURGE AU CARI

2 courges acorn ou butternut, moyennes
Sel et poivre
2 cuil. à table de beurre
½ cuil. à thé de poudre de cari
1½ cuil. à thé de farine
1 tasse de crème simple (15 p.c.)
¼ de cuil. à thé de sel
1 pincée de poivre
Paprika

Chauffer le four à 375°F. Beurrer un plat à cuire de 12 × 7 × 2 pouces.
Trancher les courges, en longueur. Enlever les graines et la pelure. Déposer les morceaux de courge dans de l'eau bouillante légèrement salée et les cuire, de 5 à 10 minutes ou jusqu'à ce qu'elles soient presque tendres. Égoutter et disposer les morceaux de courge dans le plat à cuire, en une couche simple. Saler et poivrer légèrement.
Chauffer le beurre dans une casserole. Ajouter la poudre de cari et cuire, à feu doux et en brassant, pendant 2 minutes. Saupoudrer de la farine et bien mêler. Retirer du feu et ajouter la crème, d'un trait. Ajouter ¼ de cuil. à thé de sel et une pincée de poivre et bien mêler. Continuer la cuisson, à feu moyen et en brassant constamment, jusqu'à ce que la sauce bouille et soit épaisse et lisse. Verser sur les morceaux de courge et saupoudrer le tout de paprika.
Cuire au four, de 10 à 15 minutes ou jusqu'à ce que la sauce bouillonne. (4 portions)

COMPOTE DE TOMATES
AU YOGOURT

4 grosses tomates, pelées
2 cuil. à table de beurre
1 cuil. à thé de graines de moutarde
2 cuil. à table d'oignon vert finement haché
3 cuil. à table de piment vert finement haché
½ cuil. à thé de sel
⅛ de cuil. à thé de poivre
⅓ de tasse de yogourt

Couper les tomates en quartiers et en enlever les graines. Couper la chair en très petits morceaux.
Chauffer le beurre dans une poêle épaisse et de grandeur moyenne. Ajouter les graines de moutarde et chauffer, en brassant, jusqu'à ce que le beurre brunisse légèrement et que les graines commencent à éclater. Ajouter les tomates, l'oignon et le piment vert. Faire mijoter 10 minutes, à découvert. Ajouter le sel et le poivre. Goûter et rectifier l'assaisonnement s'il y a lieu. Ajouter le yogourt, en brassant, et servir immédiatement. (4 portions)

TOMATES GRILLÉES
AU FROMAGE BLEU

4 grosses tomates
1 cuil. à thé de sucre
½ cuil. à thé de feuilles de basilic séchées
¼ de cuil. à thé de sel
1 pincée de poivre
1 tasse de miettes de pain frais
2 cuil. à table de beurre fondu
¼ de tasse de fromage bleu émietté

Enlever une tranche de chaque tomate, du côté du pédoncule. Couper ensuite chacune en deux tranches épaisses et mettre ces dernières sur une grille, dans une plaque.
Mêler le sucre, le basilic, le sel et le poivre et saupoudrer les tomates du mélange. Mettre au four, à 4 pouces environ sous le feu, et faire griller 2 minutes.
Ajouter les miettes de pain au beurre fondu et brasser délicatement, à la fourchette. Ajouter le fromage et brasser de nouveau, délicatement. Répartir cette garniture sur les tranches de tomates. Faire griller, environ 1 minute, pour bien dorer, et servir immédiatement. (4 portions)

ZUCHETTES ET OIGNONS
(pour le barbecue)

3 zuchettes moyennes
2 oignons moyens, tranchés très mince
1 enveloppe de mélange pour sauce à salade à l'italienne
2 cuil. à table de vinaigre de vin
¼ de tasse d'huile à salade
2 cuil. à table de parmesan râpé

Détailler les zuchettes en tranches de ¼ de pouce d'épaisseur. Les mettre sur 2 grandes feuilles, superposées, de papier d'aluminium du type le plus épais. Ajouter les oignons et relever un peu les bords du papier.

Mêler le mélange pour sauce à salade, le vinaigre et l'huile et verser sur les légumes. Parsemer du fromage.

Envelopper, sans serrer, en scellant bien le paquet par de doubles plis. Cuire, à environ 4 pouces des charbons très chauds, 25 minutes ou jusqu'à ce que les légumes soient tendres; tourner le paquet à mi-temps de cuisson. (3 portions)

Note: si on le préfère, cuire au four, à 400°F, pendant environ 40 minutes.

ZUCHETTES FARCIES

6 petites zuchettes
1 tasse de petits cubes de pain frais
½ tasse d'épinards cuits, finement hachés
1 cuil. à table d'oignon finement haché
2 œufs, légèrement battus
2 cuil. à table d'huile à cuisson
½ cuil. à thé de sel
¼ de cuil. à thé de poivre
¼ de cuil. à thé de paprika
¼ de cuil. à thé de feuilles de thym séchées
1 pincée de sel d'ail

Chauffer le four à 350°F. Beurrer un plat à cuire peu profond; un plat de 12 × 7½ × 2 pouces fait l'affaire.
Laver les zuchettes et en couper les bouts. Les immerger dans de l'eau bouillante salée et faire bouillir 5 minutes. Les égoutter et les laisser refroidir assez pour pouvoir les manipuler. Couper les zuchettes en deux, horizontalement, et les creuser au centre, tout au long, en leur laissant des parois de ¼ de pouce d'épaisseur, assez solides pour contenir une garniture. Hacher finement la pulpe de zuchette enlevée et y ajouter tous les autres ingrédients. Remettre le tout dans les zuchettes creusées. Mettre dans le plat beurré et cuire au four, 30 minutes ou jusqu'à ce que les zuchettes soient tendres. (6 portions)

NAVET EN CASSEROLE

2 cuil. à table de beurre
1½ tasse de piment vert (1 gros piment), haché
1½ cuil. à table d'oignon finement haché
1 cuil. à table de farine
1 cuil. à thé de sel
¼ de cuil. à thé de poivre
½ tasse de sauce au chili
¼ de tasse d'eau
4 tasses de navet, en cubes de ¾ de pouce, cuit
½ tasse de gruyère râpé

Chauffer le four à 350°F. Beurrer un plat à cuire de 1½ pinte.
Chauffer 2 cuil. à table de beurre, dans une casserole moyenne. Ajouter le piment vert et l'oignon et cuire, à feu doux et en brassant, jusqu'à ce que l'oignon soit un tout petit peu bruni. Saupoudrer de la farine, du sel et du poivre et bien mêler. Retirer du feu et ajouter la sauce au chili et l'eau, en mêlant bien. Continuer la cuisson, à feu moyen et en brassant, jusqu'à ce que la sauce soit épaisse. Ajouter le navet et verser le tout dans le plat à cuire. Parsemer du gruyère.
Cuire au four, 20 minutes ou jusqu'à ce que le fromage soit fondu et la préparation très chaude. (6 portions)

LÉGUMES TROIS COULEURS

1 gros piment rouge doux
1 cuil. à table d'huile d'olive
2 tasses de chou-fleur en petits bouquets
1 paquet de 10 onces de petits pois congelés
½ tasse d'eau
½ cuil. à thé de sel
¼ de cuil. à thé de poivre
¼ de cuil. à thé de graines de cumin moulues

Détailler le piment en carrés de 1 pouce de côté.
Chauffer l'huile dans une grande poêle épaisse. Y mettre le piment, le chou-fleur, les pois (non dégelés), l'eau, le sel, le poivre et le cumin. Couvrir hermétiquement et cuire, à feu vif et en secouant souvent la poêle, 8 minutes ou juste assez pour que le chou-fleur soit tendre mais encore un peu croquant. Servir immédiatement. (De 4 à 6 portions)

LÉGUMES FRITS A LA CHINOISE

4 grosses branches de céleri
2 oignons moyens
La moitié d'un gros piment vert
2 cuil. à table d'eau
1 cuil. à thé de fécule de maïs
2 cuil. à table d'huile d'arachide
½ cuil. à thé de sel
2 cuil. à thé de sauce soya
¼ de tasse d'eau

Couper le céleri, en diagonale, en tranches de ¼ de pouce. Couper les oignons en deux, en longueur, et mettre les morceaux à plat, c'est-à-dire le côté coupé en dessous, sur une planche. Trancher en lamelles, en longueur. Couper le piment, en longueur également, en fines languettes. Mêler 2 cuil. à table d'eau et la fécule de maïs en une sauce lisse.
Chauffer l'huile dans une grande poêle épaisse ou un wok. Ajouter le sel à l'huile très chaude. Ajouter le céleri et cuire 30 secondes, à feu fort et en brassant constamment. Ajouter l'oignon et cuire 30 secondes, en brassant. Ajouter finalement le piment et cuire encore 30 secondes, en brassant. Ajouter la sauce soya et ¼ de tasse d'eau. Couvrir, régler le feu au degré moyen et cuire 2 minutes. Repousser les légumes d'un seul côté du récipient et ajouter, au liquide de cuisson bouillant, suffisamment de la fécule de maïs délayée pour obtenir une sauce épaisse qui adhère aux légumes. Bien brasser le tout et servir immédiatement. (2 ou 3 portions)

LÉGUMES ET FÈVES SOYA EN CASSEROLE

1 tasse de fèves soya sèches
4 tasses d'eau froide
1 cuil. à thé de sel
1 boîte de 12 onces de maïs en grains entiers
1 boîte de 19 onces de tomates
2 cuil. à table de farine
1 cuil. à thé de sucre
1 cuil. à thé de sel d'ail
¼ de cuil. à thé de feuilles de basilic séchées
⅛ de cuil. à thé de poivre
1 tasse de pain, en cubes de ¼ de pouce
2 cuil. à table de beurre fondu
½ tasse de cheddar fort, râpé

Laver les fèves après les avoir bien examinées et avoir enlevé celles qui ne sont pas parfaites. Les couvrir d'eau froide et les laisser tremper jusqu'au lendemain.

Mettre les fèves, leur eau de trempage et le sel dans une grande casserole. Chauffer jusqu'à ébullition, baisser le feu, couvrir et faire mijoter, de 2 à 3 heures ou jusqu'à ce que les fèves soient tendres. (Ajouter de l'eau pendant la cuisson si cela est nécessaire.) Égoutter.

Chauffer le four à 375°F. Beurrer un plat à cuire de 1½ pinte.

Mêler les fèves et le maïs et mettre le tout dans le plat à cuire. Mettre, dans un petit plat, 2 cuil. à table du jus de conserve des tomates. Mettre le reste de la boîte de tomates dans une casserole moyenne. Défaire les gros morceaux avec une fourchette et chauffer jusqu'à ébullition.

Ajouter, aux 2 cuil. à table de jus de tomates dans le petit plat, la farine, le sucre, le sel d'ail, le basilic et le poivre et brasser jusqu'à ce que le mélange soit lisse. Ajouter aux tomates bouillantes, petit à petit et en brassant. Chauffer de nouveau jusqu'à ébullition, en brassant constamment. Verser sur les fèves et le maïs dans la casserole et brasser délicatement.

Ajouter les cubes de pain au beurre fondu et brasser légèrement à la fourchette, pour beurrer tous les cubes. Ajouter le fromage et brasser à la fourchette. Étendre sur le dessus du plat.

Cuire au four, 30 minutes ou jusqu'à ce que les cubes de pain soient brunis et que la sauce bouillonne. (De 4 à 6 portions)

RIZ SAVOUREUX

1 tasse de riz à longs grains, non prétraité
1 tasse de champignons tranchés finement
¼ de tasse d'eau
1 cuil. à thé de jus de citron
1 cuil. à table de beurre
2 tasses d'eau bouillante
1½ once (1 enveloppe) d'un mélange sec pour soupe à l'oignon

Chauffer le four à 400°F. Étendre le riz dans un grand plat à cuire peu profond et le mettre au four. Chauffer, en brassant une ou deux fois, 5 minutes ou jusqu'à ce que le riz soit d'un beau doré. Retirer du four et réduire la température de ce dernier à 350°F.

Mettre les champignons, ¼ de tasse d'eau et le jus de citron dans une petite casserole et chauffer jusqu'à petite ébullition. Laisser alors mijoter 3 minutes, à couvert, en secouant la casserole souvent. Égoutter.

Bien mêler à la fourchette, dans un plat à cuire de 1½ pinte, le riz, les champignons, le beurre, l'eau bouillante et le mélange pour soupe à l'oignon. Couvrir hermétiquement et cuire au four 30 minutes. Brasser délicatement, à la fourchette, et continuer la cuisson, à découvert, 15 minutes ou jusqu'à ce que le riz ait absorbé tout le liquide mais soit encore moelleux. Délicieux avec les fricadelles grillées, le bifteck ou le poisson. (4 portions)

RIZ AUX FINES HERBES

¼ de tasse de beurre
½ tasse d'oignon haché
1½ tasse de riz à longs grains, non prétraité
1¼ tasse de bouillon de poulet
2½ tasses d'eau
⅛ de cuil. à thé de feuilles de thym séchées
⅛ de cuil. à thé de feuilles de marjolaine séchées
2 cuil. à thé de sel
⅛ de cuil. à thé de poivre
½ tasse d'amandes rôties, en allumettes

Chauffer le beurre dans une grande casserole. Y cuire l'oignon 3 minutes, à feu doux et en brassant. Ajouter le riz et continuer la cuisson, en brassant, jusqu'à ce qu'il soit bien doré.

Chauffer ensemble, jusqu'à ébullition, le bouillon de poulet et l'eau. Ajouter au riz ainsi que le thym, la marjolaine, le sel et le poivre. Chauffer jusqu'à ébullition, baisser le feu au plus bas, couvrir hermétiquement et faire mijoter, 20 minutes ou jusqu'à ce que le riz soit tendre et ait absorbé tout le liquide. Ajouter les amandes et brasser délicatement, à la fourchette. (8 portions)

RIZ AUX LÉGUMES

2 cuil. à table d'huile d'olive
4 tranches de bacon, hachées
⅓ de tasse d'oignon haché
4 tomates, pelées et hachées
1½ tasse de riz à longs grains, non prétraité
2½ tasses de bouillon de bœuf ou 1 boîte de consommé de bœuf et 1 boîte d'eau
1 cuil. à thé de sel
⅛ de cuil. à thé de poivre
1 tasse de chou-fleur haché finement
1 tasse de haricots verts frais, en morceaux
1 tasse de petits pois congelés

Chauffer le four à 350°F. Chauffer l'huile et le bacon dans une grande casserole épaisse ou une rôtissoire que vous pourrez ensuite mettre au four. Ajouter l'oignon et le cuire, à feu doux, 5 minutes ou jusqu'à ce qu'il soit doré. Ajouter, en brassant, les tomates et le riz.

Ajouter le bouillon, le sel et le poivre. Chauffer jusqu'à ébullition. Ajouter le chou-fleur et les haricots. Couvrir hermétiquement et faire mijoter 15 minutes. Brasser délicatement, à la fourchette, ajouter les pois, couvrir et faire mijoter 5 minutes.

Cuire alors au four, à découvert, 10 minutes ou jusqu'à ce que le riz ait absorbé tout le liquide mais soit encore moelleux. Brasser, à la fourchette, et servir immédiatement. (De 6 à 8 portions)

RIZ AU PIMENT VERT

¼ de tasse d'huile à cuisson
1 tasse de riz à longs grains, non prétraité
2 gros piments verts, épépinés et coupés en carrés de 1 pouce
1 oignon moyen, haché
1 boîte de 19 onces de jus de tomate
½ tasse de catsup
1 cuil. à thé de sel
¼ de cuil. à thé de poivre

Chauffer le four à 350°F. Graisser un plat à cuire de 1½ pinte.

Chauffer l'huile dans une casserole moyenne. Y bien dorer le riz, à feu moyen et en brassant. Ajouter le piment et l'oignon et cuire 1 minute, à feu doux. Ajouter tous les autres ingrédients, brasser et chauffer jusqu'à ébullition. Verser dans le plat à cuire, couvrir et cuire au four, 45 minutes ou jusqu'à ce que le riz soit tendre et ait absorbé tout le liquide. Excellent avec du poulet, du poisson ou du veau. (6 portions)

BOULETTES DE RIZ ET DE FROMAGE

1½ tasse de riz à longs grains, non prétraité
⅛ de cuil. à thé de muscade
¼ de cuil. à thé de poivre noir
3 cuil. à table de parmesan râpé
2 œufs
¼ de livre de mozzarella, en cubes de ¼ de pouce
1 cuil. à table de parmesan râpé
1 pincée de sel
1 cuil. à table de persil finement haché
Friture (au moins 4 pouces d'épaisseur)
Approximativement ⅓ de tasse de farine à tout usage
Approximativement ½ tasse de chapelure fine

Cuire le riz selon les indications sur le paquet. Ajouter la muscade, ¼ de cuil. à thé de poivre et 3 cuil. à table de parmesan râpé et mêler délicatement, à la fourchette. Couvrir de papier de cuisine transparent et bien réfrigérer.

Battre les œufs, à la fourchette, dans un plat peu profond (une assiette à tarte par exemple).

Mêler les cubes de mozzarella, 1 cuil. à table de parmesan,

1 pincée de sel, 1 cuil. à table d'œuf battu (le reste des œufs sera utilisé plus tard) et le persil, peu avant le moment de faire les boulettes. Chauffer la friture à 400°F.

Se passer les mains à l'eau froide, en secouer l'excès et mettre une bonne cuillerée à table de riz froid dans le creux d'une main. Mettre une bonne cuillerée à thé du mélange au mozzarella au creux de ce riz et recouvrir d'une autre bonne cuillerée à table de riz. Façonner en une boule d'environ 2 pouces de diamètre. Répéter pour utiliser tout le riz et tout le fromage. Déposer les boulettes sur du papier ciré et se passer les mains à l'eau froide avant la confection de chacune.

Mettre la farine dans un plat peu profond et la chapelure dans un autre. Passer les boulettes d'abord dans la farine, pour les en enrober légèrement, ensuite dans les œufs battus et, finalement, dans la chapelure.

Faire frire les boulettes, quelques-unes à la fois, 5 minutes ou jusqu'à ce qu'elles soient dorées. Les garder chaudes, en les mettant au four chauffé au degré le plus bas, jusqu'à ce qu'elles soient toutes prêtes. Avec une salade, ces boulettes font un bon repas léger; on peut aussi les servir avec un plat de viande. (6 portions ou 12 boulettes environ)

SPAGHETTI AVEC SAUCE A L'AUBERGINE

½ tasse d'huile d'olive
½ tasse d'oignon haché finement
2 gousses d'ail, broyées
3 tasses d'aubergine (1 aubergine moyenne), en cubes de ½ pouce
1 tasse de piment vert (1 petit piment) taillé en allumettes
3 tasses de tomates (4 grosses), pelées et hachées
½ cuil. à thé de feuilles de basilic séchées
½ cuil. à thé de sel
¼ de cuil. à thé de poivre
½ tasse d'olives noires, taillées en allumettes
6 anchois, hachés très fin
1 cuil. à table de câpres hachées
1 livre de spaghetti, cuit et égoutté
2 cuil. à table de beurre fondu
¼ de tasse de parmesan râpé
2 cuil. à table de persil haché
Fromage parmesan râpé

Faire chauffer l'huile dans une casserole. Ajouter l'oignon et l'ail et cuire doucement, en brassant, 10 minutes. Ajouter l'aubergine et le piment vert et continuer la cuisson 5 minutes, en brassant.

Ajouter les tomates et le basilic, le sel et le poivre. Couvrir et laisser mijoter pendant 30 minutes, en brassant de temps à autre. Ajouter les olives, les anchois et les câpres et continuer la cuisson à feu doux pendant 5 minutes. Goûter et rectifier l'assaisonnement, s'il y a lieu.

Ajouter, au spaghetti chaud, le beurre, ¼ de tasse de parmesan et le persil; mettre dans un plat creux. Verser la sauce à l'aubergine sur le spaghetti et parsemer de parmesan. (De 4 à 6 portions)

MACARONI AUX LÉGUMES

8 onces de macaroni en coudes (2 tasses)
2 cuil. à table de beurre
1 piment vert moyen, grossièrement haché
1 tasse de céleri tranché mince
2 cuil. à table d'oignon finement haché
½ livre de wieners, tranchées mince
2 petites zuchettes, coupées grossièrement
1 boîte de 12 onces de grains de maïs entiers
2 tomates, en pointes
1 cuil. à thé de sel
¼ de cuil. à thé de poivre
2 tasses d'un fromage fondu, râpé

Cuire le macaroni, dans une abondante quantité d'eau bouillante, 7 minutes ou jusqu'à ce qu'il soit tendre. L'égoutter et le garder bien chaud.

Faire fondre le beurre dans une grande poêle épaisse. Ajouter le piment, le céleri, l'oignon et les wieners et cuire à feu doux jusqu'à ce que les légumes soient tendres tout en étant encore un peu croquants et les morceaux de wieners légèrement brunis. Ajouter les zuchettes, le maïs et les tomates. Saupoudrer du sel et du poivre. Cuire à feu moyen, en brassant de temps à autre, jusqu'à ce que les zuchettes soient juste tendres et que le tout soit très chaud. Parsemer du fromage et brasser, sur feu doux, jusqu'à ce que le fromage soit fondu.

Mettre le macaroni dans un plat de service chaud et déposer dessus le mélange aux légumes. Servir immédiatement. (De 4 à 6 portions)

NOUILLES EN SAUCE
AUX FINES HERBES

2 cuil. à table d'huile d'olive
1 tasse d'oignon haché
2 gousses d'ail, émincées
5 tasses de tomates pelées et grossièrement hachées
½ tasse de vin rouge sec
¼ de tasse de persil haché
1 cuil. à thé de sel
¼ de cuil. à thé de poivre
1 cuil. à thé de paprika
1 cuil. à thé de sucre
1 cuil. à thé de feuilles d'origan séchées
½ cuil. à thé de feuilles de basilic séchées
3 gouttes de sauce Tabasco
¼ de tasse de beurre
1 tasse de cubes de pain frais
1 cuil. à thé de feuilles de basilic séchées
1 cuil. à thé de feuilles de cerfeuil séchées
1 cuil. à table de persil haché
1 tasse de crème simple (15 p.c.)
1 tasse d'olives noires, en allumettes
1 paquet de 16 onces de nouilles moyennes

Chauffer l'huile dans une grande poêle épaisse. Y cuire l'oignon et l'ail 3 minutes, à feu doux. Ajouter les tomates, le vin, ¼ de tasse de persil, le sel, le poivre, le paprika, le sucre, l'origan, ½ cuil. à thé de basilic et la sauce Tabasco. Chauffer jusqu'à ébullition, baisser le feu et laisser mijoter 40 minutes, à découvert.

Faire fondre le beurre, dans une casserole, quand la sauce est presque prête. Y cuire les cubes de pain, en brassant, jusqu'à ce qu'ils soient dorés. Ajouter 1 cuil. à thé de basilic, le cerfeuil, 1 cuil. à table de persil et la crème. Chauffer jusqu'au point d'ébullition. Ajouter les olives et garder chaud, sur le feu réglé au plus bas.

Cuire les nouilles dans une abondante quantité d'eau bouillante salée pour qu'elles soient juste tendres. Les égoutter. Ajouter le mélange à la crème aux nouilles et mêler délicatement. Disposer les nouilles en amas au centre d'un grand plat de service creux. Verser la sauce tomate autour et servir immédiatement. (6 portions)

NOUILLES A L'AIL

¼ de tasse de beurre ramolli (ou de margarine)
8 onces de fromage à la crème (à la température de la pièce)
¼ de tasse de persil haché
1 cuil. à thé de feuilles de basilic séchées
¼ de cuil. à thé de sel
½ cuil. à thé de poivre
8 onces de nouilles fines
1 gousse d'ail, broyée
½ tasse de beurre ou de margarine
½ tasse de parmesan râpé
⅔ de tasse d'eau bouillante
½ tasse de parmesan râpé

Mêler parfaitement, en battant au batteur rotatif, ¼ de tasse de beurre et le fromage à la crème. Ajouter le persil, le basilic, le sel et le poivre, en brassant. Mettre de côté.

Faire cuire les nouilles, dans une abondante quantité d'eau bouillante salée, 5 minutes ou pour qu'elles soient juste tendres. Les égoutter et les remettre dans leur casserole.

Faire cuire à feu doux, pendant la cuisson des nouilles, l'ail et ½ tasse de beurre, environ 2 minutes. Ajouter les nouilles et continuer la cuisson à feu doux, en brassant avec deux fourchettes, jusqu'à ce que les nouilles soient très chaudes. Retirer du feu. Ajouter ½ tasse de parmesan et mêler délicatement. Mettre dans un plat de service chaud et garder bien chaud.

Ajouter l'eau bouillante au mélange au fromage à la crème et mêler parfaitement. Verser sur les nouilles bien chaudes. Parsemer de ½ tasse de parmesan râpé et servir immédiatement. (6 portions)

Galette de pommes de terre à la suisse: *recette à la page 99*

Avocats farcis de crevettes: *recette à la page 114*

Dans le grand plat à gauche, légumes frits à la
chinoise et tomates grillées au fromage bleu.
À droite, bâtonnets de carottes au four et rondelles
d'oignon frites. En haut, chou-fleur en vinaigrette.
Recettes aux pages 96, 97, 98, 100 et 101

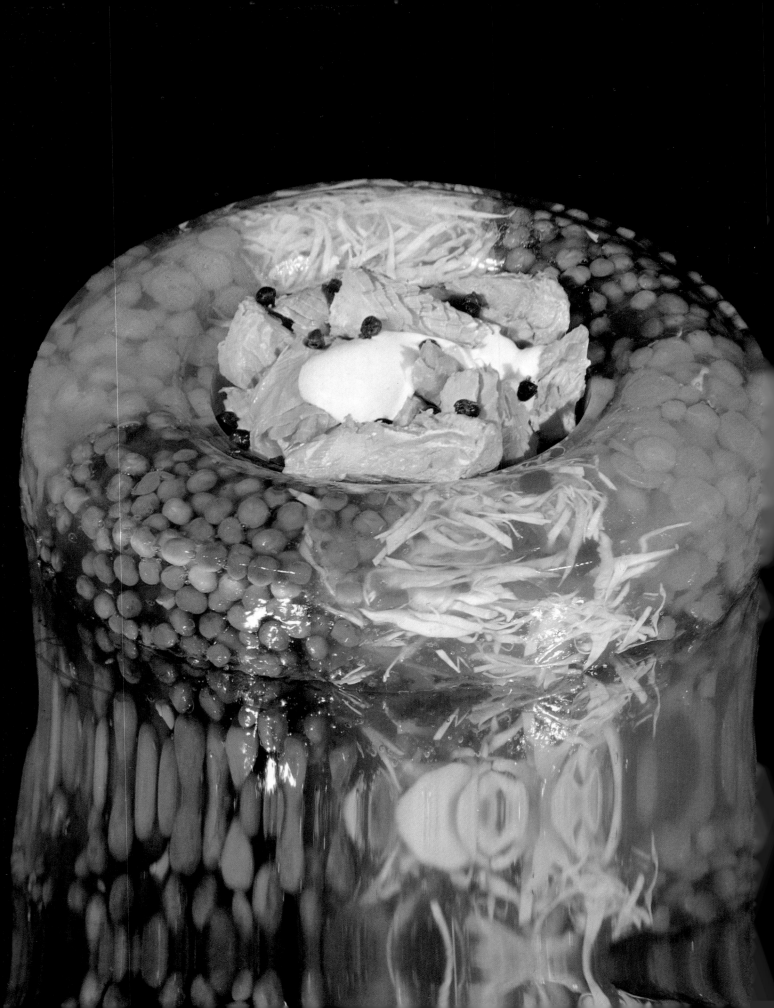

Salades

Pour beaucoup de gens, "manger ce qui est bon pour la santé" est synonyme d'aliments ennuyeux ou insipides. Mais ce n'est pas obligatoire, au contraire. Les salades, par exemple, sont bonnes pour la santé et sont un plaisir pour le palais. Et pour les yeux. Fraîches et colorées.

Les salades, c'est une multiplication à l'infini tant il y a de possibilités. On les sert en entrée ou en dessert, ou encore en plat principal. Elles sont faites de verdure crue, ou de légumes crus ou cuits, ou de fruits, et, pour un plat plus consistant, on les additionne d'aliments protéinés comme la viande, le poisson, le fromage, les légumineuses, les noix, les œufs, la volaille . . .

Il ne faut pas se limiter à un peu de laitue arrosée de vinaigrette commerciale . . . il y a tant d'autres options! . . . à l'année longue.

Saumon jardinière: recette à la page 116

SALADE HOLLANDAISE

4 tasses de pommes de terre cuites, en dés
2 paquets de 10 onces de pois verts congelés,
   cuits
1 livre de wieners
1 cuil. à table de beurre
1 petit oignon, haché
2 cuil. à table de cassonade
2 cuil. à table de vinaigre de cidre
2 cuil. à table d'eau
1 cuil. à thé de sel
¼ de cuil. à thé de poivre
2 cuil. à table de persil haché
Laitue

Mêler les pommes de terre et les pois, dans un bol (ces légumes doivent être encore tièdes).
Couper les wieners en tranches de ¼ de pouce d'épaisseur.
Chauffer le beurre, dans une poêle épaisse, et y cuire les wieners et l'oignon, à feu doux et en brassant, 3 minutes ou jusqu'à ce que les wieners soient bien chaudes. Ajouter la cassonade, le vinaigre, l'eau, le sel, le poivre et le persil. Chauffer jusqu'à ébullition. Verser sur le premier mélange et mêler délicatement.
Tapisser de feuilles de laitue un bol à salade et y déposer la préparation. Servir la salade encore tiède. (6 portions)

SALADE DE POMMES DE TERRE EN CRÈME

3 livres de pommes de terre
2 cuil. à table de vinaigre
½ tasse de céleri, finement tranché
½ tasse de cornichons sucrés au vinaigre,
   hachés
½ tasse d'oignons verts, finement tranchés
¼ de tasse de radis finement tranchés
2 cuil. à table de persil haché
1½ cuil. à thé de sel
⅛ de cuil. à thé de poivre
2 jaunes d'œufs
2 cuil. à table de farine
1 cuil. à thé de sucre
1 cuil. à thé de moutarde en poudre
1 cuil. à thé de sel
1 gousse d'ail, broyée
6 cuil. à table de vinaigre
1 cuil. à table de beurre fondu
¾ de tasse de crème double (35 p.c.)

Peler les pommes de terre et les faire cuire pour qu'elles soient juste tendres. Les égoutter. Les couper en petits cubes, sitôt qu'elles sont assez refroidies pour être manipulées. Ajouter 2 cuil. à table de vinaigre, aux pommes de terre chaudes, et mêler délicatement. Laisser tiédir. Ajouter alors le céleri, les cornichons, les oignons, les radis, le persil, 1½ cuil. à thé de sel et le poivre. Brasser délicatement. Couvrir et réfrigérer jusqu'à peu avant le moment de servir.

Mêler, dans la casserole supérieure d'un bain-marie, les jaunes d'œufs, la farine, le sucre, la moutarde et 1 cuil. à thé de sel. Battre, avec une cuillère de bois, pour bien mêler le tout. Ajouter l'ail, 6 cuil. à table de vinaigre et le beurre; battre au batteur rotatif. Disposer au-dessus d'eau frissonnante et cuire, en brassant constamment, jusqu'à ce que le mélange épaississe. Retirer du feu et ajouter la crème, non fouettée. Laisser refroidir.
Ajouter cette sauce aux pommes de terre, environ 30 minutes avant le moment de servir. Brasser délicatement, couvrir et garder au réfrigérateur jusqu'au moment de servir. (6 portions)

SALADE PAYSANNE SUISSE

2 tasses de cubes de ¼ de pouce de fromage
   emmental
3 tasses de pommes de terre nouvelles bouillies,
   en tranches
1½ tasse de haricots verts cuits, en bouts de
   1 pouce
½ tasse d'oignon espagnol, haché
2 cuil. à table de vinaigre
1 cuil. à table de moutarde en pâte
3 cuil. à table d'huile à salade
2 cuil. à table de mayonnaise
½ cuil. à thé de sel
Un soupçon de poivre
Laitue

Mettre, dans un grand bol, le fromage, les pommes de terre, les haricots et l'oignon et mêler délicatement. Mêler tous les autres ingrédients, excepté la laitue, et verser sur la salade. Mêler délicatement et réfrigérer plusieurs heures ou jusqu'au moment du repas. Servir sur de la laitue, avec du pain croûté ou du gros pain de seigle dit «pumpernickel», comme plat de résistance. (4 portions)

SALADE AU BROCOLI CRU

1½ livre de brocoli
1 cuil. à thé de sel
¼ de cuil. à thé de poivre
⅓ de tasse d'huile à salade
2 cuil. à table de jus de citron
4 tomates moyennes
⅓ de tasse de crème sure, du commerce
1 cuil. à thé de moutarde en pâte
Feuilles de laitue, creuses

Laver le brocoli et le bien assécher. Couper les fleurs à l'endroit où leur tige jaillit de la branche centrale. (Réfrigérer la branche centrale, l'ajouter à une soupe ou la faire cuire pour la servir comme légume.) Hacher les fleurs, très finement (il devrait y avoir environ 3½ tasses de borcoli haché). Mettre dans un grand bol et saupoudrer du sel et du poivre. Mêler l'huile et le jus de citron et verser sur le brocoli. Couvrir et réfrigérer,

au moins 30 minutes, en brassant à quelques reprises.
Peler les tomates et les couper en petits morceaux, en
les épépinant autant que possible. Les ajouter au brocoli.
Mêler la crème sure et la moutarde et verser sur la salade.
Bien mêler. Disposer dans des feuilles de laitue, en
choisissant celles-ci un peu creuses, comme des coupes,
et servir immédiatement (4 portions)

SALADE DE TOMATES

½ cuil. à thé de sel
1 grosse gousse d'ail, épluchée et coupée en
    deux
¼ de tasse de vinaigre de vin
⅛ de cuil. à thé de poivre
⅓ de tasse d'huile d'olive
8 gros oignons verts, la partie blanche
    seulement
6 tomates moyennes

Mettre le sel dans un petit bol. Ajouter l'ail et l'écraser,
à la fourchette, pour presque le réduire en pâte. Ajouter
le vinaigre et brasser, à la fourchette, jusqu'à ce que le
sel soit dissous. Enlever les morceaux d'ail qui restent,
en passant le mélange au besoin. Ajouter le poivre. Ajouter
aussi l'huile d'olive, petit à petit et en battant à la
fourchette jusqu'à ce que le mélange soit homogène.
Couper les oignons en lamelles. Les ajouter à la vinaigrette.
Peler les tomates et couper chacune en 6 pointes. Les
mettre dans un bol refroidi, verser dessus la vinaigrette
et brasser délicatement. Couvrir et réfrigérer quelques
minutes avant de servir. (De 4 à 6 portions)

SALADE DES JOURS DE FÊTE

2 cartons de 5 onces de yogourt nature
½ tasse de mayonnaise, du commerce
2 oignons verts, en petites lamelles
¼ de tasse de persil finement haché
⅓ de tasse de fromage bleu écrasé
⅓ de tasse d'olives noires, taillées en allumettes
¼ de cuil. à thé de sel
Quelques gouttes de sauce Tabasco
De 8 à 10 tasses d'un mélange de laitues,
    déchiquetées
2 tasses de poulet cuit, en fines languettes
2 œufs durs, tranchés
¼ de tasse de pimento, de conserve, en
    allumettes

Bien mêler le yogourt, la mayonnaise, les oignons, le
persil, le fromage bleu, les olives, le sel et la sauce Tabasco.
Mettre les laitues dans un grand bol et les arroser de
la sauce au yogourt. Mêler délicatement. Disposer la
salade dans des bols individuels (de 6 à 8). Disposer le
poulet, les tranches d'œufs durs et le pimento sur le dessus
des bols. Servir immédiatement. (De 6 à 8 portions)

SALADE DE CHOU
A LA TARTARE

8 tasses de chou (1 petit chou) grossièrement
    râpé ou finement déchiqueté
1 tasse de radis en lamelles
1 tasse de mayonnaise, du commerce
2 cuil. à thé de moutarde en pâte
2 cuil. à thé d'oignon râpé
¼ de tasse de cornichons marinés au fenouil,
    finement hachés
2 cuil. à table de persil finement haché
4 cuil. à thé de pimento, de conserve, finement
    haché
⅛ de cuil. à thé de feuilles d'estragon séchées

Mêler le chou et les tranches de radis, dans un grand
bol.
Mêler tous les autres ingrédients et verser sur le chou
en mêlant délicatement. Réfrigérer jusqu'au moment de
servir. (De 6 à 8 portions)

SALADE SANTÉ

1 paquet de 10 onces d'épinards, déchiquetés
    (environ 10 tasses de feuilles déchiquetées,
    mesurées non tassées)
1 petite pomme de laitue Boston, déchiquetée
    (environ 6 tasses de feuilles déchiquetées,
    mesurées non tassées)
1 grosse botte de cresson, les tiges enlevées
    (environ 2 tasses)
½ tasse de minuscules brindilles de persil
2 grosses branches de céleri coupées, en
    diagonale, en tranches très fines (environ
    2 tasses)
1 gousse d'ail, broyée
½ cuil. à thé de sel
½ cuil. à thé de zeste de citron râpé
½ cuil. à thé de graines de céleri
¼ de cuil. à thé de paprika
¼ de cuil. à thé de poivre
2 cuil. à table de vinaigre à l'estragon
½ tasse d'huile d'olive
1 cuil. à table de crème double (35 p.c.)
6 tranches de bacon cuites très croustillantes,
    bien égouttées et émiettées

Laver toutes les verdures et les bien assécher, en les
secouant dans une serviette de cuisine. Les mettre dans
un grand bol, avec le céleri. Couvrir le bol et réfrigérer
jusqu'à ce que toutes les verdures soient bien croustillantes.
Mettre tous les autres ingrédients, excepté le bacon, dans
un petit bocal fermant hermétiquement. Agiter vigoureusement. Verser la garniture sur la salade et brasser
cette dernière, délicatement. Parsemer des miettes de
bacon et servir immédiatement. (De 8 à 10 portions)

SALADE AU PEPERONI

6 tasses de diverses verdures, déchiquetées
   (voir note)
1 concombre (non pelé, si possible), en
   bâtonnets de 2 pouces
¼ de livre de mozzarella, en cubes de ¼ de
   pouce
1 petite zuchette, en lamelles
1 tasse de petits haricots de Lima congelés, cuits
1 tasse de peperoni, en lamelles
¼ de tasse d'oignons verts finement tranchés
Sel
Poivre frais moulu
¼ de tasse d'huile d'olive
3 cuil. à table de vinaigre de vin à l'estragon
2 cuil. à table de persil haché
1 petite gousse d'ail, broyée
⅛ de cuil. à thé de moutarde en poudre
⅛ de cuil. à thé de feuilles de basilic séchées
1 pincée de feuilles d'estragon séchées
½ cuil. à thé de sel
⅛ de cuil. à thé de poivre
¼ de cuil. à thé de paprika
12 tomates cerises, en moitiés

Mêler, dans un grand bol, verdures, concombre, fromage, zuchette, haricots de Lima, peperoni et oignons. Saler et poivrer un peu; brasser délicatement.
Mettre, dans un petit bocal fermant hermétiquement, tous les autres ingrédients excepté les petites tomates. Agiter vigoureusement, pour bien mêler le tout. Ne verser sur la salade que juste assez de ce mélange pour en bien enrober tous les ingrédients. Brasser délicatement. Ajouter les tomates, brasser de nouveau, avec précaution, et servir immédiatement. (6 portions)
Note: utiliser diverses laitues comme la Iceberg, la Boston ou la Bibb, la laitue en feuilles et aussi des épinards.

SALADE CHAUDE AU MACARONI

16 onces de macaroni en coudes, cuit et égoutté
4 wieners, tranchées mince
1 tasse de céleri haché
½ tasse de piment vert en petits cubes
2 cuil. à table de pimento de conserve, haché
1 tasse de bacon en petits carrés (environ
   8 tranches)
½ tasse d'oignon finement haché
¼ de tasse de farine
3 cuil. à thé de sel
¼ de cuil. à thé de poivre
¾ de tasse de vinaigre blanc
⅓ de tasse de sucre
1½ tasse d'eau

Mêler, dans un grand bol, le macaroni, les wieners, le céleri, le piment vert et le pimento. Faire frire le bacon, dans une petite poêle épaisse, jusqu'à ce qu'il soit croustillant. Ajouter l'oignon et le cuire, à feu doux et en brassant, jusqu'à ce qu'il soit ramolli. Saupoudrer de la farine, du sel et du poivre et bien mêler. Retirer du feu. Ajouter le vinaigre, le sucre et l'eau, en mêlant bien. Continuer la cuisson, à feu moyen et en brassant constamment, jusqu'à ce que la sauce bouille et soit un peu épaissie. La verser, bien chaude, sur le macaroni et brasser délicatement. Servir immédiatement. (8 portions)

SALADE AUX BOULETTES DE VIANDE

1 livre de bœuf haché
¼ de tasse d'oignons verts finement hachés
1 cuil. à table de persil finement haché
1 cuil. à thé de sel
⅛ de cuil. à thé de poivre
1 œuf battu
¼ de cuil. à thé d'assaisonnement au chili
   (chili powder)
¼ de cuil. à thé de feuilles de marjolaine
   séchées
1 cuil. à table de chapelure fine
2 cuil. à table d'huile à cuisson
Vinaigrette à l'ail et aux fines herbes (recette
   ci-après)
2 boîtes de 14 onces de fonds d'artichauts,
   égouttés et coupés en deux
3 tasses de petites carottes cuites (ou de carottes
   plus grosses tranchées)
Feuilles de laitue
2 tasses de laitue déchiquetée

Mêler parfaitement, à la fourchette, le bœuf, les oignons verts, le persil, le sel, le poivre, l'œuf, l'assaisonnement au chili, la marjolaine et la chapelure. Façonner en petites boulettes, de 1 pouce de diamètre tout au plus.
Chauffer l'huile dans une grande poêle épaisse. Y cuire les boulettes, en les tournant souvent, jusqu'à ce qu'elles soient à point et brunies de tous les côtés. Les égoutter et les laisser refroidir sur du papier absorbant. Les disposer, en une couche simple, dans un plat peu profond et les arroser de la moitié de la vinaigrette. Couvrir hermétiquement et réfrigérer plusieurs heures, en tournant les boulettes au moins une fois pour qu'elles absorbent bien toute la saveur de la vinaigrette. Disposer, en une couche simple, les artichauts et les carottes, dans un autre plat peu profond; arroser de ce qui reste de vinaigrette, couvrir hermétiquement et bien réfrigérer.
Habiller de feuilles de laitue un grand bol à salade, au moment de servir. Mêler, délicatement, le mélange artichauts-carottes et sa vinaigrette et la laitue déchiquetée. Mettre dans le plat, en faisant un creux au centre. Retirer de leur marinade les boulettes de viande, avec une cuillère perforée, et les empiler au centre de la salade. Servir immédiatement. (6 portions)

Vinaigrette à l'ail et aux fines herbes

½ tasse d'huile d'olive
2 cuil. à table de vinaigre
2 cuil. à table de jus de citron
½ cuil. à thé de sel
¼ de cuil. à thé de moutarde en poudre
¼ de cuil. à thé de paprika
La moitié d'une petite gousse d'ail, broyée
2 cuil. à thé de persil finement haché
½ cuil. à thé de feuilles d'origan séchées
¼ de cuil. à thé de feuilles de thym séchées
¼ de tasse de mayonnaise

Mêler tous les ingrédients, dans un petit bocal fermant hermétiquement, et agiter vigoureusement. (1 tasse)

SALADE DE POISSON EN GELÉE

3 livres de filets d'aiglefin frais ou congelés
2 tasses de mayonnaise
⅓ de tasse de jus de citron
1 cuil. à table d'oignon râpé
2 cuil. à thé de sel
½ cuil. à thé de poivre
1 cuil. à thé de poudre de cari
1 cuil. à thé de sauce Worcestershire
⅛ de cuil. à thé de sauce Tabasco
2 enveloppes (2 cuil. à table) de gélatine en poudre
1 tasse de liquide (jus de cuisson du poisson ou eau)
½ tasse de persil haché
Cresson
Crevettes marinées (recette ci-après)

Laver les filets, s'ils sont frais; les dégeler, s'il y a lieu, jusqu'à ce qu'on puisse les séparer.
Mettre une grande feuille de papier d'aluminium très épais sur une clayette, dans une grande plaque (j'ai utilisé ma rôtissoire). Mettre les filets sur le papier et remonter les côtés de ce dernier tout autour, de façon à former un plat qui retiendra le jus de cuisson. Mettre environ ½ pouce d'eau bouillante dans la plaque (l'eau ne touchera pas le poisson et celui-ci cuira à la vapeur).
Couvrir hermétiquement et faire mijoter 7 minutes ou jusqu'à ce que le poisson s'émiette à la fourchette. Mettre le poisson dans un bol et le laisser refroidir. Verser, dans une tasse à mesurer, le jus de cuisson du poisson et le laisser refroidir.
Émietter finement le poisson dans un grand bol en le débarrassant des arêtes, de la peau et des morceaux de chair qui seraient trop foncés. Vous aurez environ 6 tasses de poisson émietté.
Mêler la mayonnaise, le jus de citron, l'oignon râpé, le sel, le poivre, la poudre de cari et les sauces Worcestershire et Tabasco. Ajouter au poisson et battre le tout, à la vitesse moyenne d'un malaxeur électrique, pour que le mélange soit aussi lisse que possible.
Mettre la gélatine et la tasse de liquide dans une petite casserole et laisser reposer 5 minutes. Chauffer alors à feu doux jusqu'à ce que la gélatine soit dissoute. Ajouter,

en filet, au mélange au poisson, en battant constamment. Ajouter le persil, en mêlant bien.
Verser dans un moule à douille, de 2 pintes. Réfrigérer plusieurs heures ou jusqu'à ce que ce soit ferme.
Démouler la couronne bien prise sur du cresson et en remplir le centre avec les crevettes marinées. Servir en mettant 2 ou 3 crevettes sur chaque portion de salade. (8 portions)

Crevettes marinées

1 petit oignon, tranché aussi mince que possible et séparé ensuite en rondelles
2 boîtes de 4½ onces de grosses crevettes parées
½ tasse de vinaigre de vin
¼ de tasse d'huile à salade
Quelques gouttes de sauce Worcestershire
Quelques gouttes de sauce Tabasco
½ cuil. à thé de paprika
¼ de cuil. à thé de sel
¼ de cuil. à thé de moutarde en poudre
1 pincée de sel d'ail

Disposer l'oignon et les crevettes, par couche alternées, dans un bocal fermant hermétiquement.
Mettre tous les autres ingrédients dans un petit bocal fermant hermétiquement et agiter vigoureusement. Verser dans l'autre bocal, sur les crevettes et l'oignon. Réfrigérer plusieurs heures, en retournant le bocal plusieurs fois pour que toutes les crevettes puissent s'imprégner de la marinade. Bien égoutter les crevettes avant de les mettre au centre de la couronne.

SALADE DE SAUMON CROUSTILLANTE

1 boîte de 15½ onces de saumon
1 petite gousse d'ail, broyée
¾ de cuil. à thé de sel
½ tasse de mayonnaise, du commerce
1 cuil. à table de vinaigre d'estragon
½ cuil. à thé de sauce Worcestershire
5 tasses de diverses verdures, déchiquetées
1 tasse de feuilles de céleri hachées
¼ de tasse de radis en lamelles
¼ de tasse d'olives farcies, en lamelles
2 tasses de craquelins au fromage, grossièrement émiettés
Laitue
3 tomates, en quartiers

Égoutter le saumon et le défaire en bouchées. Couvrir et réfrigérer.
Mêler ail, sel, mayonnaise, vinaigre et sauce Worcestershire. Couvrir et réfrigérer. Mêler dans un grand bol, au moment de servir, le saumon, les verdures, les feuilles de céleri, les radis, les olives et les miettes de craquelins. Verser la mayonnaise sur le tout et brasser délicatement. Servir dans des feuilles de laitue, formant des coupes, et garnir des quartiers de tomates. Servir immédiatement. (6 portions).

AVOCATS FARCIS DE CREVETTES

Eau bouillante
1 petite tranche d'oignon
1 petit bouquet de feuilles de céleri
1 petit morceau de feuille de laurier
1½ cuil. à thé de sel
¼ de cuil. à thé de feuilles de thym séchées
¼ de cuil. à thé de feuilles de cerfeuil séchées
4 grains de poivre
1 livre de crevettes crues
1 enveloppe (1 cuil. à table) de gélatine en
 poudre
¼ de tasse d'eau froide
1½ tasse de bouillon de poulet
¼ de cuil. à thé de feuilles d'estragon séchées
¼ de cuil. à thé de feuilles de cerfeuil séchées
1 cuil. à table de vinaigre de vin
2 cuil. à table de jus de citron
½ cuil. à thé de sel
1 pincée de poivre
Colorant végétal jaune (facultatif)
3 gros avocats
Cresson ou persil

Mettre environ 2 pouces d'eau bouillante dans une casserole. Ajouter l'oignon, le céleri, le laurier, 1½ cuil. à thé de sel, le thym, ¼ de cuil. à thé de cerfeuil et les grains de poivre et faire mijoter pendant 5 minutes. Ajouter les crevettes, lavées. Ajouter de l'eau bouillante si cela est nécessaire pour couvrir les crevettes. Chauffer jusqu'à ébullition, baisser le feu, couvrir et laisser mijoter, 5 minutes ou jusqu'à ce que les crevettes soient d'un beau rouge. Retirer du feu et égoutter. Laisser tiédir les crevettes, les décortiquer, les parer et les faire refroidir au réfrigérateur.
Ajouter la gélatine à l'eau froide et laisser reposer pendant 5 minutes. Chauffer le bouillon de poulet, auquel on aura ajouté l'estragon et ¼ de cuil. à thé de cerfeuil, jusqu'au point d'ébullition. Retirer du feu, ajouter la gélatine détrempée et brasser jusqu'à ce qu'elle soit dissoute. Ajouter le vinaigre, le jus de citron, ½ cuil. à thé de sel, le poivre et quelques gouttes de colorant végétal, si on le désire, pour donner à la préparation une délicate couleur jaune. Mettre le plat dans de l'eau glacée jusqu'à ce que la gelée commence à prendre.
Couper les avocats non pelés en moitiés et disposer celles-ci dans un plat, en les calant pour qu'elles soient bien d'aplomb. Verser un peu de la gelée encore molle dans le creux des avocats et sur toute la surface coupée (pour empêcher celle-ci de noircir).
Disposer joliment les crevettes refroidies dans les avocats et les recouvrir d'un peu de gelée; faire refroidir au réfrigérateur jusqu'au moment de servir.
Garnir de cresson ou de persil, au moment de servir. Disposer dans des assiettes, si possible sur un lit de cresson. (6 portions)
Note: si on le désire, utiliser, à la place des crevettes fraîches, 2 boîtes de grosses crevettes; rincer celles-ci à l'eau froide courante et les refroidir.

TOMATES FARCIES DE CRABE

1 boîte de 5½ onces de chair de crabe, émiettée
1 boîte de 12 onces de morceaux d'asperges,
 hachés
2 œufs durs, hachés
½ tasse de très petits pois de conserve ou de
 petits pois frais, cuits
1 cuil. à table d'huile à cuisson
½ cuil. à thé de sel
⅛ de cuil. à thé de poivre
¼ de cuil. à thé de feuilles d'estragon séchées
¼ de tasse de mayonnaise
½ cuil. à thé de jus de citron
8 grosses tomates
Sel
Laitue
Persil

Mêler, parfaitement mais délicatement, le crabe, les asperges, les œufs, les pois, l'huile, ½ cuil. à thé de sel, le poivre, l'estragon, la mayonnaise et le jus de citron. Réfrigérer.
Peler les tomates et en couper une tranche épaisse, sur le dessus. Creuser les tomates en leur laissant toutefois des parois suffisamment épaisses et solides pour retenir la garniture. (Conserver la pulpe de tomate enlevée pour ajouter à un pain de viande, une soupe, une sauce à spaghetti etc.)
Saler l'intérieur des tomates et retourner ces dernières sur du papier absorbant pour les laisser s'égoutter. Les réfrigérer.
Remplir les tomates, au moment de servir, en utilisant, pour chacune d'elle, de ⅓ à ½ tasse du mélange au crabe. Les disposer sur de la laitue et les décorer de persil. (8 portions)

SALADE DE POULET ET DE HOMARD

3 œufs durs
1 petite poitrine de poulet, cuite
1 boîte de 5 onces de homard
1 tasse de céleri haché
¼ de tasse de vinaigrette
½ tasse de mayonnaise, du commerce
2 cuil. à table de sauce au chili, du commerce
1½ cuil. à thé de ciboulette hachée
¼ de cuil. à thé de sel
¼ de tasse de crème double (35 p.c.), fouettée
2 tasses de laitue déchiquetée

Retirer les jaunes des œufs durs et les mettre de côté. Hacher les blancs.
Couper la chair du poulet en lanières d'environ 1½ pouce de longueur. Égoutter et hacher la chair du homard. Mêler poulet, homard, blancs d'œufs et céleri dans un bol et verser la vinaigrette sur le tout. Bien brasser, à la fourchette, couvrir et réfrigérer environ 1 heure, en brassant de temps à autre.
Écraser les jaunes d'œufs à la fourchette. Ajouter, en

mêlant bien, la mayonnaise, la sauce au chili, la ciboulette et le sel. Incorporer la crème fouettée et réfrigérer.
Habiller de laitue déchiquetée un bol à salade, au moment de servir. Ajouter la mayonnaise relevée au mélange poulet et homard et brasser délicatement. Mettre dans le bol et servir immédiatement. (4 portions)

SALADE DE POULET ET DE FRUITS

2 tasses de poulet cuit, grossièrement haché
1 boîte de 5 onces de châtaignes d'eau, hachées
2 tasses de pêches en cubes
½ tasse de céleri finement tranché
½ tasse d'amandes grillées et coupées en allumettes
⅔ de tasse de mayonnaise
½ cuil. à thé de poudre de cari
¼ de cuil. à thé de sel
1 cuil. à thé de sauce soya
6 grosses pointes de melon (cantaloup ou melon Honeydew)
Laitue

Mêler le poulet, les châtaignes, les pêches, le céleri et les amandes, dans un bol moyen.
Mêler la mayonnaise, la poudre de cari, le sel et la sauce soya. Verser sur le mélange au poulet et brasser délicatement. Réfrigérer.
Déposer, au moment de servir, la salade de poulet dans les pointes de melon et disposer ces dernières sur de la laitue, dans des assiettes individuelles. (6 portions généreuses)

SALADE D'ORANGE ET D'AVOCAT

⅓ de tasse d'huile d'olive
¼ de tasse de vinaigre de vin
1 cuil. à thé de sucre
½ cuil. à thé de sel
¼ de cuil. à thé de feuilles de thym séchées
¼ de cuil. à thé de feuilles de basilic séchées
¼ de cuil. à thé d'assaisonnement au chili (chili powder)
De 8 à 10 tasses de verdures déchiquetées
2 grosses oranges
1 gros avocat mûr
4 oignons verts, détaillés en lamelles

Mettre l'huile, le vinaigre, le sucre, le sel, le thym, le basilic et l'assaisonnement au chili dans un petit bocal fermant hermétiquement. Bien agiter le bocal pour mêler parfaitement tous les ingrédients; mettre de côté.
Déchiqueter les verdures, peu avant le moment de servir, et les mettre dans un grand bol peu profond. Peler les oranges, les détailler en tranches et couper ces dernières en deux. Peler l'avocat et le couper en tranches, en longueur.

Ajouter environ la moitié de la vinaigrette aux verdures déchiquetées et brasser, délicatement. Disposer en couronne, sur les verdures, les tranches d'orange et d'avocat, en les faisant chevaucher un peu. Parsemer le tout des lamelles d'oignon. Mettre sur la table, ainsi que ce qui reste de vinaigrette, dans un petit contenant. Juste avant de servir, verser la vinaigrette sur la salade et mêler délicatement. Servir immédiatement. (8 portions)

*Avez-vous remarqué
que santé rime avec crudités?
Et pour qui aime bien cuisiner,
salade rime avec créativité*

SALADE DE LÉGUMES ET D'OEUFS EN GELÉE

12 œufs durs
½ tasse de piment vert haché
½ tasse de céleri haché
½ tasse de cornichons sucrés au vinaigre, hachés
¼ de tasse de radis hachés
¼ de tasse de pimento (de conserve), haché
¼ de tasse d'oignons verts finement tranchés
2 cuil. à table de persil haché
1 paquet de 8 onces de fromage à la crème, à la température de la pièce
½ tasse de mayonnaise, du commerce
3 cuil. à table de sauce au chili, du commerce
¼ de tasse de vinaigre de cidre
1½ cuil. à thé de sel
¼ de cuil. à thé de poivre
2 enveloppes (2 cuil. à table) de gélatine en poudre
½ tasse d'eau froide
Laitue

Hacher les œufs très finement. Les mettre dans un bol avec le piment, le céleri, les cornichons, les radis, le pimento, les oignons et le persil; bien mêler.
Écraser le fromage à la fourchette; ajouter mayonnaise, sauce au chili, vinaigre, sel et poivre et bien mêler le tout.
Faire tremper la gélatine dans l'eau froide pendant 5 minutes. Mettre le plat qui contient le mélange dans de l'eau frissonnante et chauffer jusqu'à ce que la gélatine soit dissoute. Ajouter au mélange à la mayonnaise, en brassant; ajouter ensuite le tout au mélange aux œufs, en brassant. Mettre dans un moule à pain, de 9 × 5 × 3 pouces, ou dans un moule en couronne, de 10 pouces de diamètre. Réfrigérer plusieurs heures ou jusqu'à ce que ce soit très ferme. Démouler et couper en tranches épaisses ou en grosses pointes. Servir sur de la laitue. (6 portions)

SALADE AUX OEUFS EN GELÉE

**1 enveloppe (1 cuil. à table) de gélatine en
   poudre**
¾ de tasse d'eau froide
½ tasse de mayonnaise
1 cuil. à table de moutarde en pâte
1 tasse de lait évaporé
1 cuil. à thé de sel assaisonné
2 cuil. à table de jus de citron
5 œufs durs, hachés
½ tasse de céleri haché
½ tasse d'olives farcies tranchées
Laitue

Ajouter la gélatine à l'eau froide et laisser reposer 5 minutes. Mettre le bol qui contient le mélange dans de l'eau bouillante et chauffer pour bien dissoudre la gélatine. Ajouter à la mayonnaise, ainsi que la moutarde, le lait évaporé, le sel assaisonné et le jus de citron. Refroidir, dans de l'eau glacée, jusqu'à ce que la préparation commence à prendre. Incorporer alors au mélange les œufs, le céleri et les olives. Déposer, à la cuillère, dans un moule de 1 pinte et réfrigérer jusqu'à ce que ce soit ferme. Démouler sur de la laitue et servir. (De 4 à 6 portions)

SAUMON JARDINIÈRE

1 tasse de petites carottes en tranches minces
1 tasse de petits pois (frais ou congelés)
**2 enveloppes (2 cuil. à table) de gélatine en
   poudre**
½ tasse de sucre
1 cuil. à thé de sel
**1½ tasse de liquide (eau de cuisson des légumes
   et eau nature)**
1 tasse d'eau froide
½ tasse de vinaigre blanc
2 cuil. à table de jus de citron
1 tasse de chou finement coupé
2 cuil. à table de pimento, de conserve, en dés
Laitue
**Saumon frais, poché et refroidi, ou saumon
   rouge, de conserve**
Mayonnaise
Câpres

Cuire les tranches de carottes à l'eau bouillante salée, 2 minutes ou juste assez pour qu'elles soient tendres mais encore un peu croquantes.

Égoutter, en conservant l'eau de cuisson, et réfrigérer. Cuire les pois, aussi peu que possible. (Si on utilise les pois congelés, les arroser d'un peu d'eau bouillante, chauffer pour faire reprendre l'ébullition et égoutter immédiatement). Égoutter, en conservant l'eau de cuisson, et réfrigérer. (Vous aurez maintenant besoin d'un assistant pour terminer le plat.)

Mêler gélatine, sucre et sel, dans une petite casserole. Ajouter suffisamment d'eau froide, à l'eau de cuisson des légumes, pour avoir 1½ tasse de liquide, et ajouter ce liquide au mélange à la gélatine. Laisser reposer 5 minutes. Chauffer alors à feu bas, en brassant, jusqu'à ce que la gélatine soit dissoute. Ajouter l'eau froide, le vinaigre et le jus de citron. Refroidir le mélange en plaçant la casserole qui le contient dans de l'eau glacée; le brasser souvent pendant ce temps.

Mettre le chou et le pimento dans un bol moyen. Mettre les carottes dans un autre bol et les pois dans un troisième. Ajouter un tiers de la gelée (c'est-à-dire 1 tasse ou un peu plus) dans chacun des bols et bien mêler. Réfrigérer le tout quelques minutes, en surveillant bien pour que les gelées soient bien épaisses mais non prises.

Passer à l'eau froide un moule en couronne de 6½ tasses. Déposer dans le moule, à la cuillère, la moitié de chaque gelée pendant que la personne qui vous assiste, armée de deux spatules en caoutchouc ou de deux grandes cuillères, retient, le plus possible, les gelées en place et les empêche de se mêler. Compléter la couronne en disposant dans le moule, de la même façon, ce qui reste des gelées et réfrigérer jusqu'à ce que ce soit ferme.

Démouler sur des feuilles de laitue, dans un grand plat de service. Remplir le centre de la couronne de gros morceaux de saumon refroidi. Ajouter un peu de mayonnaise et décorer de quelques câpres. (De 6 à 8 portions)

PETITES SALADES DE FRUITS
EN GELÉE

**1 enveloppe (1 cuil. à table) de gélatine en
   poudre**
½ tasse d'eau froide
1 pamplemousse moyen
1 tasse de liquide (voir plus bas)
¼ de tasse de sucre
¼ de tasse de jus de citron
1 pincée de sel
⅔ de tasse de dattes hachées
1 tasse de petites boules de cantaloup
1 cuil. à table de cerises marasques, hachées
**2 cuil. à table de gingembre de conserve, haché
   (facultatif)**
Laitue
Mayonnaise

Ajouter la gélatine à l'eau froide et laisser reposer 5 minutes. Peler le pamplemousse et le séparer en côtes en travaillant au-dessus d'un bol pour recueillir le jus qui pourrait tomber du fruit. Égoutter les côtes et mettre tout le jus recueilli dans une tasse à mesurer; ajouter la quantité d'eau nécessaire pour obtenir la tasse de liquide mentionnée plus haut. Chauffer ce liquide jusqu'à ébullition, dans une petite casserole, et y ajouter la gélatine détrempée; brasser pour la dissoudre. Ajouter le sucre et brasser pour le bien dissoudre. Ajouter le jus de citron et le sel, en brassant. Refroidir dans de l'eau glacée jusqu'à ce que la préparation épaississe. Couper les côtes de pamplemousse en petits morceaux et les incorporer à la gelée, de même que les dattes, le cantaloup, les cerises et le gingembre. Mettre, à la cuillère, dans des moules de 6 onces et réfrigérer jusqu'à ce que ce soit ferme.

Démouler sur de la laitue et servir, avec de la mayonnaise. (6 portions)

Pain

Le pain, c'est la survie de l'homme et son bonheur quotidien. Et quand il est fait à la maison, le bonheur est encore plus grand. C'est la joie de l'avoir pétri, de le regarder lever et de s'emplir les narines de son odeur chaude. Parfois, on ne réussit pas aussi bien qu'on le voudrait, mais c'est bien bon quand même.

Qu'il s'agisse du pain blanc, du pain de seigle ou d'un pain-gâteau aux fruits, le pain est peut-être le plus réconfortant, au cœur comme au corps, de tous les aliments. Il ne faut surtout jamais perdre de vue la place importante qu'il tient dans notre nutrition, surtout dans celle des jeunes en pleine croissance. Il faut en manger tous les jours. Et bien sûr, quand il est fait à la maison, tous les membres de la famille sont encore plus tentés d'en consommer.

Voici donc quelques recettes de pains levés et aussi des recettes pour ces compagnons d'armes du pain que sont les gaufres et les crêpes.

MUFFINS AU MAÏS ET A LA MÉLASSE

1½ tasse de farine à tout usage, tamisée
¾ de tasse de farine de maïs
1 cuil. à thé de poudre à lever
¾ de cuil. à thé de bicarbonate de sodium
½ cuil. à thé de sel
¼ de tasse de mélasse
1 tasse de babeure ou de lait sur
1 œuf
2 cuil. à table d'huile à cuisson
12 cuil. à table (¾ de tasse) de mélasse
12 cuil. à thé (¼ de tasse) de beurre
12 dattes

Chauffer le four à 350°F. Graisser 12 grands moules à muffins.

Tamiser, dans un bol, la farine à tout usage et la farine de maïs, la poudre à lever, le bicarbonate de sodium et le sel. Bien battre ensemble, à la fourchette, ¼ de tasse de mélasse, le babeure, l'œuf et l'huile. Ajouter aux ingrédients secs et ne brasser que juste assez pour humecter entièrement ces derniers (la pâte sera un peu grumeleuse).

Mettre 1 cuil. à table de mélasse et 1 cuil. à thé de beurre dans chaque moule. Fendre les dattes en deux, en longueur, et en disposer 2 moitiés dans chaque moule. Répartir la pâte dans les moules, en ne les emplissant qu'aux deux tiers.

Cuire au four, 25 minutes ou jusqu'à ce que les muffins soient bien cuits et dorés sur le dessus. Les retourner sur une clayette et attendre quelques minutes, avant d'enlever les moules, pour que toute la mélasse se dépose sur les muffins. Servir tiède. (12 muffins)

MUFFINS AU SON ET AU BLÉ ENTIER

¼ de tasse d'huile à cuisson
¼ de tasse de sucre
¼ de tasse de miel
2 œufs
1 tasse de lait
1½ tasse de son naturel (voir note)
½ tasse de dattes hachées
1½ cuil. à thé de poudre à lever
½ cuil. à thé de bicarbonate de sodium
1 cuil. à thé de sel
1 tasse de farine de blé entier

Chauffer le four à 400°F. Graisser 12 grands moules à muffins.

Mettre, dans un bol, l'huile, le sucre, le miel, les œufs et le lait et bien battre le tout, à la fourchette. Ajouter le son et bien mêler. Ajouter les dattes.

Ajouter la poudre à lever, le bicarbonate de sodium et le sel à la farine de blé entier et bien mêler, à la fourchette. Ajouter le tout au premier mélange en ne brassant que

juste assez pour bien mêler (environ 25 coups).

Mettre la pâte dans les moules en n'emplissant ces derniers qu'aux deux tiers. Cuire au four, environ 15 minutes. (12 gros muffins)

Note: le son naturel n'est pas une céréale à déjeuner. Si vous ne pouvez le trouver au supermarché, achetez-le dans une boutique d'aliments naturels ou dits de santé. Il ne coûte que fort peu.

Nous ne consommons pas suffisamment de farine de blé entier, ce précieux aliment. Elle fait ici de tendres muffins relevés de dattes et de miel. Servez-les pour le goûter ou pour de grands petits déjeuners

MUFFINS AU RIZ ET AUX FINES HERBES

⅔ de tasse d'eau
⅛ de cuil. à thé de sel
⅓ de tasse de riz brun
3 cuil. à table d'huile à cuisson
2 œufs
1 tasse de lait
¼ de tasse de fromage parmesan râpé
¼ de cuil. à thé de feuilles d'origan séchées
¼ de cuil. à thé de feuilles de marjolaine séchées
¼ de cuil. à thé de feuilles de basilic séchées
2 tasses de farine à tout usage, tamisée
4 cuil. à thé de poudre à lever
½ cuil. à thé de sel

Mettre l'eau et ⅛ de cuil. à thé de sel dans une petite casserole et chauffer jusqu'à ébullition. Ajouter le riz, chauffer de nouveau jusqu'à ébullition, couvrir, baisser le feu au plus bas et laisser mijoter, 30 minutes ou jusqu'à ce que le riz soit tendre et ait absorbé toute l'eau. Laisser refroidir.

Chauffer le four à 425°F. Graisser 12 grands moules à muffins.

Battre ensemble, à la fourchette et dans un bol moyen, l'huile, les œufs et le lait. Ajouter le riz, le fromage et les fines herbes, en brassant. Tamiser ensemble, dans le mélange, la farine, la poudre à lever et ½ cuil. à thé de sel et ne battre que juste assez pour bien mêler (la pâte doit être un peu grumeleuse). Mettre dans les moules en ne remplissant ces derniers qu'aux deux tiers.

Cuire au four, 30 minutes ou jusqu'à ce que ce soit joliment bruni. (12 muffins)

SCONES AUX BLEUETS

2 tasses de farine de blé entier
3 cuil. à thé de poudre à lever
½ cuil. à thé de sel
¼ de tasse de sucre
⅓ de tasse d'huile à cuisson
¾ de tasse de crème simple (15 p.c.)
1 jaune d'œuf
1 tasse de bleuets congelés
Sucre

Chauffer le four à 425°F. Graisser légèrement une plaque à biscuits.

Bien mêler à la fourchette, dans un bol moyen, la farine, la poudre à lever, le sel et ¼ de tasse de sucre. Battre ensemble, à la fourchette, l'huile, la crème et le jaune d'œuf et ajouter aux ingrédients secs. Brasser, à la fourchette, juste assez pour humecter tous les ingrédients. Ajouter les bleuets, encore congelés, et les mêler à la pâte délicatement, avec une spatule de caoutchouc.

Mettre sur une planche enfarinée et pétrir doucement, environ 6 fois, pour former une boule. Mettre la pâte sur une feuille de papier ciré et la tapoter, pour en faire une abaisse ronde d'environ ¾ de pouce d'épaisseur. Retourner la pâte sur la plaque et enlever le papier ciré. Faire des marques sur la galette pour la diviser en 8 pointes mais ne pas couper la pâte de part en part. Saupoudrer généreusement de sucre.

Cuire au four, 20 minutes ou jusqu'à ce que ce soit bien bruni. Casser en pointes et servir très chaud, avec du beurre.

PETITS PAINS PLATS

½ tasse de graines de sésame
Approximativement 4¼ tasses de farine à tout usage, tamisée
⅓ de tasse de sucre
4 cuil. à thé de poudre à lever
1 cuil. à thé de sel
½ tasse de germe de blé
1 tasse de farine de blé entier
¼ de tasse d'huile à salade
1½ tasse de lait
½ tasse de mélasse

Chauffer le four à 250°F. Étendre les graines de sésame dans un plat à cuire peu profond et les faire rôtir au four, en secouant le plat souvent, 15 minutes ou jusqu'à ce qu'elles soient légèrement brunies. Hausser la température du four à 300°F.

Tamiser 4 tasses de farine, le sucre, la poudre à lever et le sel, dans un grand bol. Ajouter le germe de blé et la farine de blé entier et mêler, à la fourchette. Mêler l'huile, le lait et la mélasse et ajouter aux ingrédients secs, en mêlant parfaitement.

Saupoudrer une planche de ce qui reste de farine (¼ de tasse) et y mettre la pâte. La pétrir fermement pour qu'elle absorbe toute la farine sur la planche et soit plutôt ferme. Ajouter un peu de farine si cela est nécessaire.

Prendre de petites quantités de pâte et façonner chacune en une boulette d'environ 1 pouce de diamètre. Aplatir ces boulettes, avec les doigts, autant que possible. Mettre environ ½ cuil. à thé de graines de sésame sur la planche. Mettre un rond de pâte sur les graines et presser pour que celles-ci s'imprègnent presque toutes dans la pâte. Retourner le rond et l'étendre, au rouleau; il devrait être aussi mince qu'une feuille de papier et avoir environ 6 pouces de diamètre. Mettre sur une plaque à biscuits graissée. Faire de tels ronds avec toute la pâte. (Puisqu'on ne peut mettre que 4 ronds environ sur une plaque, la cuisson est longue mais les pains sont délicieux et se gardent plusieurs jours dans une boîte métallique bien fermée.) Cuire au four, de 10 à 12 minutes ou jusqu'à ce que les pains soient dorés. Retirer de la plaque et faire refroidir sur les clayettes. (Refroidis, les pains sont très croustillants.) Servir avec du beurre. (Environ 4½ douzaines de pains de 6 pouces de diamètre)

PAIN-BRIOCHE A LA CONFITURE

⅓ de tasse de beurre (ou de margarine), ramolli
1 tasse de sucre
2 jaunes d'œufs
½ tasse de lait
½ cuil. à thé d'essence d'amande
1½ tasse de farine à tout usage, tamisée
2 cuil. à thé de poudre à lever
½ cuil. à thé de sel
2 blancs d'œufs
½ tasse de confiture de cerises bien épaisse
½ tasse de pacanes grossièrement hachées
2 cuil. à table de sucre
2 cuil. à table de beurre (ou de margarine), fondu

Chauffer le four à 375°F. Graisser un moule à gâteau carré, de 8 pouces de côté.

Bien travailler ensemble ⅓ de tasse de beurre (ou de margarine) et 1 tasse de sucre. Battre ensemble, à la fourchette, les jaunes d'œufs, le lait et l'essence d'amande. Tamiser ensemble la farine, la poudre à lever et le sel. Ajouter, en alternant, les ingrédients secs et les ingrédients liquides au mélange en crème, petit à petit et en mêlant bien après chaque addition.

Battre les blancs d'œufs en une neige ferme mais non sèche et les incorporer à la pâte. Étendre cette dernière dans le moule.

Déposer la confiture, par petite cuillerée, un peu partout sur la pâte. Avec un couteau, faire des aller et retour dans la pâte pour que la confiture y forme des ondulations.

Mêler les pacanes et 2 cuil. à table de sucre et parsemer la confiture du mélange. Arroser de 2 cuil. à table de beurre (ou de margarine), fondu.

Cuire au four, 35 minutes ou jusqu'à ce qu'un cure-dents inséré au centre du pain-brioche en ressorte sec. Servir tiède.

PAIN-BRIOCHE AUX RAISINS ET A LA MARMELADE

2 tasses de farine à tout usage, tamisée
5 cuil. à thé de poudre à lever
¼ de cuil. à thé de sel
¾ de tasse de sucre
2 jaunes d'œufs
1 tasse de lait
2 cuil. à table de beurre, fondu
1 cuil. à thé de vanille
2 blancs d'œufs
1 tasse de raisins muscats, hachés
2 cuil. à table de marmelade d'orange
⅓ de tasse de farine à tout usage, tamisée
⅓ de tasse de sucre
1 cuil. à thé de cannelle
2 cuil. à table de beurre fondu

Chauffer le four à 350°F. Graisser un moule à gâteau de 13 × 9 × 2 pouces.
Tamiser ensemble, dans un bol, 2 tasses de farine, la poudre à lever, le sel et ¾ de tasse de sucre. Battre ensemble légèrement, à la fourchette, les jaunes d'œufs, le lait, 2 cuil. à table de beurre fondu et la vanille. Ajouter les ingrédients liquides aux secs et brasser, à la fourchette, juste assez pour mêler le tout (la pâte sera grumeleuse).
Battre les blancs d'œufs, en une neige ferme mais non sèche, et les incorporer à la pâte ainsi que les raisins et la marmelade. Étendre uniformément dans le moule.
Mettre dans un petit bol, ⅓ de tasse de farine, ⅓ de tasse de sucre, la cannelle et 2 cuil. à table de beurre fondu et frotter ensemble tous les ingrédients, directement avec les doigts, pour obtenir un mélange grumeleux. En parsemer uniformément la pâte.
Cuire au four, environ 30 minutes. Servir tiède, en carrés.

PAIN A LA COMPOTE DE POMMES

2 œufs
⅔ de tasse de cassonade, mesurée bien tassée
⅓ de tasse d'huile à salade
1 tasse de compote de pommes sucrée, de conserve
1½ tasse de farine à tout usage, tamisée
1 cuil. à thé de poudre à lever
1 cuil. à thé de bicarbonate de sodium
1 cuil. à thé de sel
1 cuil. à thé de cannelle
½ cuil. à thé de muscade
1½ tasse de gruau d'avoine
¾ de tasse de pruneaux secs crus, en morceaux
½ tasse de noix hachées

Chauffer le four à 350°F. Graisser un moule à pain de 9 × 5 × 3 pouces.
Bien battre ensemble les œufs, la cassonade et l'huile. Ajouter la compote, en brassant.
Tamiser ensemble, dans le mélange, la farine, la poudre

à lever, le bicarbonate de sodium, le sel et les épices. Ajouter le gruau, les pruneaux et les noix et bien mêler.
Déposer la pâte dans le moule et cuire au four pendant une période de 45 à 50 minutes ou jusqu'à ce qu'un cure-dents inséré au centre du pain en ressorte sec.

PAIN DE BLÉ ENTIER AUX NOIX

3 tasses de farine de blé entier
2 cuil. à table de sucre
3 cuil. à thé de bicarbonate de sodium
1 cuil. à thé de sel
½ cuil. à thé de muscade
½ tasse de mélasse
2 tasses de babeurre ou de lait sur
½ tasse de pacanes hachées
1 cuil. à table de mélasse
1 cuil. à table de beurre fondu
¼ de tasse de pacanes finement hachées

Chauffer le four à 350°F. Graisser un moule à pain de 9 × 5 × 3 pouces.
Mettre la farine dans un bol. Ajouter le sucre, le bicarbonate de sodium, le sel et la muscade et mêler délicatement, à la fourchette. Battre ensemble, à la fourchette, ½ tasse de mélasse et le babeurre et ajouter le mélange aux ingrédients secs, en ne brassant que juste assez pour bien mêler. Ajouter ½ tasse de pacanes et mêler très délicatement. Mettre la pâte dans le moule.
Cuire au four, 45 minutes ou jusqu'à ce qu'un cure-dents piqué au centre du pain en ressorte sec. Mêler 1 cuil. à table de mélasse, le beurre fondu et ¼ de tasse de pacanes et couvrir le pain du mélange. Le mettre au four et le cuire encore 5 minutes. Démouler le pain et le laisser refroidir sur une clayette.

GAUFRES ORDINAIRES

3 jaunes d'œufs
1½ tasse de lait
⅓ de tasse d'huile à cuisson
2 tasses de farine à tout usage, tamisée
3 cuil. à thé de poudre à lever
½ cuil. à thé de sel
3 blancs d'œufs

Chauffer un fer à gaufres selon les indications du fabricant.
Battre légèrement les jaunes d'œufs. Ajouter le lait et l'huile, en battant.
Tamiser ensemble, dans le premier mélange, la farine, la poudre à lever et le sel et brasser jusqu'à ce que ce soit lisse.
Battre les blancs d'œufs en une neige ferme mais non sèche et les incorporer à la pâte.
Cuire dans le fer à gaufres, selon les indications du fabricant. (3 grandes gaufres)
Note: remplacer, si on le désire, de ½ à 1 tasse de la farine à tout usage par de la farine de maïs.

GAUFRES AU BACON ET AU GERME DE BLÉ

6 tranches de bacon
2 tasses de farine à tout usage, tamisée
2 cuil. à thé de poudre à lever
1 cuil. à thé de sel
2 cuil. à table de sucre
⅔ de tasse de germe de blé
2 jaunes d'œufs
2 tasses de lait
6 cuil. à table de graisse de cuisson du bacon
   (voir plus bas)
2 blancs d'œufs
Beurre
Sirop

Faire frire le bacon jusqu'à ce qu'il soit croustillant, l'égoutter sur du papier absorbant et l'émietter. Conserver la graisse de cuisson.
Tamiser ensemble, dans un bol, la farine, la poudre à lever, le sel et le sucre. Ajouter le germe de blé et les miettes de bacon en brassant, à la fourchette.
Bien battre ensemble, à la fourchette, les jaunes d'œufs et le lait. Mesurer la graisse de cuisson du bacon et y ajouter du beurre fondu, si cela est nécessaire pour compléter les 6 cuil. à table. Ajouter au lait, en brassant. Ajouter le tout aux ingrédients secs et battre jusqu'à ce que la pâte soit lisse. Battre les blancs d'œufs jusqu'à ce qu'ils forment des pics au bout des batteurs et les ajouter à la pâte.
Cuire dans des moules à gaufres, selon les indications du fabricant de ces derniers. Servir avec du beurre et du sirop. (3 grandes gaufres)

CRÊPES AU RIZ SAUVAGE

½ tasse de riz sauvage
2 œufs
2½ tasses de babeurre ou de lait sur
¼ de tasse d'huile à cuisson
2 tasses de farine à tout usage, tamisée
2 cuil. à table de sucre
2 cuil. à thé de poudre à lever
1 cuil. à thé de bicarbonate de sodium
1 cuil. à thé de sel
Sauce aux bleuets (recette ci-après)
2 livres de saucisses, cuites

Faire cuire le riz selon les indications sur le paquet. L'égoutter et le laisser refroidir. (On devrait avoir environ 1½ tasse de riz cuit.)
Battre ensemble, dans un bol, les œufs, le babeurre ou le lait sur et l'huile. Tamiser ensemble, dans ce mélange, la farine, le sucre, la poudre à lever, le bicarbonate de sodium et le sel; battre, au batteur rotatif, jusqu'à ce que ce soit lisse. Ajouter le riz cuit.
Cuire les crêpes de la façon ordinaire en utilisant ¼ de tasse de pâte par crêpe et en l'étendant aussi mince que

possible. Garder les crêpes chaudes en les plaçant entre les plis de serviettes de cuisine dans un four tiède (On devrait avoir environ 24 crêpes.)
Servir les crêpes, nappées de sauce aux bleuets, avec les saucisses. On peut aussi rouler chaque saucisse dans une petite crêpe, en disposer trois dans chaque assiette et napper le tout, généreusement, de sauce aux bleuets bien chaude. Servir immédiatement. (8 portions)

Sauce aux bleuets

2 paquets de 11 onces de bleuets congelés
¼ de tasse d'eau
½ tasse de miel liquide
2 cuil. à table de fécule de maïs
¼ de tasse d'eau
2 cuil. à table de beurre

Mettre les bleuets congelés, dans une grande casserole, avec ¼ de tasse d'eau. Couvrir et chauffer jusqu'à ébullition. Ajouter le miel, brasser et chauffer de nouveau jusqu'à ébullition.
Mêler la fécule de maïs et ¼ de tasse d'eau, en une pâte lisse. Ajouter au mélange bouillant, en brassant. Faire bouillir 2 minutes, en brassant constamment. Ajouter le beurre, en brassant, et garder la sauce bien chaude.

BEIGNETS AU MIEL

1 cuil. à table de graisse végétale ramollie
2 cuil. à table de sucre
¼ de tasse de miel liquide
1 œuf
1 cuil. à thé de vanille
¾ de tasse de lait
3 tasses de farine à gâteaux, tamisée
3 cuil. à thé de poudre à lever
1 cuil. à thé de muscade
½ cuil. à thé de sel
Friture (au moins 4 pouces d'épaisseur)
Glace au miel (recette à la page 122) ou sucre
   en poudre

Mettre, dans un bol, graisse végétale, sucre, miel, œuf et vanille et battre jusqu'à ce que ce soit bien mêlé. Ajouter le lait, en brassant. Tamiser ensemble, dans le mélange, les ingrédients secs et brasser pour bien mêler le tout. Réfrigérer pendant 2 heures.
Chauffer la friture à 375°F.
Rouler la pâte, sur une planche enfarinée, et en faire une abaisse de ½ pouce d'épaisseur (elle sera plutôt molle mais tâcher de ne point ajouter de farine). La couper avec un emporte-pièce à beignets. Tordre un peu les beignets pour leur donner la forme d'un 8. Les mettre dans la friture bien chaude, quelques-uns à la fois, et les bien faire dorer des deux côtés. Les laisser s'assécher sur du papier absorbant et les tremper, encore tièdes, dans la glace au miel pour les en enrober des deux côtés. Si on le préfère, saupoudrer de sucre en poudre les beignets encore chauds. (1½ douzaine)

BEIGNETS A LA LEVURE

¼ de tasse d'eau tiède
1 cuil. à thé de sucre
1 paquet de levure sèche
1 tasse de lait, chauffé au point d'ébullition
¼ de tasse de graisse végétale ramollie
1 tasse de sucre
1 cuil. à thé de muscade
2 cuil. à thé de sel
3 œufs, battus
5 tasses de farine à tout usage, tamisée
Friture (au moins 4 pouces d'épaisseur)
Glace au miel (recette ci-après) ou sucre

Mettre l'eau dans un grand bol. Ajouter 1 cuil. à thé de sucre et brasser pour le dissoudre. Saupoudrer de la levure et laisser reposer 10 minutes. Bien brasser.

Ajouter, au lait chaud, la graisse végétale, 1 tasse de sucre, la muscade et le sel. Brasser jusqu'à ce que la graisse soit fondue et laisser tiédir le tout. Ajouter à la levure délayée, ainsi que les œufs. Ajouter environ la moitié de la farine et battre jusqu'à ce que ce soit lisse. Ajouter ce qui reste de farine et bien mêler, d'abord avec une cuillère, ensuite directement avec la main. Mettre dans un bol graissé et laisser lever, environ 1½ heure ou jusqu'au double du volume. Abaisser avec le poing. Mettre la pâte sur une planche enfarinée, la rouler en une abaisse de ½ pouce d'épaisseur et y tailler des beignets. Les laisser lever, sur la planche ou sur une plaque à biscuits légèrement enfarinée, 45 minutes ou jusqu'à ce qu'ils soient très légers.

Chauffer la friture à 365°F. Faire frire les beignets, quelques-uns à la fois, jusqu'à ce qu'ils soient dorés. Les laisser s'assécher un peu sur du papier absorbant. Tremper les beignets, encore chauds, dans la glace au miel, ou les secouer, quelques-uns à la fois, dans un sac de papier contenant un peu de sucre. (Environ 2½ douzaines)

Glace au miel

⅔ de tasse de miel liquide
2 cuil. à table d'eau
2 tasses de sucre à glacer, tamisé

Chauffer le miel et l'eau jusqu'à ébullition. Mettre le sucre dans un plat peu profond (une assiette à tarte, par exemple) et ajouter le miel bouillant, petit à petit et en brassant jusqu'à ce que la glace soit lisse.

PAIN AU SON

2 cuil. à thé de sucre
½ tasse d'eau tiède
2 enveloppes de levure sèche
½ tasse de mélasse
2 cuil. à thé de sel
2 cuil. à table de beurre ramolli
2 tasses d'eau tiède
2½ tasses de son naturel
3 tasses de farine de blé entier
2½ tasses de farine à tout usage, tamisée

Mettre le sucre et ½ tasse d'eau tiède dans un grand bol et brasser pour dissoudre le sucre. Saupoudrer de la levure et laisser reposer 10 minutes. Bien brasser. Ajouter la mélasse, le sel, le beurre et 2 tasses d'eau tiède. Bien mêler. Ajouter le son, la farine de blé entier et suffisamment de la farine à tout usage pour obtenir une pâte qui soit ferme sans être dure.

Mettre la pâte sur une planche enfarinée et la pétrir, 5 minutes ou jusqu'à ce qu'elle soit souple. Ramasser la pâte en boule, la mettre dans un bol graissé et la retourner pour graisser le dessus de la boule. Couvrir d'une serviette humide et laisser lever dans un endroit chaud, 1 heure et 15 minutes ou jusqu'au double du volume.

Graisser 2 moules à pain, de 9 × 5 × 3 pouces.

Abaisser la pâte, avec le poing, et la diviser en deux. Façonner, en fonction des moules, les deux portions de pâte et les y placer. Laisser lever, 40 minutes ou jusqu'au double du volume.

Chauffer le four à 375°F. Cuire au four, 35 minutes ou jusqu'à ce que les pains rendent un son creux quand on les frappe du bout des doigts. Laisser refroidir sur des clayettes.

PAIN A LA CANNELLE ET AUX RAISINS

1 tasse d'eau tiède
2 cuil. à thé de sucre
2 enveloppes de levure sèche
1 tasse de lait, chauffé au point d'ébullition
½ tasse de sucre
2 cuil. à thé de sel
½ tasse de graisse végétale ramollie
2 œufs
De 6½ à 7 tasses de farine à tout usage
1½ tasse de raisins muscats
¼ de tasse de beurre ramolli
⅔ de tasse de cassonade, mesurée bien tassée
4 cuil. à thé de cannelle
½ cuil. à thé de muscade
1 jaune d'œuf
1 cuil. à table d'eau
Sucre

Mettre 1 tasse d'eau tiède dans un grand bol. Ajouter 2 cuil. à thé de sucre et brasser pour le bien dissoudre. Saupoudrer de la levure et laisser reposer 10 minutes. Bien brasser.

Ajouter, au lait chaud, ½ tasse de sucre, le sel et la graisse végétale. Laisser tiédir. Ajouter à la levure détrempée, ainsi que les œufs et la moitié de la farine. Bien mêler, en battant avec une cuillère de bois. Ajouter les raisins, en mêlant bien. Ajouter, en mêlant à la cuillère et ensuite directement avec la main, suffisamment de ce qui reste de farine pour obtenir une pâte souple et facile à manipuler. La mettre sur une planche enfarinée et la pétrir 5 minutes ou jusqu'à ce qu'elle soit bien souple et que de petites bulles apparaissent à sa surface. La mettre dans un grand bol graissé, la retourner, pour graisser l'autre côté de la boule, couvrir d'une serviette humide et laisser lever, dans un endroit chaud, 2 heures ou jusqu'au double du volume. Abaisser la pâte avec le poing et la laisser lever de nouveau, 1 heure ou jusqu'au double du volume.

Graisser 2 moules de 9 × 5 × 3 pouces.

Abaisser la pâte avec le poing et en faire deux parts. Rouler l'une des parts en une abaisse d'environ 15 × 8 pouces. Étendre, sur cette abaisse, la moitié du beurre. Mêler la cassonade, la cannelle et la muscade et parsemer l'abaisse de la moitié du mélange. Rouler la pâte, comme un gâteau, et la mettre dans l'un des moules. Répéter ces opérations, avec ce qui reste de pâte.

Battre ensemble, à la fourchette, le jaune d'œuf et 1 cuil. à table d'eau; badigeonner les pains du mélange et les saupoudrer de sucre, généreusement.

Laisser lever les pains, 45 minutes ou jusqu'au double du volume.

Chauffer le four à 375°F. Cuire les pains au four, 40 minutes ou jusqu'à ce qu'ils soient bien brunis et rendent un son creux quand on les frappe légèrement du bout des doigts. Les démouler et les laisser refroidir sur des clayettes.

PAIN DE MAÏS

½ tasse d'eau tiède
1 cuil. à thé de sucre
1 paquet de levure sèche
¾ de tasse d'eau bouillante
½ tasse de farine de maïs
1 cuil. à table de zeste d'orange râpé
3 cuil. à table de graisse végétale ramollie
¼ de tasse de mélasse
2 cuil. à thé de sel
1 œuf
2¾ tasses de farine à tout usage, tamisée

Graisser un moule à pain de 9 × 5 × 3 pouces.

Mesurer l'eau tiède. Ajouter le sucre et brasser pour le dissoudre. Saupoudrer de la levure et laisser reposer 10 minutes. Bien brasser.

Mettre, dans un grand bol, l'eau bouillante, la farine de maïs, le zeste d'orange, la graisse végétale, la mélasse et le sel; battre, à la petite vitesse d'un malaxeur électrique pour mêler le tout. Laisser tiédir. Ajouter la levure, l'œuf et la moitié de la farine à tout usage. Battre à la petite vitesse du malaxeur, pour mêler les ingrédients. Battre ensuite pendant 2 minutes à la vitesse moyenne. Ajouter ce qui reste de farine en battant avec une cuillère de bois.

Mettre la pâte dans les moules et en aplanir le dessus, en tapotant d'une main légèrement enfarinée. Laisser lever, dans un endroit chaud, 50 minutes ou jusqu'à ce que la pâte atteigne 1 pouce plus bas que le bord du moule.

Chauffer le four à 375°F. Cuire au four, 35 minutes ou jusqu'à ce que le pain rende un son creux quand on le frappe du bout des doigts.

PAIN DE SEIGLE FONCÉ

¼ de tasse de sucre
½ tasse de café fort
1¾ tasse d'eau bouillante
¼ de tasse de graisse végétale ramollie
1½ tasse de son en granules (All-Bran)
½ tasse de germe de blé
¼ de tasse de mélasse
2 cuil. à thé de sel
2 cuil. à thé de sucre
½ tasse d'eau tiède
2 paquets de levure sèche
3 tasses de farine de seigle
De 2½ à 3 tasses de farine à tout usage
½ cuil. à thé de café instantané
½ cuil. à thé de sucre
1 cuil. à table d'eau bouillante
1 blanc d'œuf

Mettre ¼ de tasse de sucre dans une petite poêle épaisse et cuire, à feu moyen et en brassant constamment, jusqu'à ce qu'il soit fondu et d'un beau brun doré. Attention de ne pas laisser brûler! Retirer du feu. Ajouter ½ tasse de café, (attention à la vapeur!) et remettre la casserole sur le feu. Chauffer de nouveau, en brassant constamment, jusqu'à ce que le mélange ne contienne plus de petits cristaux et soit homogène. Retirer du feu.

Mettre l'eau bouillante dans un grand bol. Ajouter la graisse végétale et brasser pour la faire fondre. Ajouter les granules de son, le germe de blé, le mélange sucre et café, la mélasse et le sel. Laisser tiédir.

Dissoudre 2 cuil. à thé de sucre dans ½ tasse d'eau tiède. Saupoudrer de la levure et laisser reposer 10 minutes. Bien brasser. Ajouter au mélange tiède, ainsi que la farine de seigle, et bien battre. Ajouter 1½ tasse de farine à tout usage, en mêlant d'abord avec une cuillère, ensuite directement avec la main.

Mettre la pâte sur une planche enfarinée et la pétrir, en lui faisant absorber suffisamment de ce qui reste de farine à tout usage pour obtenir une pâte ferme. Pétrir encore 10 minutes, pour que la pâte soit souple et élastique. La ramasser en boule, la mettre dans un bol graissé, et l'y retourner pour la graisser de tous les côtés. Couvrir d'une serviette humide et laisser lever, dans un endroit chaud, 1½ heure ou jusqu'au double du volume.

Graisser 2 moules à pain de 9 × 5 × 3 pouces. Abaisser la pâte, avec le poing, et en faire 2 parts. Façonner chacune en un pain de la taille des moules. Mettre dans les moules et laisser lever, dans un endroit chaud, 45 minutes ou jusqu'au double du volume.

Chauffer le four à 375°F. Mêler le café instantané, ½ cuil. à thé de sucre et 1 cuil. à table d'eau bouillante, en brassant pour dissoudre le sucre. Ajouter le blanc d'œuf et battre, à la fourchette, pour bien mêler tous les ingrédients. Badigeonner le dessus des pains du mélange. Cuire au four, 45 minutes ou jusqu'à ce que les pains rendent un son creux quand on les frappe du bout des doigts. Badigeonner de nouveau du mélange au café après 30 minutes de cuisson et, une troisième fois, 5 minutes avant la fin de la cuisson.

TRESSE DE NOËL

⅓ de tasse d'eau tiède
2 cuil. à thé de sucre
2 enveloppes de levure sèche
1 tasse de lait
½ tasse de sucre
½ tasse de graisse végétale
1½ cuil. à thé de sel
Approximativement 5 tasses de farine à tout usage
2 œufs
½ cuil. à thé de cardamome moulue
1 tasse de gros raisins de Corinthe
2 cuil. à table de zeste d'orange râpé
1 jaune d'œuf
1 cuil. à table de crème simple (15 p.c.)
¼ de tasse d'amandes tranchées

Mesurer l'eau tiède et y ajouter 2 cuil. à thé de sucre; brasser pour le bien dissoudre. Saupoudrer de la levure et laisser reposer 10 minutes. Bien brasser.

Chauffer le lait au point d'ébullition. Retirer du feu et ajouter ½ tasse de sucre, la graisse végétale et le sel; brasser jusqu'à ce que la graisse soit fondue. Verser dans un grand bol et laisser tiédir.

Ajouter environ la moitié de la farine et battre vivement, avec une cuillère de bois. Ajouter les œufs et bien battre. Ajouter la levure délayée, la cardamome, les raisins et le zeste d'orange et bien mêler. Ajouter suffisamment de ce qui reste de farine pour que la pâte soit facile à manipuler. La mettre sur une planche enfarinée et la pétrir, 5 minutes ou jusqu'à ce qu'elle soit souple et élastique.

Mettre la pâte dans un bol graissé et la retourner une fois pour que le dessus de la pâte soit graissé. Couvrir d'une serviette humide et laisser lever, dans un endroit chaud, 2 heures ou jusqu'au double du volume. Abaisser la pâte, avec le poing, et la laisser lever de nouveau, 30 minutes ou jusqu'à presque le double du volume.

Faire 2 parts de la pâte; les couvrir d'une serviette humide et les laisser reposer 10 minutes.

Diviser l'une des parts de pâte en deux et l'autre en trois. Prendre les 2 premières parts et les rouler sous les paumes, sur une planche enfarinée, pour en faire 2 cordons de 20 pouces de longueur. Les tordre ensemble, sans serrer, sur une grande plaque à biscuits graissée. Souder ensemble les extrémités des cordons et les replier un peu par en dessous. Aplatir légèrement le tout en appuyant avec la main.

Rouler, comme précédemment, les 3 parts qui restent en cordons de 20 pouces de longueur. Les tresser, en souder les extrémités et les replier en dessous. Étaler cette tresse sur la torsade déjà faite (cette dernière doit être plus large que la tresse), et presser légèrement pour bien souder les deux parties du pain.

Battre ensemble le jaune d'œuf et la crème et badigeonner toute la pâte du mélange. Décorer de tranches d'amandes. Couvrir et laisser lever, 1 heure ou jusqu'au double du volume.

Chauffer le four à 350°F. Cuire au four, 45 minutes ou jusqu'à ce que ce soit d'un beau doré foncé.

BRIOCHES PASCALES

1½ tasse de lait
¼ de tasse de beurre ramolli
2 cuil. à thé de sucre
⅓ de tasse d'eau tiède
2 enveloppes de levure sèche
De 5½ à 6 tasses de farine à tout usage
½ tasse de sucre
2 cuil. à thé de sel
1 cuil. à thé de cannelle
½ cuil. à thé de muscade
¼ de cuil. à thé de clou de girofle en poudre
1½ tasse de petits raisins de Corinthe
⅓ de tasse de cédrat (ou d'un mélange d'écorces confites), finement haché
3 œufs, battus
1 jaune d'œuf
1 cuil. à table d'eau
Sucre à glacer tamisé
Jus de citron

Mettre le lait et le beurre dans une casserole. Chauffer jusqu'au point d'ébullition et laisser tiédir.

Dissoudre 2 cuil. à thé de sucre dans l'eau tiède. Saupoudrer de la levure et laisser reposer 10 minutes. Bien brasser.

Mettre, dans un grand bol, 3 tasses de farine, ½ tasse de sucre, le sel et les épices; mêler parfaitement, à la fourchette. Ajouter les raisins et le cédrat et bien mêler. Ajouter, en brassant, les œufs, le mélange lait et beurre tiédi et la levure délayée. Bien battre avec une cuillère de bois. Ajouter suffisamment de ce qui reste de farine pour obtenir une pâte souple, facile à manipuler. Mettre sur une planche enfarinée et pétrir, 5 minutes ou jusqu'à ce que la pâte soit bien lisse et élastique. Mettre dans un grand bol graissé, tourner la pâte une fois pour la graisser sur le dessus, la couvrir d'une serviette humide et laisser lever, dans un endroit chaud, 2 heures ou jusqu'au double du volume.

Graisser 2 moules de 13 × 9 × 2 pouces. Abaisser la pâte avec le poing. La diviser en 24 portions à peu près égales et façonner chacune en boule. Mettre les boules dans les moules (12 dans chacun), un peu espacées les unes des autres. Laisser lever, 1 heure ou jusqu'à un peu plus du double du volume.

Chauffer le four à 400°F. Battre ensemble le jaune d'œuf et 1 cuil. à table d'eau et badigeonner du mélange le dessus des brioches. Cuire au four, 15 minutes ou jusqu'à ce que ce soit bien bruni. Démouler sur des clayettes et laisser tiédir.

Ajouter, à environ 1 tasse de sucre à glacer, juste assez de jus de citron pour obtenir une glace bien ferme. En appliquant cette glace avec une seringue à pâtisserie, faire une croix sur chacune des brioches encore tièdes. (24 grosses brioches)

Beignets à la levure: *recette à la page 122*

Biscuits, gâteaux et tartes

Une tarte croustillante, un beau gâteau, une torte resplendissante . . . voilà qui termine magnifiquement un repas et qui vaut bien des éloges au cuisinier. Mais un gâteau tout simple ou des biscuits sans prétention frais sortis du four peuvent plaire tout autant à la famille.

Dans ce chapitre, vous trouverez des recettes souvent demandées, comme les biscuits ermite, le gâteau de base à un œuf, le gâteau éponge léger, les belles tartes favorites, les gâteaux aux fruits, les beaux gâteaux d'apparat et, pour les portions individuelles, des tartelettes et des chaussons. Bon appétit!

Sablés aux amandes: *recette à la page 135*

BOULES SURPRISE
AU CHOCOLAT

½ tasse d'amandes mondées, finement moulues
1 blanc d'œuf
2 cuil. à table de cassonade
1 cuil. à table d'eau
½ cuil. à thé d'essence d'amande
4 onces de chocolat au lait
2 cuil. à table de lait
¾ de tasse de beurre ramolli
¼ de tasse de sucre
1 cuil. à thé de vanille
2 tasses de farine à tout usage, tamisée
½ cuil. à thé de sel
Sucre à glacer

Chauffer le four à 375°F. Avoir sous la main des plaques à biscuits légèrement graissées.

Mêler les amandes moulues, le blanc d'œuf, la cassonade, l'eau et l'essence d'amande. Le mélange, un peu mou, servira de garniture. Mettre de côté.

Mêler le chocolat et le lait dans la casserole supérieure d'un bain-marie et chauffer, au-dessus d'eau frissonnante, jusqu'à ce que le chocolat soit fondu.

Bien travailler ensemble le beurre et le sucre. Ajouter la vanille et le chocolat, en brassant. Tamiser, dans le mélange, la farine et le sel et bien mêler.

Aplatir, en un petit cercle, une grosse cuillerée à thé de la pâte au chocolat et déposer dessus, au centre, ¼ de cuil. à thé de la garniture aux amandes. Bien envelopper la garniture de la pâte de façon à former une petite boule. Mettre dans la plaque. Répéter pour utiliser toute la pâte et toute la garniture.

Cuire au four, 10 minutes ou jusqu'à ce que les boules soient à point. Laisser refroidir quelques minutes et rouler les boules dans du sucre à glacer. Laisser refroidir complètement et, avant de ranger, rouler de nouveau dans du sucre à glacer. (De 4 à 5 douzaines)

BOULETTES RELEVÉES
DE MUSCADE

1 tasse de beurre ramolli
½ tasse de sucre
1 cuil. à thé de vanille
1⅓ tasse d'amandes mondées moulues
2 tasses de farine à tout usage, tamisée
1 cuil. à thé de muscade
1¼ tasse de sucre à glacer, tamisé
½ cuil. à thé de muscade

Chauffer le four à 300°F. Avoir sous la main des plaques à biscuits non graissées.

Bien travailler ensemble le beurre et le sucre. Ajouter la vanille et les amandes moulues, en mêlant parfaitement. Tamiser ensemble, dans le mélange, la farine et 1 cuil. à thé de muscade; bien mêler.

Façonner la pâte en boulettes, d'environ ¾ de pouce de diamètre, et mettre ces dernières sur les plaques. Cuire au four, 25 minutes ou jusqu'à ce que les biscuits soient fermes et leur base légèrement brunie. Laisser reposer sur les plaques 2 minutes.

Mêler, dans un bol, le sucre à glacer et ½ cuil. à thé de muscade. Rouler les boulettes dans le mélange et les mettre à refroidir sur des clayettes. Les rouler de nouveau dans le mélange avant de les ranger. (Environ 5 douzaines)

BISCUITS ERMITE

1 tasse de graisse végétale ramollie
2 tasses de cassonade, mesurée bien tassée
4 œufs
¼ de tasse de café fort, refroidi
2 tasses de gros raisins de Corinthe
1 tasse de noix hachées
4 tasses de farine à tout usage, tamisée
1 cuil. à thé de sel
1 cuil. à thé de bicarbonate de sodium
1½ cuil. à thé de muscade

Chauffer le four à 375°F. Graisser des plaques à biscuits.

Bien battre ensemble, jusqu'à ce que ce soit léger, la graisse, la cassonade et les œufs. Ajouter le café, les raisins et les noix, en brassant. Tamiser ensemble, dans le premier mélange, la farine, le sel, le bicarbonate de sodium et la muscade et mêler.

Déposer la pâte sur les plaques, par grosse cuillerée à thé. Cuire au four, de 10 à 12 minutes ou jusqu'à ce que ce soit ferme. (Environ 9 douzaines)

LES BISCUITS FAVORIS DE PAPA

1 tasse de beurre ramolli
3 tasses de cassonade, mesurée bien tassée
2 œufs
1 cuil. à thé de vanille
2 tasses de farine à tout usage, tamisée
1 cuil. à thé de poudre à lever
½ cuil. à thé de bicarbonate de sodium
½ cuil. à thé de sel
1 tasse de noix de coco en flocons
2 tasses de gruau d'avoine à cuisson rapide

Chauffer le four à 375°F. Graisser des plaques à biscuits.

Battre ensemble, jusqu'à ce que ce soit léger, le beurre, la cassonade, les œufs et la vanille.

Tamiser ensemble, dans le mélange, la farine, la poudre à lever, le bicarbonate de sodium et le sel et bien mêler. Ajouter la noix de coco et le gruau, en brassant.

Déposer, par grosse cuillerée à table, sur les plaques en espaçant les petits amas de pâte de 3 pouces et en les aplatissant à la fourchette. Cuire au four, 10 minutes ou jusqu'à ce que les biscuits soient fermes et légèrement brunis.

Laisser les biscuits dans la plaque pendant quelques minutes, pour qu'ils durcissent un peu, et les faire refroidir ensuite sur une clayette. (Environ 3 douzaines de gros biscuits)

BOUCHÉES AU CITRON ET AU FROMAGE

**4 onces de fromage à la crème (à la
température de la pièce)**
⅓ de tasse de beurre ramolli
½ tasse de sucre
2 cuil. à table de zeste de citron râpé
2 cuil. à thé de jus de citron
1 tasse de farine à tout usage, tamisée
2 cuil. à thé de poudre à lever
¼ de cuil. à thé de sel
¾ de tasse de flocons de maïs écrasés

Travailler ensemble, pour que ce soit léger, le fromage
à la crème, le beurre et le sucre. Ajouter le zeste et le
jus de citron, en brassant. Tamiser ensemble la farine,
la poudre à lever et le sel. Ajouter au mélange en crème,
en brassant jusqu'à ce que la pâte soit bien lisse. Réfrigérer environ 1 heure.
Chauffer le four à 350°F.
Façonner la pâte en boulettes de 1 pouce de diamètre.
Rouler chacune dans les flocons de maïs écrasés. Mettre
les boulettes dans une plaque à biscuits non graissée et
les cuire au four, de 12 à 15 minutes ou jusqu'à ce que
les bouchées soient prises sans être brunies. (De 2½ à
3 douzaines de bouchées)

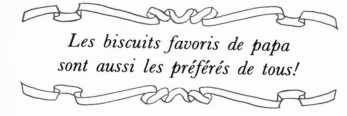

*Les biscuits favoris de papa
sont aussi les préférés de tous!*

BOUCHÉES AUX NOIX

¼ de cuil. à thé de colorant végétal vert
1 cuil. à table d'eau chaude
¾ de tasse de noix hachées
1 tasse de beurre
¾ de tasse de cassonade, mesurée bien tassée
1 cuil. à thé de vanille
½ tasse de noix finement hachées
2⅓ tasses de farine à tout usage, tamisée
½ cuil. à thé de poudre à lever
Glace au beurre brun (recette ci-après)

Chauffer le four à 250°F. Avoir sous la main une plaque
à biscuits.
Mettre le colorant et l'eau chaude dans un bocal fermant
hermétiquement; bien agiter. Ajouter ¾ de tasse de noix
et bien agiter le tout pour colorer les noix uniformément.
Étendre les noix dans la plaque à biscuits et chauffer
au four, en brassant souvent, 20 minutes ou jusqu'à ce
que les noix soient sèches. Laisser refroidir et mettre de
côté.
Hausser la température du four à 350°F. Avoir sous la
main des plaques à biscuits non graissées.
Faire fondre le beurre, dans une casserole moyenne.

Retirer du feu et ajouter la cassonade, la vanille et ½
tasse de noix. Tamiser, dans le mélange, la farine et la
poudre à lever et bien mêler.
Façonner la pâte en petites boules et mettre ces dernières
dans les plaques. Pincer, en pointe, le dessus de chaque
bouchée. Cuire au four, 15 minutes ou jusqu'à ce que
ce soit à point. Laisser refroidir dans les plaques.
Recouvrir toutes les bouchées de la glace au beurre brun
et les passer dans les noix vertes pour les en enrober.
Bien laisser sécher la glace avant de ranger les bouchées.
(Environ 3½ douzaines)

Glace au beurre brun

2 cuil. à table de beurre
1 tasse de sucre à glacer, tamisé
¾ de cuil. à thé de vanille
**Approximativement 3 cuil. à thé de crème
simple**

Mettre le beurre dans une petite casserole et le chauffer,
à feu doux et en brassant souvent, jusqu'à ce qu'il soit
d'un brun foncé. Retirer du feu. Ajouter, en brassant,
le sucre, la vanille et suffisamment de crème pour obtenir
une glace plutôt claire.

BISCUITS AUX DATTES ET AU MIEL

1 tasse de miel liquide
**1 bocal de 12 onces de beurre d'arachide (1½
tasse)**
¼ de tasse de graisse végétale ramollie
3 œufs
2 cuil. à thé de vanille
1½ tasse de dattes hachées
1 tasse de gruau d'avoine à cuisson rapide
1 tasse de germe de blé, du type ordinaire
1 tasse de noix grossièrement hachées
1½ tasse de farine à tout usage, tamisée
2 cuil. à thé de poudre à lever
1 cuil. à thé de sel
½ cuil. à thé de cannelle
½ cuil. à thé de muscade
Dattes (facultatif)

Chauffer le four à 350°F. Graisser de grandes plaques
à biscuits.
Mêler, dans un grand bol, le miel, le beurre d'arachide,
la graisse végétale, les œufs et la vanille; battre jusqu'à
ce que le mélange soit très léger. Ajouter, en brassant,
les dattes, le gruau, le germe de blé et les noix. Tamiser
ensemble, dans le mélange, la farine, la poudre à lever,
le sel, la cannelle et la muscade et bien mêler le tout.
Déposer la pâte, par grosse cuillerée à thé, sur les plaques
à biscuits. Couper des dattes en deux, en longueur, et
couronner chaque biscuit d'une demi-datte. On peut aussi
omettre les dattes; aplatir alors légèrement les petits amas
de pâte, avec les dents d'une fourchette. Cuire au four,
de 18 à 20 minutes. (Environ 8 douzaines de biscuits
moyens).

BISCUITS AUX CACAHUÈTES SALÉES

1 tasse de graisse végétale ramollie (voir note)
1½ tasse de cassonade, mesurée bien tassée
2 œufs
3¾ tasses de farine à tout usage, tamisée
1½ cuil. à thé de bicarbonate de sodium
1 cuil. à thé de poudre à lever
1 cuil. à thé de sel
½ tasse de lait
2½ tasses de flocons de son (voir note)
1½ tasse de cacahuètes salées, hachées

Battre ensemble, jusqu'à ce que ce soit léger, la graisse, la cassonade et les œufs. Tamiser ensemble la farine, le bicarbonate de sodium, la poudre à lever et le sel et ajouter au premier mélange ainsi que le lait, en alternant. Ajouter les flocons de son et les cacahuètes et mêler. Réfrigérer, 1 heure ou jusqu'à ce que la pâte soit ferme.
Chauffer le four à 375°F. Graisser des plaques à biscuits.
Déposer la pâte par grosse cuillerée à table sur les plaques, en disposant les petits amas à environ 3 pouces les uns des autres. Cuire au four, de 12 à 15 minutes ou jusqu'à ce que les biscuits soient fermes et légèrement brunis. (Environ 3½ douzaines de gros biscuits)
Note: remplacer, si on le désire, une partie de la graisse végétale par du beurre. Il s'agit des flocons de son vendus comme céréale prête à servir.

RECTANGLES RELEVÉS DE GOMME ARABIQUE

⅓ de tasse de graisse végétale ramollie
1 tasse de cassonade, mesurée bien tassée
1 œuf
2 cuil. à thé de vanille
½ cuil. à thé d'essence d'amande
1⅓ tasse de farine à tout usage, tamisée
1 cuil. à thé de poudre à lever
½ cuil. à thé de sel
1 cuil. à thé de cannelle
¼ de tasse de lait évaporé
1 tasse de bonbons de gomme arabique, en morceaux (voir note)
½ tasse de noix hachées
1 tasse de sucre à glacer, tamisé
½ cuil. à thé de vanille
Approximativement 4 cuil. à thé de lait évaporé

Chauffer le four à 350°F. Graisser un moule à gâteau carré, de 9 pouces de côté.
Battre ensemble, jusqu'à ce que ce soit léger, la graisse végétale, la cassonade, les œufs, 2 cuil. à thé de vanille et l'essence d'amande. Tamiser ensemble la farine, la poudre à lever, le sel et la cannelle. Ajouter, au mélange en crème, environ la moitié du mélange sec et ¼ de tasse de lait évaporé. Battre jusqu'à ce que le mélange soit lisse. Ajouter le reste de la farine, en brassant. Ajouter les morceaux de gomme arabique et les noix, en mêlant

bien. Cuire au four, 35 minutes ou jusqu'à ce qu'une légère pression du doigt à la surface de la pâtisserie ne laisse aucune empreinte. Laisser refroidir dans le moule 5 minutes. Mêler le sucre à glacer, ½ cuil. à thé de vanille et suffisamment des 4 cuil. à thé de lait évaporé pour obtenir une glace claire. L'étendre sur la pâtisserie encore un peu chaude. Laisser tiédir et couper en rectangles.
Note: ne pas utiliser les bonbons noirs.

RECTANGLES AUX ABRICOTS

⅔ de tasse d'abricots secs
½ tasse de beurre (ou de graisse végétale) ramolli
¼ de tasse de sucre
1 tasse de farine à tout usage, tamisée
2 œufs
1 tasse de cassonade, mesurée bien tassée
⅓ de tasse de farine à tout usage, tamisée
½ cuil. à thé de poudre à lever
¼ de cuil. à thé de sel
½ tasse d'amandes hachées
1 cuil. à thé d'essence d'amande
Sucre à glacer

Couvrir les abricots d'eau, dans une petite casserole. Chauffer jusqu'à ébullition, baisser le feu, couvrir et faire mijoter 10 minutes. Égoutter, laisser refroidir et hacher finement.
Chauffer le four à 350°F. Graisser un moule à gâteau de 8 × 8 × 2 pouces.
Mêler le beurre, le sucre et 1 tasse de farine, en travaillant d'abord à la fourchette, ensuite directement avec les doigts; le mélange sera grumeleux. Presser uniformément dans le moule.
Cuire au four de 20 à 25 minutes ou jusqu'à ce que ce soit pris et légèrement bruni.
Bien battre les œufs. Ajouter la cassonade, petit à petit et en battant. Tamiser ensemble, dans le mélange, ⅓ de tasse de farine, la poudre à lever et le sel et bien battre. Ajouter les abricots, les amandes et l'essence d'amande et mêler. Étendre sur la croûte dans le moule. Continuer la cuisson au four pendant 30 minutes.
Laisser tiédir et saupoudrer généreusement de sucre à glacer tamisé. Laisser refroidir et couper en rectangles.

CARRÉS AU GRUAU

¼ de tasse de beurre ou de margarine
⅔ de tasse de cassonade, mesurée bien tassée
½ cuil. à thé de vanille
1 tasse de gruau d'avoine à cuisson rapide
¼ de tasse de noix hachées
¼ de tasse de farine à tout usage, tamisée
1 cuil. à thé de poudre à lever
¼ de cuil. à thé de sel

Chauffer le four à 300°F. Graisser un moule à gâteau carré, de 8 pouces de côté.
Faire fondre le beurre ou la margarine, dans une casserole

moyenne. Ajouter, en brassant, la cassonade, la vanille, le gruau et les noix. Tamiser ensemble, dans le mélange, la farine, la poudre à lever et le sel et bien mêler, d'abord à la cuillère, ensuite directement avec les doigts. Presser le mélange uniformément dans le moule. Cuire au four, 25 minutes environ. Laisser refroidir dans le moule 10 minutes et couper en carrés. Laisser refroidir complètement les carrés dans le moule.

CARRÉS HOLLANDAIS

¾ de tasse de beurre ramolli
1 tasse de cassonade, mesurée bien tassée
3 cuil. à table de lait
2¾ tasses de farine à tout usage, tamisée
1 cuil. à table de cannelle
½ cuil. à thé de macis
½ cuil. à thé de graines d'anis moulues (voir note)
¼ de cuil. à thé de gingembre en poudre
¼ de cuil. à thé de muscade
¼ de cuil. à thé de clou de girofle en poudre
¼ de cuil. à thé de poudre à lever
⅛ de cuil. à thé de sel
1 livre d'amandes mondées, finement hachées (voir note)
3 tasses de sucre à glacer, tamisé
2 œufs, légèrement battus
2 cuil. à table de jus de citron
1½ cuil. à thé d'essence d'amande
60 amandes mondées, entières

Travailler ensemble, pour que ce soit bien léger, le beurre et la cassonade. Ajouter le lait, en battant. Tamiser ensemble la farine, les épices, la poudre à lever et le sel. Ajouter au mélange en crème, ½ tasse à la fois, en battant bien après chaque addition, pour commencer, et en mêlant bien après chaque addition quand la pâte devient plus ferme. Ramasser la pâte en boule et la réfrigérer quelques minutes.

Mêler, pendant ce temps, les amandes moulues et le sucre à glacer. Ajouter les œufs, le jus de citron et l'essence d'amande et mêler parfaitement. Mettre de côté.

Chauffer le four à 375°F. Bien graisser un moule à gâteau roulé de 15 × 10 × 1 pouces.

Faire 2 parts de la pâte épicée. Façonner l'une des parts en un rectangle légèrement aplati et mettre ce dernier sur une longue feuille de papier ciré. Couvrir d'une autre feuille de papier ciré et rouler la pâte (entre les deux feuilles) en un rectangle de 15½ × 10½ pouces (humecter la table, à l'endroit où vous déposez la première feuille de papier, pour que cette dernière reste bien en place pendant que vous travaillez). Retirer la feuille de dessus et retourner l'abaisse dans le moule, en vous aidant de la feuille de dessous. Enlever cette feuille et presser la pâte dans les coins du moule et contre les bords.

Déposer le mélange aux amandes sur la pâte, par petite cuillerée, et l'étendre, uniformément, presque jusqu'aux bords de l'abaisse.

Rouler, comme précédemment, l'autre part de pâte

épicée (utiliser de nouvelles feuilles de papier pour que la pâte n'y colle pas et tailler, bien droit, les bords de l'abaisse). Retourner l'abaisse sur la préparation. Utiliser, si cela est nécessaire, les retailles de pâte enlevée pour bien remplir les coins. Avec une spatule en caoutchouc, bien presser les 2 abaisses de pâte ensemble, tout autour du moule, pour bien enfermer le mélange aux amandes. **Faire**, avec les dents d'une fourchette, des marques dans la pâte: tracer 6 lignes, en longueur, et 10, en largeur, de façon à obtenir 60 carrés. Mettre une amande au centre de chaque carré.

Cuire au four, 20 minutes ou jusqu'à ce que ce soit légèrement bruni. Laisser refroidir quelques minutes dans le moule; retourner ensuite sur une grande clayette et laisser refroidir complètement. Couper ou casser en carrés avant de servir. (60 carrés)

Note: passer les amandes au hachoir, au moins 2 fois, en utilisant le couteau le plus fin; vous aurez environ 4 tasses d'amandes moulues fin. Si on ne peut trouver de graines d'anis moulues, en broyer finement au mortier ou avec le fond d'un petit bocal.

RECTANGLES AUX FRUITS

1 tasse de farine de blé entier
½ tasse de germe de blé
½ tasse de farine à tout usage, tamisée
1 cuil. à thé de bicarbonate de sodium
1 cuil. à thé de sel
2½ tasses de gruau d'avoine à cuisson rapide
1 tasse de miel liquide
1 tasse de graisse végétale, fondue (voir note)
Garniture au miel et aux dattes (recette ci-après)

Chauffer le four à 350°F. Graisser un moule à gâteau de 13 × 9 × 2 pouces.

Mettre, dans un bol, la farine de blé entier, le germe de blé, la farine à tout usage, le bicarbonate de sodium, le sel et le gruau; bien mêler, à la fourchette. Ajouter le miel et la graisse fondue et bien mêler. Tapoter la moitié du mélange dans le moule pour en recouvrir tout le fond, uniformément. Recouvrir de la garniture.

Déposer ce qui reste de pâte sur la garniture, par petite cuillerée (peu importe si la garniture n'est pas toute recouverte). Cuire au four, 30 minutes ou jusqu'à ce que ce soit doré. Laisser refroidir et couper en rectangles.

Note: remplacer, si on le désire, une partie de la graisse végétale par du beurre ou de la margarine.

Garniture au miel et aux dattes

1 livre de dattes, en morceaux (environ 3½ tasses)
¾ de tasse de miel liquide
¼ de tasse de jus d'orange
1 cuil. à table de zeste d'orange râpé
1 pincée de sel

Mêler tous les ingrédients, dans une casserole. Chauffer jusqu'à ébullition, baisser le feu et laisser bouillir, à feu doux et en brassant, 5 minutes ou jusqu'à épaississement.

BÂTONNETS AU CHOCOLAT

1 tasse de beurre
4 carrés (4 onces) de chocolat non sucré
2 tasses de sucre
4 œufs
2 cuil. à thé de vanille
1½ tasse de farine à tout usage, tamisée
½ cuil. à thé de sel
1½ tasse de pacanes, en moitiés
Sucre à glacer

Chauffer le four à 375°F. Graisser un moule à gâteau de 13 × 9 × 2 pouces.

Chauffer ensemble au bain-marie frissonnant, en brassant de temps à autre, le beurre et le chocolat jusqu'à ce que ces ingrédients soient fondus.

Mettre le sucre dans un bol de grandeur moyenne. Verser dessus le mélange au chocolat et bien mêler. Ajouter les œufs, un à la fois et sans les battre au préalable, et battre avec une cuillère de bois juste assez pour bien mêler. Ajouter la vanille. Tamiser farine et sel dans le mélange et bien mêler. Ajouter les pacanes.

Étendre la pâte dans le moule. Cuire au four, de 25 à 30 minutes ou jusqu'à ce que la pâte soit cuite sur les bords mais légèrement molle au centre et qu'une légère pression du doigt y laisse une empreinte (ces bâtonnets sont meilleurs à peine cuits).

Laisser refroidir dans le moule et saupoudrer généreusement de sucre à glacer. Couper, encore tiède, en bâtonnets.

FRIANDISES AU CHOCOLAT
(sans cuisson au four)

½ tasse de beurre ramolli
¼ de tasse de sucre
3 cuil. à table de cacao
1 œuf
½ cuil. à thé de vanille
½ cuil. à thé de sel
2 tasses de miettes de biscuits Graham
1 tasse de noix de coco en flocons
½ tasse d'amandes rôties, hachées
2 tasses de sucre à glacer, tamisé
1 cuil. à table de beurre, fondu
Approximativement 2 cuil. à table de crème
½ cuil. à thé d'essence d'amande
1 carré (1 once) de chocolat semi-sucré
1½ cuil. à thé de beurre

Mêler ½ tasse de beurre, le sucre, le cacao, l'œuf, la vanille et le sel, dans la casserole supérieure d'un bain-marie. Bien mêler et chauffer, au bain-marie frissonnant et en brassant constamment, environ 5 minutes ou jusqu'à ce que la préparation soit légèrement épaissie et lisse. (Le mélange se séparera un peu s'il est trop chauffé mais ceci n'altère en rien la réussite finale des friandises.)

Retirer du feu et ajouter les miettes de biscuits, la noix de coco et les amandes, en mêlant bien. Presser fermement le mélange dans un moule carré, de 8 pouces de côté, beurré. Réfrigérer pendant la préparation de la glace.

Bien mêler le sucre à glacer, 1 cuil. à table de beurre, la crème et l'essence d'amande, en utilisant juste assez de crème pour que la glace soit facile à étendre. Étendre dans le moule, sur la pâte au chocolat.

Faire fondre à feu doux, dans une petite casserole, le chocolat et 1½ cuil. à thé de beurre. Faire couler en filet sur les friandises. Passer délicatement un couteau dans la glace, avec un mouvement de va-et-vient, pour faire un joli dessin. Réfrigérer jusqu'à peu avant le moment de servir.

DOIGTS DÉLICIEUX

½ tasse de beurre ramolli
½ tasse de graisse végétale ramollie
1¼ tasse de sucre
1 œuf
1 cuil. à thé de vanille
2½ tasses de farine à tout usage, tamisée
1½ cuil. à thé de poudre à lever
½ cuil. à thé de sel
1 paquet de 6 onces (1 tasse) de crottes de chocolat
½ tasse de pacanes, grossièrement cassées
½ tasse de noix de coco en flocons
½ tasse de cerises marasques, bien égouttées et hachées
1 tasse de sucre à glacer, tamisé
1 cuil. à table de beurre
¼ de cuil. à thé d'essence d'amande
Approximativement 2 cuil. à table de jus de conserve de cerises marasques

Chauffer le four à 350°F. Graisser un moule à gâteau roulé de 15 × 10 × 1 pouces.

Battre ensemble, jusqu'à ce que ce soit léger, ½ tasse de beurre, la graisse végétale, le sucre, l'œuf et la vanille. Tamiser ensemble, dans le mélange, la farine, la poudre à lever et le sel et bien mêler. Ajouter le chocolat, les pacanes, la noix de coco et les cerises et bien mêler (la pâte sera très ferme).

Presser la pâte uniformément dans le moule. Cuire au four, de 18 à 20 minutes ou jusqu'à ce que ce soit bruni et qu'une légère pression du doigt au centre ne laisse aucune empreinte. Laisser tiédir dans le moule.

Mêler le sucre à glacer, 1 cuil. à table de beurre, l'essence d'amande et suffisamment du jus de conserve des cerises pour obtenir une glace plutôt claire. En recouvrir la pâtisserie encore tiède et couper le tout en doigts, immédiatement. Laisser refroidir. (48 doigts)

PETITS ROULEAUX AUX AMANDES

2 blancs d'œufs
½ tasse de sucre
⅓ de tasse de farine à tout usage, tamisée
3 cuil. à table de beurre (ou de margarine), fondu
⅓ de tasse d'amandes mondées, finement hachées
¼ de cuil. à thé d'essence d'amande
Sucre à glacer (facultatif)

Chauffer le four à 450°F. Graisser parfaitement de petites plaques à biscuits.
Battre les blancs d'œufs, dans un petit bol, jusqu'à ce qu'ils soient en neige bien ferme. Incorporer le sucre. Ajouter ensuite, très délicatement et en ne brassant qu'aussi peu que possible, la farine, le beurre ou la margarine, les amandes et l'essence d'amande. Déposer sur les plaques, par cuillère à thé, en espaçant les petits amas de pâte de 3 pouces. Avec le dos d'une cuillère, étendre les petits amas en ronds de 2 à 3 pouces de diamètre. (Ne préparer et ne cuire que 6 ronds à la fois; autrement ils durciraient avant que vous n'ayez eu le temps de les rouler.)
Cuire au four, 3 ou 4 minutes ou jusqu'à ce que les ronds soient dorés. Les dégager immédiatement des plaques et, rapidement, rouler chacun, sans serrer, en travaillant directement avec les doigts. Laisser refroidir sur une clayette. Cuire et travailler de cette façon toute la pâte. Refroidir les plaques, toutefois, et les graisser de nouveau avant chaque cuisson.
Tamiser un peu de sucre à glacer sur les petits rouleaux refroidis, si on le désire. Ranger dans une boîte de métal fermant bien hermétiquement. (Environ 30 rouleaux)

SABLÉS AUX AMANDES

2 tasses de beurre ramolli
⅔ de tasse de sucre à glacer, tamisé
⅓ de tasse de cassonade, mesurée bien tassée
1 cuil. à thé d'essence d'amande
4½ tasses de farine à tout usage, tamisée
Approximativement 1 tasse d'amandes mondées
Environ 10 cerises confites
2 jaunes d'œufs
2 cuil. à table de lait

Mettre le beurre, le sucre à glacer, la cassonade et l'essence d'amande dans un grand bol. Battre jusqu'à ce que le mélange soit bien léger. Ajouter la farine et mêler, d'abord à la cuillère et ensuite directement avec les mains, jusqu'à ce que la pâte soit lisse et veloutée. Réfrigérer plusieurs heures.
Fendre les amandes en deux, comme elles se fendent naturellement. Couper chaque cerise en 6 petits morceaux.
Chauffer le four à 300°F. Graisser légèrement des plaques à biscuits.
Abaisser la pâte à ¼ de pouce d'épaisseur. Y tailler les sablés avec un emporte-pièce rond, de 2 pouces de

diamètre, ou en forme d'étoile. Mettre un morceau de cerise au centre de chaque sablé et l'entourer de moitiés d'amandes disposées comme les pétales d'une marguerite.
Battre ensemble, à la fourchette, les jaunes d'œufs et le lait et badigeonner le dessus des sablés du mélange.
Cuire au four, de 20 à 25 minutes ou jusqu'à ce que les sablés soient fermes et dorés. (Environ 60 sablés épais)

SABLÉS A LA CASSONADE

1 tasse de cassonade, mesurée bien tassée
1 livre de beurre ramolli
5 tasses de farine à tout usage, tamisée

Mêler tous les ingrédients. Pétrir la pâte, la travailler en l'écrasant entre les mains, 20 minutes ou jusqu'à ce qu'elle soit bien lisse et satinée. La réfrigérer jusqu'au lendemain.
Chauffer le four à 300°F.
Travailler la pâte directement avec les mains, par petite portion à la fois, et l'assouplir suffisamment pour pouvoir la rouler. En faire des abaisses de ¼ de pouce d'apaisseur et y tailler des biscuits ronds, carrés ou de quelque autre forme.
Cuire au four, de 20 à 25 minutes ou jusqu'à ce que les sablés soient fermes mais très légèrement brunis en dessous. (De 4½ à 5 douzaines de sablés moyens)
Note: un rouleau à pâte recouvert de motifs en reliefs n'est pas absolument nécessaire mais il fait de jolis sablés.

BISCUITS AU GRUAU

1 tasse de graisse végétale ramollie
1 tasse de cassonade, mesurée bien tassée
1 tasse de sucre
2 œufs
1 cuil. à thé de vanille
1½ tasse de farine à tout usage, tamisée
1 cuil. à thé de bicarbonate de sodium
1 cuil. à thé de sel
3 tasses de gruau d'avoine à cuisson rapide
½ tasse de noix finement hachées
Sucre

Mettre, dans un bol, la graisse végétale, la cassonade, 1 tasse de sucre, les œufs et la vanille. Battre jusqu'à ce que le mélange soit homogène et léger. Tamiser ensemble, dans le mélange, la farine, le bicarbonate de sodium et le sel. Ajouter le gruau et les noix et mêler parfaitement. Façonner en deux rouleaux de 2 pouces de diamètre. Envelopper ces derniers de papier d'aluminium et les congeler (voir note).
Chauffer le four à 375°F. Couper les rouleaux en tranches de ¼ de pouce d'épaisseur et mettre ces dernières sur une plaque à biscuits non graissée. Saupoudrer de sucre.
Cuire au four, 10 minutes ou jusqu'à ce que ce soit joliment bruni. (Environ 4 douzaines de grands biscuits)
Note: ces biscuits, particulièrement délicieux, sont difficiles à trancher quand leur pâte n'est que réfrigérée. Congelés, les rouleaux se tranchent beaucoup mieux.

GÂTEAU UN OEUF

⅓ de tasse de graisse végétale ramollie
1 œuf
1 tasse de sucre
1⅓ tasse de farine à tout usage, tamisée
2 cuil. à thé de poudre à lever
½ cuil. à thé de sel
⅔ de tasse de lait
½ cuil. à thé de vanille
¼ de cuil. à thé d'essence d'amande
Garniture à l'arachide (recette ci-après)

Chauffer le four à 350°F. Graisser un moule à gâteau carré, de 9 pouces de côté.
Mettre la graisse végétale, l'œuf et le sucre dans un petit bol. Battre, à la grande vitesse d'un malaxeur électrique, jusqu'à ce que le mélange soit bien léger.
Tamiser ensemble la farine, la poudre à lever et le sel. Mêler le lait, la vanille et l'essence d'amande. Ajouter les ingrédients secs et le lait au premier mélange, petit à petit et en alternant; commencer et terminer les additions, toutefois, avec les ingrédients secs. (Battre pour que le mélange soit lisse après chaque addition.) Mettre la pâte dans le moule. Cuire au four, de 25 à 30 minutes ou jusqu'à ce qu'un cure-dents inséré au centre du gâteau en ressorte sec.
Retirer le gâteau du four et allumer le grilloir de ce dernier. Étendre la garniture à l'arachide sur le gâteau chaud. Faire griller, assez loin du feu c'est-à-dire à mi-hauteur du four, jusqu'à ce que la garniture bouillonne et soit légèrement brunie. Laisser refroidir dans le moule.

Garniture à l'arachide

½ tasse de cassonade, mesurée bien tassée
3 cuil. à table de beurre
3 cuil. à table de crème simple (15 p.c.)
3 cuil. à table de beurre d'arachide lisse
¾ de tasse de cacahuètes salées, hachées

Chauffer ensemble, dans une petite casserole, la cassonade, le beurre et la crème jusqu'à ce que ces ingrédients forment un mélange homogène. Ajouter le beurre d'arachide et les cacahuètes. Étendre sur le gâteau chaud et faire griller comme nous l'indiquons.

GÂTEAU AU CHOCOLAT

2 cuil. à table de graisse végétale
2 carrés (2 onces) de chocolat non sucré
1 tasse de sucre
1 œuf
1½ tasse de farine à tout usage, tamisée
1 cuil. à thé de bicarbonate de sodium
¼ de cuil. à thé de sel
1 tasse de babeurre ou de lait sur
1 cuil. à thé de vanille
Glace au chocolat crémeuse (recette ci-après)

Chauffer le four à 350°F. Graisser un moule à gâteau carré, de 9 pouces de côté.
Mettre la graisse végétale et le chocolat dans une petite casserole et faire fondre, à feu très bas.
Mêler le sucre, l'œuf et le mélange au chocolat dans un bol; bien battre.
Tamiser ensemble la farine, le bicarbonate de sodium et le sel et ajouter au premier mélange, en alternant avec le babeurre ou le lait auquel on aura ajouté la vanille.
Verser dans le moule et cuire au four, 35 minutes ou jusqu'à ce qu'une légère pression du doigt à la surface du gâteau ne laisse aucune empreinte. Laisser refroidir dans le moule et glacer, avec la glace au chocolat crémeuse.

Glace au chocolat crémeuse

2 cuil. à table de beurre
1 carré (1 once) de chocolat non sucré, en morceaux
1½ cuil. à table de farine
⅛ de cuil. à thé de sel
⅓ de tasse de lait
2 tasses de sucre à glacer, tamisé
½ cuil. à thé de vanille
¼ de tasse de noix hachées
½ tasse de pâte de guimauve, en petites bouchées

Mettre le beurre et le chocolat dans une petite casserole et faire fondre à feu très bas. Retirer du feu et ajouter la farine et le sel, en mêlant bien. Ajouter le lait, petit à petit et en brassant. Cuire, à feu bas et en brassant constamment, jusqu'à ce que ce soit épais et lisse.
Retirer du feu et ajouter le sucre et la vanille, en brassant. Disposer la casserole dans un plat d'eau glacée. Brasser alors la glace jusqu'à ce qu'elle soit de la consistance désirée. Ajouter les noix et la pâte de guimauve. Glacer le gâteau.

GÂTEAU AU SUCRE BRÛLÉ

½ tasse de sucre
½ tasse d'eau bouillante
3 blancs d'œufs
½ tasse de beurre ramolli
1¼ tasse de sucre
3 jaunes d'œufs
1 tasse d'eau froide
1 cuil. à table de crème
1 cuil. à thé de vanille
2¼ tasses de farine à tout usage, tamisée
2 cuil. à thé de poudre à lever
½ cuil. à thé de sel
Glace fondante au sucre brûlé (recette ci-après)

Chauffer le four à 350°F. Graisser un moule à gâteau de 13 × 9 × 2 pouces.
Mettre ½ tasse de sucre dans une poêle épaisse. Faire fondre, sur feu moyen, en brassant avec une cuillère de

bois. Continuer la cuisson jusqu'à ce que le sucre soit devenu un beau sirop brun foncé. (Laisser foncer le sirop plus que pour un caramel ordinaire mais ne pas le laisser noircir, ce qui donnerait un goût amer.) Ajouter l'eau bouillante, petit à petit et en brassant (attention à la vapeur!). Retirer du feu; ceci constitue le sirop au sucre brûlé.

Battre les blancs d'œufs, jusqu'à ce qu'ils forment des pics au bout des batteurs et les mettre de côté.

Battre ensemble, jusqu'à ce que ce soit léger, le beurre, 1¼ tasse de sucre et les jaunes d'œufs. Mêler l'eau froide, la crème, 3 cuil. à table du sirop au sucre brûlé et la vanille.

Tamiser ensemble la farine, la poudre à lever et le sel. Ajouter au mélange en crème, petit à petit et en alternant, les ingrédients secs et le mélange au sucre brûlé; commencer et terminer les additions, toutefois, avec les ingrédients secs. Incorporer les blancs d'œufs battus. Verser la pâte dans le moule. Cuire au four, 30 minutes ou jusqu'à ce qu'une légère pression du doigt à la surface du gâteau ne laisse aucune empreinte. Laisser refroidir dans le moule. Recouvrir de la glace fondante au sucre brûlé.

Glace fondante au sucre brûlé

2 tasses de sucre
½ tasse de lait
2 cuil. à table de sirop au sucre brûlé (préparé
    pour le gâteau)
1 cuil. à thé de sirop de maïs
1 cuil. à thé de beurre

Mêler tous les ingrédients, dans une casserole épaisse. Chauffer à feu moyennement haut et en brassant, jusqu'à ce que le sucre soit dissous. Faire bouillir alors vivement, jusqu'à 234°F au thermomètre à bonbons ou jusqu'à ce que quelques gouttes du mélange forment une boule molle dans de l'eau froide. Laisser tiédir. Battre jusqu'à ce que la glace commence à être crémeuse. (Ne pas trop battre ou la glace durcira trop.) L'étendre sur le gâteau.

GÂTEAU ÉPONGE LÉGER

6 jaunes d'œufs
1½ tasse de sucre
⅓ de tasse d'eau froide
2 cuil. à thé de vanille
1 cuil. à thé d'essence d'amande
1½ tasse de farine à gâteaux, tamisée ou
    1⅓ tasse de farine à tout usage, tamisée
1½ cuil. à thé de poudre à lever
½ cuil. à thé de sel
6 blancs d'œufs
½ cuil. à thé de crème de tartre

Chauffer le four à 325°F. Avoir sous la main un moule à douille, de 10 pouces de diamètre, non graissé.

Mettre les jaunes d'œufs dans un petit bol et les battre, à la grande vitesse du malaxeur électrique, 5 minutes ou jusqu'à ce qu'ils soient épais et bien légers. Ajouter le sucre, petit à petit et en battant bien après chaque addition. Régler le malaxeur à sa petite vitesse et ajouter l'eau, la vanille et l'essence d'amande, en battant.

Mesurer la farine. Tamiser ensemble, sur du papier ciré, la farine mesurée, la poudre à lever et le sel et ajouter le tout au mélange aux jaunes d'œufs. Battre, à la petite vitesse du malaxeur et en raclant souvent les parois du bol, jusqu'à ce que la pâte soit lisse.

Bien laver les batteurs, en s'assurant qu'aucune particule de jaune d'œuf n'y adhère encore. Mettre les blancs d'œufs dans un grand bol et les battre, en y ajoutant la crème de tartre, jusqu'à ce qu'ils soient en neige très ferme. Ajouter environ la moitié de cette meringue à la pâte et l'y incorporer rapidement, avec une spatule en caoutchouc. Ajouter le tout à ce qui reste de meringue et l'y incorporer délicatement et rapidement.

Verser la pâte dans le moule à douille. Cuire au four, de 60 à 65 minutes ou jusqu'à ce qu'une légère pression du doigt à la surface du gâteau ne laisse aucune empreinte. Retourner immédiatement le moule sur un entonnoir ou sur le goulot d'une bouteille et laisser refroidir le gâteau ainsi suspendu. Dégager le gâteau du moule, avec une spatule de métal ou un couteau, et le retourner dans une assiette de service. Laisser le gâteau à l'envers si on le glace, le retourner si on le sert sans garniture.

GÂTEAU AUX DATTES

1 cuil. à thé de bicarbonate de sodium
1 tasse d'eau bouillante
1½ tasse de dattes, en morceaux
⅔ de tasse de cassonade, mesurée bien tassée
1 œuf
1 cuil. à table de beurre
1 cuil. à thé de vanille
1 tasse de gros raisins de Corinthe
½ tasse de cerises marasques, bien égouttées et
    coupées en deux
2 cuil. à table de jus de conserve de cerises
    marasques
2 tasses de farine à tout usage, tamisée
1 cuil. à thé de poudre à lever
1 cuil. à thé de sel

Chauffer le four à 325°F. Graisser un moule à pain de 9 × 5 × 3 pouces ou de 11½ × 4½ × 2¾ pouces.

Ajouter le bicarbonate de sodium et l'eau bouillante aux dattes, brasser et laisser refroidir un peu.

Battre ensemble, dans un bol, la cassonade, l'œuf, le beurre et la vanille. Ajouter, en brassant, le mélange aux dattes, les raisins, les cerises et le jus de cerises.

Tamiser ensemble, dans le mélange, la farine, la poudre à lever et le sel et bien mêler. Étendre la pâte dans le moule. Cuire jusqu'à ce qu'un cure-dents, inséré au centre du gâteau, en ressorte sec; le temps de cuisson sera approximativement de 1 heure et 15 minutes, si l'on a utilisé le moule de 9 pouces, et de 1 heure si l'on a utilisé le moule de 11½ pouces. Démouler et laisser refroidir sur une clayette. (1 gâteau)

GÂTEAU A LA COMPOTE DE POMMES

1 tasse de gros raisins de Corinthe,
   grossièrement coupés
1 tasse de noix hachées
2 tasses de farine à tout usage, tamisée
1 cuil. à thé de sel
1 cuil. à thé de bicarbonate de sodium
1 cuil. à thé de cannelle
¼ de cuil. à thé de clou de girofle en poudre
½ tasse de graisse végétale ramollie
¾ de tasse de sucre
1 œuf
1 tasse de compote de pommes sucrée, du
   commerce

Chauffer le four à 350°F. Graisser et enfariner un moule à pain de 9 × 5 × 3 pouces.

Mêler les raisins et les noix, dans un bol. Tamiser dessus la farine, le sel, le bicarbonate de sodium, la cannelle et le clou de girofle et brasser délicatement le tout.

Bien travailler ensemble la graisse végétale, le sucre et l'œuf. Ajouter, en alternant, le mélange raisins-noix-farine et la compote de pommes, en battant bien après chaque addition. Étendre la pâte dans le moule.

Cuire au four, 1 heure et 15 minutes ou jusqu'à ce qu'un cure-dents inséré au centre du gâteau en ressorte sec. Laisser tiédir quelques minutes dans le moule, démouler et laisser refroidir sur une clayette. (1 gâteau)

GÂTEAU AUX FRUITS EN COURONNE

¾ de tasse de beurre ramolli
1⅓ tasse de sucre
6 œufs
¼ de tasse de brandy ou de jus de fruit
2 tasses de petits raisins de Corinthe
1 tasse de raisins muscats
1½ tasse de raisins secs dorés
¼ de livre (1 tasse) d'un mélange d'écorces
   confites
2 cuil. à thé de zeste de citron râpé
1 tasse d'amandes mondées, hachées
3 tasses de farine à tout usage, tamisée
1 cuil. à thé de poudre à lever
½ cuil. à thé de sel
¾ de cuil. à thé de cannelle
½ cuil. à thé de muscade
¼ de tasse d'amandes mondées, taillées en
   allumettes

Chauffer le four à 325°F. Graisser un moule en couronne (avec un fond non amovible si possible), de 10 pouces de diamètre, et le doubler entièrement de papier fort, graissé.

Travailler ensemble le beurre et le sucre, jusqu'à ce que ce soit mousseux. Ajouter les œufs, un à la fois et en battant bien après chaque addition. Ajouter le brandy ou le jus de fruit et mêler.

Mêler, dans un autre bol, tous les raisins, les écorces confites, le zeste de citron et 1 tasse d'amandes. Tamiser ensemble, sur ces ingrédients, la farine, la poudre à lever, le sel, la cannelle et la muscade et remuer le tout, délicatement, jusqu'à ce que tous les fruits soient enfarinés. Ajouter à la pâte et bien mêler.

Mettre la pâte dans le moule. Parsemer le dessus du gâteau des amandes en allumettes. Cuire au four, 2 heures ou jusqu'à ce qu'un cure-dents inséré au centre du gâteau en ressorte sec. Laisser refroidir pendant quelques minutes dans le moule; démouler ensuite le gâteau et le disposer sur une clayette. Enlever le papier de cuisson du gâteau complètement refroidi et envelopper ce dernier de papier d'aluminium. Ranger dans un endroit frais et laisser le gâteau se bonifier pendant quelques jours.

GÂTEAU AUX FRUITS DE CALIFORNIE

4 tasses de farine à tout usage, tamisée
2 cuil. à thé de cannelle
2 cuil. à thé de muscade
1 cuil. à thé de macis
1 cuil. à thé de clou de girofle en poudre
1 cuil. à thé de piment de la Jamaïque en
   poudre (allspice)
1 cuil. à thé de sel
1 livre d'un mélange de fruits confits, hachés
1 livre de cerises confites, en moitiés
1 livre de raisins muscats, coupés
1 livre de gros raisins de Corinthe
1 livre de petits raisins de Corinthe
1 livre de dattes, en morceaux
½ livre de cédrat, taillé en allumettes
1 livre de noix en morceaux
1 livre de beurre
1 livre de cassonade
12 jaunes d'œufs
1 tasse de sherry
½ tasse de jus de raisin
1 tasse de jus d'orange
2 cuil. à table de jus de citron
Le zeste râpé de 3 oranges
Le zeste râpé de 1 citron
12 blancs d'œufs

Chauffer le four à 250°F. Graisser 4 moules à pain (9 × 5 × 3 pouces) et les doubler de papier fort, graissé.

Tamiser ensemble farine, épices et sel, sur du papier ciré.

Mêler les fruits et les noix, dans un grand bol. Ajouter 1 tasse des ingrédients secs aux fruits et brasser jusqu'à ce que ces derniers soient bien enfarinés.

Travailler le beurre et la cassonade jusqu'à ce que le mélange soit léger. Ajouter les jaunes d'œufs, un à la fois, en battant bien après chaque addition. Continuer à battre jusqu'à ce que le mélange soit souple et bien en crème. Ajouter, petit à petit et en alternant, ce qui reste des ingrédients secs ainsi que le sherry et les jus de raisin, d'orange et de citron; commencer et terminer ces additions avec les ingrédients secs.

Ajouter les zestes d'orange et de citron et le mélange fruits et noix.

Battre les blancs d'œufs en neige très ferme et les incorporer au mélange.

Déposer à la cuillère dans les moules et cuire au four, 3 heures ou jusqu'à ce qu'un cure-dents inséré au centre des gâteaux en ressorte sec. (Mettre un plat d'eau dans le four pour empêcher les gâteaux de sécher.)

Démouler les gâteaux et les laisser refroidir sur une clayette. Enlever le papier de cuisson. Envelopper chaque gâteau, d'abord de plusieurs épaisseurs de gaze mouillée de sherry, ensuite de papier d'aluminium épais. Laisser le gâteau se bonifier ainsi pendant plusieurs semaines, en mouillant quelquefois la gaze de sherry.

GÂTEAU AUX FRUITS DEUX TONS

1 tasse de gros raisins de Corinthe
1 tasse de pruneaux en morceaux (voir note)
2 tasses de noix, grossièrement hachées
2 tasses d'un mélange d'écorce confites
2 cuil. à thé de cannelle
1 cuil. à thé de clou de girofle en poudre
1 cuil. à thé de piment de la Jamaïque en poudre (allspice)
2 cuil. à table de mélasse
1 tasse de raisins secs dorés
1 tasse d'abricots secs, hachés
2 tasses d'amandes mondées, hachées
1 tasse d'ananas confit, en morceaux
1 tasse d'un mélange d'écorces confites
½ cuil. à thé de gingembre
½ cuil. à thé de macis
1 cuil. à table de jus de citron
1½ tasse de graisse végétale ramollie
2 tasses de sucre
6 œufs
4 tasses de farine à tout usage, tamisée
2 cuil. à thé de poudre à lever
2 cuil. à thé de sel

Bien graisser et doubler de papier fort, graissé, 3 moules à gâteau mesurant respectivement 8 × 8 × 3½ pouces, 6 × 6 × 3¾ pouces et 4 × 4 × 3 pouces.

Mêler, dans un grand bol, les raisins de Corinthe, les pruneaux, les noix, 2 tasses d'écorces confites, la cannelle, le clou de girofle, le piment de la Jamaïque et la mélasse.

Mêler les raisins dorés, les abricots, les amandes, l'ananas, 1 tasse d'écorces confites, le gingembre, le macis et le jus de citron, dans un autre grand bol.

Travailler ensemble, dans un troisième grand bol, la graisse (remplacer, si on le désire, une partie de celle-ci par du beurre) et le sucre jusqu'à ce que le mélange soit léger et mousseux. Ajouter les œufs, un à la fois, en battant bien après chaque addition.

Tamiser ensemble, dans le mélange en crème, la farine, la poudre à lever et le sel et bien mêler. Ajouter la moitié de cette pâte (environ 3¾ tasses) à chaque mélange de fruits, en mêlant bien.

Mettre l'un des appareils dans les trois moules, en utilisant environ 1 tasse de pâte pour le petit moule, 2 tasses pour le moyen et ce qui en reste, c'est-à-dire environ 3½ tasses, pour le grand; étendre uniformément.

Diviser l'autre appareil de la même façon.

Chauffer le four à 275°F.

Mettre un plat d'eau chaude dans le fond du four. Cuire les gâteaux au four jusqu'à ce qu'un cure-dents inséré au centre des gâteaux en ressorte sec; il faut environ 2 heures de cuisson pour le petit gâteau et 2¾ heures pour le moyen et le grand.

Laisser refroidir pendant quelques minutes dans les moules. Retirer les gâteaux des moules, en les soulevant à l'aide du papier de cuisson, et les laisser refroidir sur des clayettes. Enlever le papier de cuisson, envelopper hermétiquement de papier d'aluminium et ranger dans un endroit frais et sec pendant plusieurs semaines ou jusqu'au moment d'utiliser.

Note: utiliser des pruneaux non cuits. S'ils sont trop durs et secs, les couvrir d'eau bouillante et les laisser tremper 5 minutes ou jusqu'à ce qu'ils soient un peu gonflés.

GÂTEAU DE NOËL

1½ tasse (12 onces) d'amandes mondées
1½ tasse (6 onces) de noix en morceaux
1 tasse de dattes dénoyautées et coupées en quatre
1 tasse de cerises marasques égouttées et coupées en moitiés
1 tasse d'écorce d'orange confite, en allumettes
½ tasse de raisins secs de Smyrne
¾ de tasse de farine à tout usage, tamisée
¾ de tasse de sucre
½ cuil. à thé de poudre à lever
½ cuil. à thé de sel
3 œufs
1 cuil. à table de jus de conserve de cerises marasques
1 cuil. à thé d'essence d'amande

Graisser 2 moules en papier d'aluminium d'environ 7¼ × 3½ × 2¼ pouces.

Mêler, dans un grand bol, les amandes, les noix, les dattes, les cerises, l'écorce d'orange et les raisins. Tamiser ensemble, sur le mélange, la farine, le sucre, la poudre à lever et le sel; bien remuer le tout, directement avec les mains.

Chauffer le four à 300°F.

Battre les œufs, à la grande vitesse d'un malaxeur électrique, 5 minutes ou jusqu'à ce qu'ils soient épais et d'un beau jaune citron. Ajouter, en brassant, le jus de conserve des cerises et l'essence d'amande. Verser sur le premier mélange et bien mêler. Mettre dans les moules, en pressant fermement avec le dos d'une cuillère.

Cuire au four, 1 heure et 45 minutes ou jusqu'à ce que le centre du gâteau soit ferme au toucher. Laisser refroidir quelques minutes dans les moules; démouler alors les gâteaux et les faire refroidir sur des clayettes. Envelopper de papier d'aluminium et ranger au réfrigérateur. Ou envelopper de papier de cuisine transparent et nouer d'un ruban pour un beau et bon cadeau. Ces gâteaux sont prêts à être dégustés après 2 ou 3 jours.

GÂTEAU AU CITRON

⅔ de tasse de beurre (ou de margarine), ramolli
1 tasse de sucre
4 œufs
1 cuil. à thé de zeste de citron râpé
1½ cuil. à table de jus de citron
2 tasses de farine à gâteaux, tamisée
½ cuil. à thé de poudre à lever
½ cuil. à thé de sel

Chauffer le four à 300°F. Graisser un moule à pain de 9 × 5 × 3 pouces.

Travailler le beurre, ou la margarine, pour que ce soit bien léger. Ajouter le sucre, petit à petit et en battant bien après chaque addition; battre jusqu'à ce que le mélange soit très léger. Ajouter les œufs, un à la fois, en battant bien après chaque addition. Ajouter le zeste et le jus de citron et bien mêler.

Tamiser ensemble la farine, la poudre à lever et le sel et ajouter le tout au premier mélange, en ne brassant que juste assez pour bien mêler les ingrédients. Étendre la pâte dans le moule et cuire au four, 1 heure et 15 minutes ou jusqu'à ce qu'un cure-dents inséré au centre du gâteau en ressorte sec. Démouler et laisser refroidir sur une clayette.

GÂTEAU GLACÉ AUX LIQUEURS

2 blancs d'œufs
½ tasse de sucre
1¾ tasse de farine à gâteaux tamisée
1 tasse de sucre
¾ de cuil. à thé de bicarbonate de sodium
1 cuil. à thé de sel
⅓ de tasse d'huile à salade
1 tasse de babeurre ou de lait sur
2 jaunes d'œufs
2 carrés (2 onces) de chocolat à cuisson non sucré, fondu
Crème aux liqueurs (recette ci-après)

Chauffer le four à 350°F. Graisser et enfariner deux moules à gâteau ronds de 8 pouces de diamètre et d'au moins 1½ pouce de profondeur.

Battre les blancs d'œufs en mousse. Ajouter ½ tasse de sucre, 1 cuil. à table à la fois, en battant bien après chaque addition. Continuer à battre jusqu'à ce que la meringue soit ferme et brillante.

Tamiser, dans un grand bol, la farine, 1 tasse de sucre, le bicarbonate de sodium et le sel. Ajouter l'huile ainsi que la moitié du babeurre ou du lait sur. Battre 1 minute, à la vitesse moyenne d'un malaxeur ou 150 coups à la main. Ajouter ce qui reste de babeurre ou de lait sur, les jaunes d'œufs et le chocolat et battre encore 1 minute. Ajouter la meringue en l'incorporant délicatement.

Étendre la pâte dans les moules et cuire au four, 30 minutes ou jusqu'à ce qu'une légère pression du doigt à la surface des gâteaux ne laisse aucune empreinte. Démouler sur des clayettes et laisser refroidir.

Fendre chaque gâteau en deux minces galettes. Étager les quatre morceaux de gâteau, en les séparant d'une couche de crème aux liqueurs. Recouvrir le gros gâteau ainsi construit de crème aux liqueurs. (Tout ceci peut être fait des heures avant le repas.) Réfrigérer jusqu'au moment de servir, en grosses pointes. (12 portions)

Crème aux liqueurs

1 enveloppe (1 cuil. à table) de gélatine en poudre
¼ de tasse d'eau froide
½ tasse de crème de menthe verte
⅓ de tasse de crème de cacao blanche
1 chopine de crème double (35 p.c.)

Ajouter la gélatine à l'eau froide et laisser reposer 5 minutes. Chauffer ensemble, sans toutefois laisser bouillir, la crème de menthe et la crème de cacao. Ajouter la gélatine détrempée et brasser jusqu'à ce qu'elle soit dissoute. Laisser refroidir, sans réfrigérer. Fouetter la crème jusqu'à ce qu'elle soit ferme. Ajouter le mélange à la gélatine en le mêlant très délicatement à la crème (ne pas battre). Réfrigérer 15 minutes.

TORTE DE LA FORÊT-NOIRE

8 jaunes d'œufs
1 œuf entier
1 cuil. à table d'eau
1 tasse de sucre
¾ de tasse de chapelure fine
½ tasse d'amandes mondées, finement moulues
½ cuil. à thé d'essence d'amande
⅓ de tasse de cacao
½ tasse de farine à tout usage, tamisée
8 blancs d'œufs
1 enveloppe (1 cuil. à table) de gélatine
2 cuil. à table d'eau froide
2½ tasses de crème double (35 p.c.)
⅓ de tasse de sucre à glacer, tamisé
1 pincée de sel
1 cuil. à thé de vanille
½ cuil. à thé d'essence d'amande
Garniture aux cerises (recette ci-après)
Chocolat râpé ou boucles de chocolat
Cerises confites ou marasques

Chauffer le four à 350°F. Graisser et enfariner 2 moules à gâteau ronds de 9 pouces de diamètre et de 1½ pouce de profondeur.

Battre ensemble les jaunes d'œufs, l'œuf entier et 1 cuil. à table d'eau, à la grande vitesse du malaxeur, 5 minutes ou jusqu'à ce que le mélange soit épais et mousseux. Ajouter le sucre, petit à petit et en battant bien après chaque addition. Ajouter la chapelure, les amandes et ½ cuil. à thé d'essence d'amande, en brassant aussi peu que possible. Tamiser ensemble, dans le mélange, le cacao et la farine et incorporer ces ingrédients.

Battre les blancs d'œufs en neige ferme sans être trop sèche. Incorporer rapidement à la préparation.

Répartir la pâte dans les deux moules. Cuire au four, 25 minutes ou jusqu'à ce qu'un cure-dents inséré au centre du gâteau en ressorte sec. Laisser refroidir pendant quelques minutes, démouler et laisser refroidir complètement sur des clayettes. Fendre chaque gâteau en deux.

Mettre la gélatine dans un petit bol. Ajouter 2 cuil. à table d'eau froide et laisser reposer pendant 5 minutes. Mettre le bol dans une petite casserole d'eau bouillante et chauffer pour faire fondre la gélatine. Laisser refroidir pendant environ 1 minute.

Battre, pendant ce temps, la crème, le sucre à glacer, le sel, la vanille et ½ cuil. à thé d'essence d'amande jusqu'à ce que la crème commence à épaissir. Continuer à battre (à vitesse moindre si la crème épaissit trop rapidement) et ajouter la gélatine, en filet (ceci est important). Battre jusqu'à ce que le mélange forme des pics.

Mettre l'une des galettes de gâteau dans une assiette de service. Recouvrir de la garniture aux cerises, uniformément. Ajouter une autre galette et la recouvrir du quart de la crème fouettée. Ajouter encore une galette de gâteau et un quart de la crème. Recouvrir de la dernière galette et glacer le gâteau avec ce qui reste de crème.

Parsemer les côtés et le dessus de la torte avec du chocolat râpé ou en boucles (je recommande le chocolat non sucré). Couper en deux quelques cerises et en décorer la torte.

Réfrigérer pendant au moins 1 heure avant de servir. À cause de la gélatine dans la crème, la torte gardera sa belle apparence. Vous pouvez donc la préparer la veille du jour où vous voulez la servir. (12 portions)

Garniture aux cerises

1 boîte de 14 onces de cerises rouges, dénoyautées
1 cuil. à table de fécule de maïs
½ cuil. à thé d'essence d'amande

Égoutter parfaitement les cerises. Mesurer ¾ de tasse de jus; s'il n'y en a pas suffisamment, ajouter un peu d'eau pour avoir ¾ de tasse de liquide. Ajouter la fécule de maïs au jus, dans une petite casserole et brasser jusqu'à ce que ce soit lisse. Cuire, à feu vif et en brassant constamment, jusqu'à pleine ébullition. Baisser le feu au plus bas et continuer la cuisson pendant 1 minute, en brassant constamment. Retirer du feu et ajouter l'essence d'amande et les cerises. Réfrigérer jusqu'à épaississement. Utiliser pour garnir la torte.

TORTE AUX NOIX

9 jaunes d'œufs
1 tasse de sucre
3 tasses de noix finement moulues (environ 10 onces)
½ tasse de chapelure fine
1 cuil. à table de zeste d'orange râpé
2 cuil. à thé de zeste de citron râpé
1 cuil. à thé de cannelle
½ cuil. à thé de muscade
½ cuil. à thé de sel
2 cuil. à thé de poudre à lever
½ tasse d'eau
1 cuil. à thé de vanille
9 blancs d'œufs

Crème au brandy (recette ci-après)
Moitiés de noix
1 demiard de crème double (35 p.c.)
2 cuil. à table de sucre

Chauffer le four à 350°F. Graisser le fond de 3 moules à gâteau ronds, de 8 pouces de diamètre. Couvrir le fond de ces moules de papier fort et graisser ce papier, sans toutefois toucher aux bords des moules.

Mettre les jaunes d'œufs et 1 tasse de sucre dans un grand bol. Battre, à la grande vitesse d'un malaxeur électrique, 5 minutes ou jusqu'à ce que les jaunes soient très épais et d'un beau jaune clair.

Mêler, dans un très grand bol, les noix, la chapelure, les zestes d'orange et de citron, la cannelle, la muscade, le sel et la poudre à lever. Ajouter l'eau et la vanille aux jaunes d'œufs, brasser et ajouter le tout au mélange aux noix, en mêlant bien.

Battre les blancs d'œufs en une neige ferme mais non sèche. Incorporer au mélange. Répartir la pâte dans les 3 moules.

Cuire au four, 30 minutes ou jusqu'à ce qu'un cure-dents inséré au centre des gâteaux en ressorte sec.

Retourner les moules, avec les gâteaux à l'intérieur, sur des clayettes et laisser refroidir. Dégager les gâteaux des moules, tout autour, et les démouler; enlever le papier de cuisson. Étager les gâteaux, dans une assiette de service, en les séparant d'une couche de crème au brandy. Utiliser ⅓ de la crème pour chaque couche. Recouvrir le dessus du troisième gâteau du tiers de glace qui reste. Décorer de moitiés de noix et réfrigérer jusqu'à peu avant le moment de servir. (Si on fait attendre la torte jusqu'au lendemain la couvrir de papier de cuisine transparent. On peut aussi congeler la torte.)

Fouetter la crème, en y ajoutant 2 cuil. à table de sucre, peu avant le moment de servir. Recouvrir les côtés de la torte du mélange et réfrigérer jusqu'au moment de servir. (De 12 à 16 portions)

Crème au brandy

⅓ de tasse d'eau
½ tasse de sucre
5 jaunes d'œufs
1 tasse de beurre ramolli
¼ de cuil. à thé de vanille
2 cuil. à table de brandy

Mettre l'eau et le sucre dans une petite casserole. Chauffer, en brassant, jusqu'à ce que le sucre soit dissous. Faire bouillir alors vivement, sans brasser, jusqu'à 238°F au thermomètre à bonbons ou jusqu'à ce que le sirop forme des fils de 6 pouces au bout des dents d'une fourchette.

Battre les jaunes d'œufs, dans un petit bol, jusqu'à ce qu'ils soient épais et d'un beau jaune citron. Ajouter le sirop, petit à petit et en battant constamment. Continuer à battre jusqu'à ce que le mélange soit tiédi. Ajouter le beurre, par petit morceau, en battant, à la vitesse moyenne d'un malaxeur électrique, après chaque addition. Ajouter la vanille, en battant. Ajouter le brandy, petit à petit et en battant. Réfrigérer quelques minutes pour que le mélange se tienne bien mais soit suffisamment souple pour qu'on puisse l'étendre. En garnir la torte.

GÂTEAU AUX FRAISES

1 pinte de fraises, lavées et équeutées
1 tasse d'eau
Colorant végétal rouge (facultatif)
1½ tasse de sucre
⅓ de tasse de fécule de maïs
½ tasse d'eau
2 galettes de gâteau éponge (recette ci-après)
   refroidies
Glace bouillie (recette ci-après)

Préparer 2 tasses de fraises tranchées. Les mettre dans une casserole avec 1 tasse d'eau. Chauffer jusqu'à ébullition, baisser le feu et faire mijoter 3 minutes ou jusqu'à ce que les fruits soient tendres. Réduire en purée, en écrasant les fraises ou en les passant au mélangeur électrique. Remettre le tout dans la casserole et ajouter quelques gouttes de colorant si on désire donner au mélange une plus belle couleur. Chauffer, à feu vif, jusqu'à ébullition.

Mêler le sucre, la fécule de maïs et ½ tasse d'eau en une pâte lisse. Ajouter au mélange bouillant, petit à petit et en brassant constamment; cuire ainsi jusqu'à ce que le mélange soit épais et lisse. Baisser alors le feu et continuer la cuisson 1 minute, en brassant. Retirer du feu, couvrir de papier ciré et laisser refroidir à la température de la pièce. Trancher la moitié de ce qui reste de fraises et ajouter au mélange cuit.

Fendre chaque gâteau en deux de façon à obtenir 4 galettes minces. Recouvrir une galette d'un quart du mélange aux fraises, c'est-à-dire d'une mince couche de ce dernier. Ajouter une deuxième et une troisième galette, en recouvrant chacune d'une mince couche de fraises. Couvrir de la quatrième galette.

Recouvrir tout l'extérieur du gâteau de la glace bouillie en construisant sur le dessus, tout autour, une sorte de petit remblai. Étendre, dans la dépression ainsi formée au centre, ce qui reste du mélange aux fraises. Disposer joliment les fraises entières qui restent sur le mélange aux fraises.

Réfrigérer jusqu'à l'heure du dessert; servir le jour même cependant. Au dernier moment, entourer le gâteau de fraises entières, si on le désire. (de 12 à 16 portions)

Gâteau éponge

6 œufs
1 tasse de sucre
1 cuil. à thé de vanille
¼ de tasse de beurre
1 tasse de farine à gâteaux, tamisée

Mettre les œufs dans un bol et les couvrir d'eau chaude, du robinet. Laisser tiédir, égoutter et couvrir de nouveau d'eau chaude. Laisser tiédir. (Ne pas utiliser d'eau bouillante; il s'agit de réchauffer les œufs et non de les cuire.)

Chauffer le four à 350°F. Graisser 2 moules à gâteau ronds, de 9 pouces de diamètre et de 1½ pouce de profondeur. Doubler le fond des moules de papier fort et graisser ce dernier.

Bien réchauffer, en le passant sous le robinet d'eau chaude, le grand bol d'un malaxeur électrique. L'assé-

cher. Casser les œufs dans le bol. Ajouter le sucre et la vanille et battre, à la grande vitesse du malaxeur, de 15 à 30 minutes ou jusqu'à ce que le mélange se tienne bien et forme des pics; racler souvent les bords du bol, pendant ce temps, avec une spatule en caoutchouc.

Faire fondre le beurre et le laisser tiédir.

Saupoudrer le mélange aux œufs de 2 cuil. à table de farine; incorporer cette farine au mélange, rapidement et délicatement, avec une spatule de caoutchouc. Ajouter de la même façon toute la farine (2 cuil. à table à la fois). Ajouter le beurre, 1 cuil. à thé à la fois, en mêlant rapidement et délicatement après chaque addition.

Verser la pâte dans les moules. Cuire au four, 40 minutes ou jusqu'à ce qu'une légère pression au centre des gâteaux ne laisse aucune empreinte.

Dégager les gâteaux des moules, tout autour, et les démouler sur des clayettes. Les laisser refroidir et enlever le papier de cuisson.

Glace bouillie

¾ de tasse de sucre
3 cuil. à table d'eau
⅓ de tasse de sirop de maïs
3 blancs d'œufs
1½ cuil. à thé de vanille

Mêler le sucre, l'eau et le sirop de maïs, dans une petite casserole. Chauffer jusqu'à ébullition; faire bouillir vivement, sans brasser, jusqu'à 242°F au thermomètre à bonbons ou jusqu'à ce que le sirop forme des fils de 6 à 8 pouces au bout des dents d'une fourchette.

Battre les blancs d'œufs bien ferme. Verser le sirop bouillant dans les blancs, en filet et en battant constamment. Battre jusqu'à ce que le mélange soit suffisamment ferme pour former des pics. Ajouter la vanille.

GÂTEAU ÉCHEC ET MAT

Gâteau chiffon doré (recette ci-après)
Gâteau chiffon au chocolat (recette ci-après)
Crème moka (recette ci-après)
½ tasse de crottes de chocolat
1 cuil. à thé de beurre
Approximativement 30 amandes mondées
⅓ de tasse de beurre ramolli
3 tasses de sucre à glacer, tamisé
1½ cuil. à thé de vanille
Approximativement 3 cuil. à table de crème

Préparer les deux gâteaux chiffon la veille du jour où vous voulez faire le gâteau échec et mat. Préparer la crème avant de monter le gâteau (elle peut se garder plusieurs jours au réfrigérateur; la laisser se réchauffer à la température de la pièce, au moment de l'utiliser, pour qu'elle s'étende bien).

Enlever une tranche sur le dessus des gâteaux (utiliser un couteau long et bien affilé) pour en enlever la partie arrondie et leur donner une surface plate. Parer aussi les gâteaux, tout autour, pour leur donner des bords bien droits. Couper chaque gâteau, en longueur, en 4 bandes (chacune aura un peu plus de 2 pouces de largeur sur 13 pouces de longueur).

Monter le gâteau dans 2 grands plateaux. Disposer, dans chaque plateau, 1 bande de gâteau doré et une autre de gâteau au chocolat en les soudant bien ensemble avec de la crème moka. Recouvrir le dessus des bandes de crème moka. Mettre une bande de gâteau doré sur chaque bande de gâteau au chocolat et une bande de gâteau au chocolat sur chaque bande de gâteau doré en soudant bien chaque paire ensemble, avec de la crème moka.

Recouvrir les côtés des gâteaux ainsi formés avec ce qui reste de crème moka.

Mettre les crottes de chocolat et 1 cuil. à thé de beurre dans un petit plat et disposer celui-ci dans de l'eau frissonnante. Chauffer jusqu'à ce que le chocolat soit à moitié fondu, retirer du feu et brasser jusqu'à ce que le mélange soit homogène. Tremper la partie la plus large de chaque amande dans le chocolat fondu pour l'en enrober à moitié; laisser refroidir sur du papier ciré.

Mêler ⅓ de tasse de beurre, le sucre à glacer, la vanille et suffisamment de crème pour obtenir une glace facile à étendre. Faire 2 parts de cette glace et ajouter à l'une d'elles ce qui reste de chocolat fondu (chauffer le chocolat de nouveau, doucement, si cela est nécessaire). Recouvrir les deux gâteaux des glaces en disposant la glace blanche sur les bandes de gâteau au chocolat et la glace au chocolat sur les bandes de gâteau doré. Disposer au centre, tout au long des gâteaux, les amandes à la queue leu leu. Réfrigérer plusieurs heures ou jusqu'au lendemain pour que toutes les parties des gâteaux se tiennent bien ensemble. Couper en tranches épaisses et servir. (2 gros gâteaux d'environ 15 portions chacun)

Note: ce gâteau se congèle parfaitement. Le retirer du congélateur 1 heure avant de le servir.

Gâteau chiffon doré

2¼ tasses de farine à gâteau, tamisée
1½ tasse de sucre
3 cuil. à thé de poudre à lever
1 cuil. à thé de sel
½ tasse d'huile à salade
5 jaunes d'œufs
¾ de tasse d'eau froide
2 cuil. à thé de vanille
1 cuil. à table de zeste d'orange râpé
1 tasse de blancs d'œufs (7 ou 8)
½ cuil. à thé de crème de tartre

Chauffer le four à 350°F. Avoir sous la main un moule à gâteau non graissé, de 13 × 9 × 2 pouces.

Tamiser ensemble, dans un bol, la farine, le sucre, la poudre à lever et le sel. Faire une fontaine au centre de ces ingrédients et y mettre, dans l'ordre, l'huile, les jaunes d'œufs, l'eau, la vanille et le zeste d'orange. Battre avec une cuillère de bois jusqu'à ce que ce soit lisse.

Mettre les blancs d'œufs et la crème de tartre dans un grand bol et battre pour former une neige qui soit vraiment très ferme. Verser, en filet, le mélange aux jaunes d'œufs dans la neige, en l'y incorporant délicatement mais rapidement avec une spatule en caoutchouc (ne pas laisser le mélange traverser la neige et toucher le fond du bol).

Verser la pâte dans le moule et cuire au four, de 45 à 50 minutes ou jusqu'à ce qu'une légère pression du doigt à la surface du gâteau ne laisse aucune empreinte. Faire refroidir le gâteau à l'envers en plaçant les coins opposés du moule sur d'autres moules ou sur des boîtes de conserve.

Gâteau chiffon au chocolat

¾ de tasse d'eau bouillante
½ tasse de cacao (ne pas utiliser le mélange instantané pour boisson au chocolat)
1¾ tasse de farine à gâteaux, tamisée
1¾ tasse de sucre
1½ cuil. à thé de bicarbonate de sodium
1 cuil. à thé de sel
½ tasse d'huile à salade
7 jaunes d'œufs
2 cuil. à thé de vanille
1 tasse de blancs d'œufs (7 ou 8)
½ cuil. à thé de crème de tartre

Chauffer le four à 350°F. Avoir sous la main un moule à gâteau de 13 × 9 × 2 pouces, non graissé.

Mettre l'eau bouillante et le cacao dans un petit bol et brasser jusqu'à ce que ce soit lisse. Laisser refroidir.

Mêler, faire cuire et refroidir comme le gâteau doré mais en substituant à l'eau le cacao refroidi, à la poudre à lever le bicarbonate et en omettant le zeste d'orange.

Crème moka

1 tasse d'eau bouillante
1 cuil. à table de café instantané
1 tasse de sucre
½ livre de chocolat au lait de type européen, en morceaux
1 livre de beurre doux
1 cuil. à thé de vanille

Mettre l'eau, le café et le sucre dans une casserole et faire bouillir vivement, 15 minutes ou jusqu'à ce que le sirop forme des fils courts au bout des dents d'une fourchette. Retirer du feu et ajouter le chocolat. Brasser jusqu'à ce que le chocolat soit fondu. Laisser tiédir (le mélange aura l'air d'un fudge mou).

Travailler le beurre en pommade. Ajouter la vanille; ajouter le chocolat, petit à petit et en battant bien après chaque addition. Réfrigérer juste assez pour que la crème soit facile à étendre (si elle devient trop dure, la laisser se réchauffer un peu à la température de la pièce).

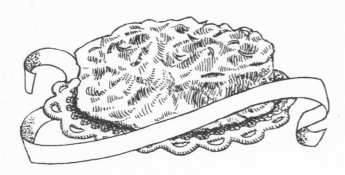

GÂTEAU AUX BANANES ET A LA CRÈME
Dessert de fête pour 24 personnes

Gâteau aux épices (recette ci-après)
Crème bavaroise (recette ci-après)
Approximativement 5 bananes bien fermes
2 tasses de crème double (35 p.c.)
½ tasse de sucre à glacer, tamisé
2 cuil. à thé de vanille
Noix, en moitiés (facultatif)

Préparer le gâteau aux épices la veille du jour où l'on veut servir le dessert (ou le faire bien à l'avance et le congeler jusqu'au moment de l'utiliser). Préparer la crème bavaroise peu avant de faire le dessert et la garder à la température de la pièce pour l'empêcher de prendre. **Fendre** chaque gâteau en deux, pour en faire deux galettes. Remettre dans les moules les moitiés inférieures des gâteaux, le côté coupé sur le dessus. Étendre ½ tasse de crème bavaroise sur chacun. Bien refroidir, pour faire prendre un peu la crème (j'ai mis les gâteaux quelques minutes au congélateur). Mettre 2 bananes entières sur chaque gâteau; si les bananes ne font pas toute la longueur des gâteaux, les prolonger par des morceaux de la cinquième banane. Répartir ce qui reste de crème bavaroise sur les gâteaux (environ 1½ tasse par gâteau) en l'étendant sur les bananes et en la laissant couler tout autour pour remplir tous les espaces libres. (Les moules devraient être à peu près pleins.) Refroidir au réfrigérateur jusqu'à ce que la crème soit prise mais encore un peu collante et qu'une autre galette de gâteau puisse y adhérer fermement. Recouvrir les gâteaux des 2 galettes qui restent et réfrigérer plusieurs heures ou jusqu'à ce que la crème bavaroise soit très ferme.
Démouler dans des plats de service, peu avant le moment de servir. Fouetter la crème pour l'épaissir un peu. Ajouter alors le sucre à glacer et la vanille, petit à petit et en battant. Battre jusqu'à ce que la crème soit très ferme et en recouvrir entièrement les deux gâteaux. Décorer de moitiés de noix et réfrigérer jusqu'au moment de servir, en tranches épaisses. (Chaque gâteau fait 12 portions.)
Note: il est préférable de ne garnir et glacer ces gâteaux que le jour où on les sert. Mais j'ai constaté que les bananes gardent bien leur couleur, même après une journée. On peut garnir le gâteau, tard, la veille du jour où on le sert. N'ajouter la crème fouettée qu'au dernier moment, cependant.

Gâteau aux épices

1 tasse de beurre ramolli
2 tasses de sucre
4 œufs
1½ cuil. à thé de vanille
3 tasses de farine à tout usage, tamisée
½ cuil. à thé de bicarbonate de sodium
½ cuil. à thé de poudre à lever
¾ de cuil. à thé de sel
1 cuil. à thé de cannelle
1 cuil. à thé de muscade
½ cuil. à thé de piment de la Jamaïque en poudre (allspice)
⅛ de cuil. à thé de clou de girofle en poudre
1 tasse de babeurre

Chauffer le four à 350°F. Graisser et enfariner 2 moules à pain de 10¼ × 3¾ × 2½ pouces.
Travailler le beurre en pommade. Ajouter le sucre, petit à petit et en battant, pour bien mêler, après chaque addition. Ajouter les œufs (non battus), un à la fois et en battant bien après chaque addition. Ajouter la vanille.
Tamiser ensemble la farine, le bicarbonate de sodium, la poudre à lever, le sel et les épices. Ajouter au premier mélange, ainsi que le babeurre, petit à petit et en mêlant; commencer et terminer les additions, toutefois, avec les ingrédients secs.
Mettre la pâte dans les moules. Cuire au four, 1 heure et 15 minutes ou jusqu'à ce qu'un cure-dents piqué au centre des gâteaux en ressorte sec. Démouler sur des clayettes et laisser refroidir. (2 gâteaux)

Crème bavaroise

½ tasse de sucre
1 enveloppe (1 cuil. à table) de gélatine en poudre
¼ de cuil. à thé de sel
2¼ tasses de lait
4 jaunes d'œufs, légèrement battus
1 tasse de crème double, fouettée
1 cuil. à thé de vanille
½ cuil. à thé d'essence d'amande

Mêler, dans une casserole moyenne, le sucre, la gélatine, le sel, le lait et les jaunes d'œufs. Cuire à feu moyen, en brassant constamment, jusqu'à pleine ébullition. Faire refroidir, en plaçant la casserole dans de l'eau glacée, jusqu'à ce que le mélange garde un peu sa forme quand on le remue à la cuillère. Incorporer la crème fouettée et les parfums. Refroidir quelques minutes pour que la crème épaississe légèrement. (Attention! elle ne doit pas prendre.) Garder à la température de la pièce en attendant d'utiliser.

Gâteau aux fruits deux tons: *recette à la page 139*

Torte aux noix: *recette à la page 141*
(pages suivantes)

PÂTE A TARTE
POUR 2 CROÛTES DE 9 POUCES

2 tasses de farine à tout usage, tamisée
1 cuil. à thé de sel
⅔ de tasse de saindoux ou ¾ de tasse de graisse
    végétale
¼ de tasse d'eau glacée

Mettre la farine dans un bol. Ajouter le sel et bien mêler, à la fourchette. Ajouter le saindoux ou la graisse végétale et couper cet ingrédient dans la farine grossièrement, avec un mélangeur à pâtisserie ou avec 2 couteaux. Arroser de l'eau glacée, 1 cuil. à table à la fois, en mêlant à la fourchette juste assez pour que toute la farine soit humectée.
Ramasser la pâte en boule et la presser fermement avec les doigts. Utiliser comme nous l'indiquons.

TARTE AUX POMMES EN ROUE
DE CHARRETTE

Pâte à tarte pour 2 croûtes de 9 pouces (recette
    sur cette page)
1 cuil. à table de sucre
1½ cuil. à thé de farine
1 tasse de sucre
3 cuil. à table de farine
¼ de cuil. à thé de sel
¼ de cuil. à thé de cannelle
⅛ de cuil. à thé de muscade
⅔ de tasse d'eau
⅔ de tasse de raisins secs
2 cuil. à table de beurre
5 tasses de pommes pelées et tranchées
Sucre

Chauffer le four à 400°F. Avec la moitié de la pâte, foncer une assiette à tarte de 9 pouces, en construisant à la tarte un bord haut et dentelé. Mêler 1 cuil. à table de sucre et 1½ cuil. à thé de farine et saupoudrer la pâte, uniformément, du mélange.
Mêler, dans une casserole, 1 tasse de sucre, 3 cuil. à table de farine, le sel, la cannelle, et la muscade. Ajouter l'eau, en brassant. Ajouter les raisins. Cuire à feu moyen, en brassant constamment, jusqu'à ce que la sauce bouille et soit épaisse et lisse. Retirer du feu et ajouter le beurre et les pommes. Verser le tout dans la pâte.
Faire une abaisse avec ce qui reste de pâte, y tailler un rond et le disposer au centre de la tarte pour figurer le moyeu de la roue. Faire ensuite, avec ce qui reste de pâte, des bandes d'environ ½ pouce de largeur; les disposer sur la tarte comme les rayons d'une roue. Saupoudrer généreusement de sucre tous ces morceaux de pâte.
Cuire au four, 40 minutes ou jusqu'à ce que la pâte soit bien brunie et les pommes tendres.

Tarte aux airelles: *recette à la page 150*

TARTE AUX POMMES ÉPICÉE

1 boîte de 19 onces de compote de pommes
    sucrée
1 paquet de 4 onces de mélange pour pouding
    au caramel
½ tasse de lait
½ cuil. à thé de cannelle
½ cuil. à thé de gingembre
½ cuil. à thé de muscade
2 œufs
1 enveloppe (1 cuil. à table) de gélatine en poudre
¼ de tasse d'eau froide
Croûte à la chapelure (recette ci-après)
Garniture au fromage (recette ci-après)
Gingembre de conserve, en allumettes

Mêler la compote, le mélange pour pouding, le lait, la cannelle, le gingembre et la muscade, dans une casserole épaisse et de moyenne grandeur. Cuire à feu moyen, en brassant constamment, jusqu'à pleine ébullition.
Battre les œufs légèrement; ajouter environ la moitié du mélange chaud, petit à petit et en brassant. Remettre le tout dans la casserole et chauffer de nouveau jusqu'à ébullition.
Faire tremper la gélatine dans l'eau froide pendant 5 minutes. Ajouter au mélange très chaud, en brassant jusqu'à ce que la gélatine soit dissoute. Refroidir, en plaçant la casserole dans de l'eau glacée, jusqu'à ce que le mélange garde un peu sa forme quand on le remue à la cuillère. Verser dans la croûte et réfrigérer jusqu'à ce que ce soit ferme.
Faire un treillis sur le dessus de la tarte, avec la garniture au fromage appliquée avec une seringue; décorer du gingembre. Réfrigérer jusqu'au moment de servir.

Croûte à la chapelure

¾ de tasse de chapelure fine
⅓ de tasse de cassonade, mesurée bien tassée
¼ de tasse de beurre, fondu
½ cuil. à thé de cannelle

Chauffer le four à 350°F.
Mêler tous les ingrédients. Presser le mélange dans une assiette à tarte de 9 pouces pour former une croûte; construire le bord aussi haut que possible. Cuire au four 10 minutes et laisser refroidir.

Garniture au fromage

8 onces de fromage à la crème (à la
    température de la pièce)
3 cuil. à table de sucre à glacer
3 cuil. à table de crème simple (15 p.c.)
1 cuil. à table de sirop de conserve de gingembre

Battre, dans un petit bol, le fromage et le sucre jusqu'à ce que le mélange soit léger. Ajouter la crème et le sirop de gingembre, petit à petit et en battant. Réfrigérer quelques minutes, si le mélange est trop mou. Appliquer sur la tarte, pour former un treillis, avec une seringue munie d'une douille en forme d'étoile ou de rosette.

TARTE AUX CERISES

2 boîtes de 14 onces de cerises rouges dénoyautées
¾ de tasse de sucre
1 pincée de sel
½ cuil. à thé de cannelle
3 cuil. à table de fécule de maïs
Colorant végétal rouge (facultatif)
Pâte à tarte pour 2 croûtes de 9 pouces (recette à la page 149)
2 cuil. à table de beurre
Crème simple (15 p.c.)
Sucre

Égoutter parfaitement les cerises. Mesurer et mettre de côté 1 tasse de leur jus de conserve.

Bien mêler, dans une casserole moyenne, le sucre, le sel, la cannelle et la fécule de maïs. Ajouter 1 tasse de jus de conserve des cerises et brasser jusqu'à ce que le mélange soit bien lisse. Cuire, à feu vif et en brassant constamment, jusqu'à ce que la préparation bouille et soit épaisse et comme translucide. Abaisser le feu et continuer la cuisson en brassant 1 minute. Retirer du feu et ajouter en brassant, si on le désire, quelques gouttes de colorant pour donner à la préparation une belle coloration rouge. Ajouter les cerises et laisser reposer quelques minutes.

Chauffer le four à 425°F. Avoir sous la main une assiette à tarte de 9 pouces de diamètre.

Foncer l'assiette avec la moitié de la pâte et y mettre la garniture aux cerises; parsemer celle-ci du beurre, en noisettes. Faire un couvercle à la tarte, avec ce qui reste de pâte.

Badigeonner légèrement de crème et saupoudrer généreusement de sucre le couvercle de la tarte, sans toucher au bord cependant; pratiquer une fente au milieu pour la vapeur.

Cuire au four, 35 minutes ou jusqu'à ce que la pâte soit bien brunie. Servir cette tarte tiède ou refroidie.

TARTE AUX AIRELLES

2 tasses de farine à tout usage, tamisée
1 cuil. à thé de poudre à lever
3 cuil. à table de sucre
½ tasse de graisse végétale
2 cuil. à thé de zeste de citron râpé
1 œuf
2 cuil. à table d'eau froide
½ tasse d'eau
1 tasse de sucre
2 cuil. à thé de tapioca à cuisson rapide
2 tasses d'airelles fraîches (atocas)
2 cuil. à table de jus de citron

Tamiser, dans un bol, la farine, la poudre à lever et 3 cuil. à table de sucre. Ajouter la graisse végétale et la couper finement. Ajouter le zeste de citron. Battre ensemble l'œuf et 2 cuil. à table d'eau et ajouter au mélange, en mêlant délicatement, à la fourchette. Pétrir la pâte doucement, juste assez pour qu'elle ne s'émiette pas. La réfrigérer pendant la préparation de la garniture.

Chauffer le four à 350°F. Avoir sous la main une assiette à tarte de 9 pouces de diamètre.

Mêler, dans une casserole, ½ tasse d'eau, 1 tasse de sucre et le tapioca; chauffer jusqu'à ébullition. Ajouter les airelles et cuire 5 minutes ou jusqu'à ce qu'elles éclatent. Retirer du feu et ajouter le jus de citron.

Rouler les deux tiers de la pâte en une abaisse ronde, de 11 pouces de diamètre. Foncer l'assiette de l'abaisse en laissant dépasser l'excès de pâte, tout autour. Rouler le reste de la pâte en une abaisse d'environ ⅛ de pouce d'épaisseur et tailler cette dernière en lanières pour le treillis de la tarte.

Mettre les airelles dans la pâte et leur faire un couvercle, en treillis, avec les lanières de pâte. Tourner par en dessous le bout des lanières et la pâte de l'abaisse du dessous pour former un bord à la tarte; denteler ce dernier.

Cuire au four, de 30 à 35 minutes ou jusqu'à ce que ce soit bien bruni. Servir tiède ou refroidi.

TARTE AU CHOCOLAT ET AU RHUM

Pâte à tarte pour 1 croûte de 9 pouces
1 carré (1 once) de chocolat non sucré
1 cuil. à table de beurre
2 œufs
⅓ de tasse de sucre
½ tasse de sirop de maïs
½ cuil. à thé de vanille
½ tasse de pacanes, en moitiés
3 jaunes d'œufs
⅔ de tasse de sucre
½ tasse d'eau froide
1 enveloppe (1 cuil. à table) de gélatine en poudre
⅓ de tasse de rhum brun
1½ tasse de crème double (35 p.c.)
Râpures de chocolat ou moitiés de pacanes

Chauffer le four à 375°F.

Foncer, avec la pâte, une assiette à tarte de 9 pouces en construisant un bord haut et dentelé. Mettre de côté.

Mettre le chocolat et le beurre dans une petite casserole et faire fondre à feu doux.

Bien battre ensemble les œufs, ⅓ de tasse de sucre, le sirop de maïs, le mélange au chocolat et la vanille. Ajouter ½ tasse de pacanes. Verser le tout dans la pâte.

Cuire au four, de 15 à 20 minutes ou jusqu'à ce que la garniture soit prise et la pâte légèrement brunie. Laisser refroidir.

Battre les jaunes d'œufs jusqu'à ce qu'ils soient mousseux. Ajouter ⅔ de tasse de sucre, petit à petit et en battant.

Mêler l'eau et la gélatine, dans une petite casserole. Laisser reposer pendant 5 minutes; chauffer alors jusqu'au point d'ébullition, en brassant. Ajouter petit à petit, aux jaunes d'œufs, en battant constamment. Ajouter le rhum et bien mêler.

Mettre le bol contenant la préparation dans de l'eau glacée; refroidir ainsi jusqu'à ce que la préparation commence à prendre et garde un peu sa forme quand on la remue à la cuillère.

Fouetter la crème jusqu'à ce qu'elle soit ferme et l'incorporer au mélange. Refroidir de nouveau, dans de l'eau glacée, jusqu'à ce que le mélange forme des pics quand on le remue. Déposer, à la cuillère, sur la garniture au chocolat dans la croûte.

Garnir de râpures de chocolat ou de moitiés de pacanes. Réfrigérer jusqu'à peu avant le moment de servir.

TARTE AU CITRON

1½ tasse de sucre
⅓ de tasse de fécule de maïs
⅛ de cuil. à thé de sel
2 verres de 6 onces de yogourt non parfumé
¼ de tasse de jus de citron
¼ de tasse de jus d'orange
3 jaunes d'œufs
2 cuil. à thé de zeste de citron râpé
Croûte aux flocons de maïs (recette ci-après)
3 blancs d'œufs
¼ de cuil. à thé de crème de tartre
⅓ de tasse de sucre

Bien mêler 1½ tasse de sucre, la fécule de maïs et le sel, dans une casserole épaisse et de grandeur moyenne. Ajouter le yogourt et les jus de citron et d'orange et battre, au batteur rotatif, jusqu'à ce que ce soit lisse. Chauffer à feu vif, en brassant constamment, jusqu'à pleine ébullition. Baisser le feu au plus bas et continuer la cuisson 2 minutes, en brassant.

Battre les jaunes d'œufs; ajouter environ la moitié du mélange chaud, petit à petit et en battant constamment. Remettre le tout dans la casserole et cuire 2 minutes, en brassant. Retirer du feu, ajouter le zeste de citron et laisser tiédir.

Mettre dans la croûte.

Chauffer le four à 400°F.

Battre en neige les blancs d'œufs auxquels on ajoutera la crème de tartre. Ajouter ⅓ de tasse de sucre, environ 1 cuil. à table à la fois et en battant bien après chaque addition. Battre jusqu'à ce que la meringue soit brillante et forme des pics. Étendre sur la garniture au citron en scellant bien la meringue au bord de la tarte, tout autour.

Cuire au four, de 8 à 10 minutes ou jusqu'à ce que la meringue soit délicatement brunie. Refroidir avant de servir.

Croûte aux flocons de maïs

1½ tasse de flocons de maïs en fines miettes
¼ de tasse de beurre, fondu
2 cuil. à table de sucre

Chauffer le four à 350°F. Avoir sous la main une assiette à tarte de 9 pouces.

Mêler tous les ingrédients. Presser le mélange dans l'assiette, pour former une croûte, en construisant un bord aussi haut que possible. Cuire au four environ 10 minutes. Laisser refroidir.

TARTE AUX PACANES

Pâte à tarte pour 1 croûte de 9 pouces
4 œufs
1 tasse de sucre
1 tasse de sirop de maïs
¼ de tasse de beurre fondu
1½ cuil. à thé de farine
¼ de cuil. à thé de sel
1 cuil. à thé de vanille
½ cuil. à thé d'essence d'amande
2 tasses de pacanes, en moitiés

Chauffer le four à 350°F. Foncer, avec la pâte, une assiette à tarte de 9 pouces, en construisant un bord haut et dentelé.

Battre les œufs parfaitement. Ajouter, en battant, le sucre, le sirop de maïs, le beurre, la farine, le sel, la vanille et l'essence d'amande. Ajouter les pacanes, en brassant.

Verser cette garniture dans la pâte. Couvrir le bord de la tarte d'une étroite bande de papier d'aluminium pour l'empêcher de brunir trop rapidement.

Cuire au four, 1 heure ou jusqu'à ce que la garniture soit prise. Servir tiède ou refroidi.

*La tarte aux pacanes,
hélas! contient quelques calories.
N'en mangez donc pas
tous les jours mais de temps à autre,
pourquoi pas? faites-vous plaisir!*

TARTE AUX PRUNEAUX ET A LA CRÈME SURE

1 paquet de 4 onces de mélange pour tarte au citron
½ tasse de sucre
¼ de tasse d'eau
2 jaunes d'œufs
1¾ tasse d'eau
¼ de cuil. à thé de zeste de citron râpé
1 tasse de pruneaux secs plutôt tendres, hachés
1 tasse de crème sure, du commerce
1 croûte de tarte, de 9 pouces de diamètre

Mettre le mélange dans une casserole moyenne. Ajouter le sucre et ¼ de tasse d'eau, en brassant. Ajouter les jaunes d'œufs et mêler parfaitement. Ajouter, en brassant, 1¾ tasse d'eau, le zeste de citron et les pruneaux.

Cuire, à feu moyen et en brassant constamment, jusqu'à ce que la préparation bouille vivement et ait épaissi. Baisser le feu et continuer la cuisson 3 minutes, en brassant constamment. Laisser refroidir et incorporer la crème sure.

Mettre dans la croûte refroidie et bien réfrigérer.

LA MEILLEURE DES TARTES AUX RAISINS

1 tasse de sucre
3 cuil. à table de fécule de maïs
½ cuil. à thé de sel
1 tasse de jus d'orange
2 cuil. à table de jus de citron
1 tasse d'eau
1 cuil. à thé de zeste d'orange râpé
3 cuil. à table de beurre
2 tasses de gros raisins de Corinthe
Pâte à tarte (recette à la page 149)

Bien mêler, dans une casserole, le sucre, la fécule de maïs et le sel. Ajouter les jus d'orange et de citron et l'eau, petit à petit et en brassant jusqu'à ce que le mélange soit lisse. Ajouter le zeste d'orange, le beurre et les raisins. Chauffer à feu vif jusqu'à ébullition, en brassant constamment. Baisser le feu et faire mijoter 3 minutes, en brassant. Laisser refroidir.
Chauffer le four à 450°F.
Foncer une assiette à tarte de 9 pouces, avec la moitié de la pâte, et y mettre la garniture. Rouler ce qui reste de pâte et en faire un couvercle pour la tarte; denteler le bord de la pâte et faire quelques fentes, dans le couvercle, pour laisser échapper la vapeur pendant la cuisson. Couvrir le bord de la tarte d'une étroite bande de papier d'aluminium pour l'empêcher de brunir trop rapidement.
Cuire au four, de 25 à 30 minutes ou jusqu'à ce que ce soit bien bruni. Servir tiède ou refroidi, avec de la crème fouettée ou de la crème glacée si on désire.

TARTE AUX RAISINS A LA CALIFORNIENNE

2 tasses de gros raisins de Corinthe
2 tasses d'eau
1 tasse de sucre
¼ de tasse de beurre
½ tasse d'eau
¼ de tasse de farine
3 jaunes d'œufs
4 cuil. à thé de zeste de citron râpé
¼ de tasse de jus de citron
1 cuil. à thé de cannelle
¼ de cuil. à thé de clou de girofle en poudre
1 croûte de tarte, de 9 pouces
½ tasse de noix hachées

Mettre les raisins, 2 tasses d'eau et le sucre, dans une casserole moyenne. Chauffer à feu vif jusqu'à ébullition. Baisser le feu au degré moyen et cuire 10 minutes, en brassant souvent. Ajouter le beurre. Faire un mélange lisse avec ½ tasse d'eau et la farine et l'ajouter, petit à petit et en brassant, à la préparation bouillante. Faire bouillir, en brassant constamment, 1 minute ou jusqu'à épaississement.
Battre les jaunes d'œufs, légèrement; y ajouter un peu

du liquide chaud, petit à petit et en battant constamment. Remettre le tout dans la casserole, petit à petit et en brassant; ajouter aussi le zeste et le jus de citron et les épices. Faire mijoter, en brassant, pendant 1 minute. Retirer du feu et laisser tiédir.
Verser la garniture dans la croûte et la parsemer des noix hachées. Servir tiède ou refroidi. (6 portions).

TARTE DANS UNE POÊLE

2 tasses de farine à tout usage, tamisée
3 cuil. à thé de poudre à lever
1 cuil. à thé de sel
⅓ de tasse de graisse végétale
Approximativement 1 tasse de lait
4 tasses de rhubarbe finement hachée
2 tasses de pommes hachées
2 tasses de sucre
⅓ de tasse de farine
1 cuil. à thé de macis
¼ de cuil. à thé de sel
3 cuil. à table de beurre
Lait
Sucre
Crème fouettée sucrée ou garniture à dessert du commerce

Chauffer le four à 400°F. Avoir sous la main une poêle de fonte épaisse de 10 pouces de diamètre, pouvant être mise au four, légèrement graissée.
Tamiser, dans un bol, 2 tasses de farine, la poudre à lever et 1 cuil. à thé de sel. Ajouter la graisse végétale et la couper finement, avec deux couteaux ou un mélangeur à pâtisserie. Ajouter suffisamment de lait (1 tasse ou un peu moins), en brassant délicatement, à la fourchette, pour que la pâte soit souple et facile à manipuler. Mettre sur une planche enfarinée et pétrir, 6 fois ou jusqu'à ce que la pâte soit souple. La ramasser en boule. Abaisser au rouleau en un cercle d'environ 14 pouces de diamètre. Mettre l'abaisse dans la poêle en laissant l'excès de pâte dépasser tout autour.
Mêler la rhubarbe, les pommes, 2 tasses de sucre, ⅔ de tasse de farine, le macis et ¼ cuil. à thé de sel et mettre le mélange dans la pâte. Parsemer de noisettes de beurre.
Replier la pâte sur les fruits, tout autour; laisser le centre de la tarte à découvert. Badigeonner légèrement la pâte de lait et la saupoudrer généreusement de sucre.
Cuire au four, 50 minutes ou jusqu'à ce que les fruits soient tendres. Après 30 minutes de cuisson, couvrir de papier d'aluminium, sans serrer, pour empêcher le dessus de la tarte de brunir trop rapidement.
Servir tiède, en pointes, nappé de crème fouettée ou de garniture à desserts. (De 6 à 8 portions).

TARTELETTES AUX CERISES

1 boîte de 14 onces de cerises rouges
   dénoyautées
½ tasse de sucre
2 cuil. à table de fécule de maïs
1 pincée de sel
¼ de cuil. à thé d'essence d'amande
Colorant végétal rouge
1 paquet de 4 onces de fromage à la crème
1 cuil. à table de crème simple (15 p.c.)
1 cuil. à thé de sucre
8 croûtes de tartelettes, moyennes
Crème fouettée sucrée (facultatif)

Égoutter les cerises parfaitement. Mesurer le jus de conserve des cerises et y ajouter suffisamment d'eau pour avoir 1 tasse de liquide.

Mêler, dans une casserole moyenne, ½ tasse de sucre, la fécule de maïs et le sel. Ajouter le jus de cerises délayé, petit à petit et en mêlant jusqu'à ce que ce soit lisse. Mettre sur feu vif et cuire jusqu'à ébullition, en brassant constamment. Baisser le feu et continuer la cuisson 1 minute, en brassant. Retirer du feu et ajouter l'essence d'amande, en brassant, et suffisamment de colorant pour donner au mélange une belle couleur rouge. Laisser tiédir.

Faire un mélange bien lisse avec le fromage, la crème et 1 cuil. à thé de sucre. Répartir également le mélange dans les 8 croûtes; l'étendre pour en bien couvrir les fonds. Mettre une partie des cerises dans les croûtes, sur le fromage; ajouter un peu de jus de cerises épaissi. Ajouter encore des cerises et du jus épaissi, en répartissant bien le reste de ces ingrédients dans les croûtes. Terminer avec une couche de jus pour que le dessus des tartelettes soit glacé. Réfrigérer.

Servir les tartelettes décorées d'une touche de crème fouettée si on le désire. (8 tartelettes).

TARTELETTES AU FROMAGE ET A L'ANANAS

¾ de tasse de fines miettes de biscuits Graham
3 cuil. à table de beurre ramolli
1 cuil. à table de sucre
1 paquet de 8 onces de fromage à la crème
   (à la température de la pièce)
1 jaune d'œuf
5 cuil. à table de sucre
¼ de cuil. à thé de vanille
⅛ de cuil. à thé de muscade
1 tasse d'ananas déchiqueté bien égoutté
1 blanc d'œuf
½ tasse de crème sure, du commerce
1 cuil. à table de sucre
¼ de cuil. à thé de vanille.

Chauffer le four à 375°F. Beurrer 6 ramequins de 5 onces.

Mesurer et mettre de côté 1 cuil. à table de miettes de biscuits. Mêler le reste des miettes, le beurre et 1 cuil. à table de sucre. Presser, avec une cuillère, environ 2 cuil. à table du mélange dans le fond et sur les côtés de chaque ramequin, pour l'en bien recouvrir.

Battre le fromage jusqu'à ce qu'il soit léger. Ajouter, en battant, le jaune d'œuf, 5 cuil. à table de sucre, ¼ de cuil. à thé de vanille et la muscade. Ajouter l'ananas, en brassant. Battre le blanc d'œuf en neige ferme et l'incorporer au mélange. Répartir le mélange dans les ramequins, mettre ceux-ci sur une plaque peu profonde et cuire au four 20 minutes.

Mêler la crème sure, 1 cuil. à table de sucre et ¼ de cuil. à thé de vanille. Recouvrir uniformément les tartelettes du mélange. Saupoudrer chaque tartelette de ½ cuil. à thé des miettes de biscuits Graham préalablement mises de côté. Continuer la cuisson au four 5 minutes. Servir ces tartelettes tièdes ou refroidies, démoulées dans des assiettes de service. (6 portions).

TARTELETTES DES FÊTES

Pâte à tarte pour 2 croûtes de 9 pouces de
   diamètre (recette à la page 149)
2 œufs
⅔ de tasse de cassonade, mesurée bien tassée
⅔ de tasse de sirop de maïs
3 cuil. à table de beurre ramolli
¼ de cuil. à thé de sel
¼ de cuil. à thé de muscade
¼ de cuil. à thé de cannelle
¼ de cuil. à thé d'essence d'amande
¼ de cuil. à thé de vanille
½ tasse d'un mélange de fruits confits, hachés
¼ de tasse de petits raisins de Corinthe
¼ de tasse de noix hachées

Avoir sous la main 32 petites assiettes à tartelettes (2 pouces de diamètre).

Rouler la pâte très mince et y tailler, avec un emporte-pièce, 32 ronds de 3 pouces de diamètre. Habiller les assiettes de ces ronds de pâte.

Chauffer le four à 450°F.

Battre les œufs légèrement. Ajouter, en battant, la cassonade, le sirop de maïs, le beurre, le sel, la muscade, la cannelle, l'essence d'amande et la vanille. Ajouter les fruits et les noix et bien mêler.

Mettre le mélange dans les petites assiettes, en emplissant ces dernières aux deux tiers environ.

Cuire au four 10 minutes, à 450°F. Réduire alors la température du four à 325°F et continuer la cuisson, 10 minutes ou jusqu'à ce que la garniture des tartelettes soit prise et leur pâte brunie.

Dégager des moules celles des tartelettes dont la garniture, en bouillonnant, aurait débordé pour se glisser sous la croûte; laisser ensuite tiédir toutes les tartelettes dans les assiettes. Retourner les assiettes sur une serviette de cuisine et en laisser tomber les tartelettes. Laisser ces dernières refroidir complètement, sur des clayettes. (32 petites tartelettes).

CHAUSSONS AUX POMMES

¼ de tasse de beurre
6 pommes moyennes, pelées et évidées
½ tasse de cassonade, mesurée bien tassée
1 cuil. à thé de cannelle
Pâte au fromage (recette ci-après)
Crème simple (15 p.c.)
Sucre

Chauffer le beurre dans une grande poêle épaisse. Râper les pommes dans la poêle, en utilisant une grosse râpe. Couvrir hermétiquement et cuire à feu doux, 3 minutes ou juste assez pour que les pommes soient tendres sans être en compote. Retirer du feu et ajouter, en brassant, la cassonade et la cannelle. Si, à ce point, le mélange est en partie liquide, le chauffer rapidement, à découvert, pour faire évaporer la plus grande partie de ce liquide. Laisser refroidir.

Chauffer le four à 425°F. Avoir sous la main des plaques à biscuits non graissées.

Rouler la pâte en abaisses minces et y tailler des carrés de 5 pouces de côté. Mettre une généreuse cuillerée de pommes sur chaque carré et replier ce dernier sur sa garniture, en triangle. Bien sceller les chaussons en pressant leurs bords avec une fourchette. Les mettre dans les plaques et piquer chacun, en deux endroits, avec les dents d'une fourchette.

Badigeonner de crème le dessus des chaussons et les saupoudrer généreusement de sucre. Cuire au four, de 10 à 12 minutes ou jusqu'à ce que ce soit bien doré. (De 16 à 20 chaussons.)

Pâte au fromage

3 tasses de farine à tout usage, tamisée
1 cuil. à thé de sel
1 tasse de saindoux
½ tasse de cheddar fort, râpé
6 cuil. à table d'eau glacée

Mêler la farine et le sel, dans un bol. Ajouter le saindoux et le couper grossièrement dans la farine, avec un mélangeur à pâtisserie. Ajouter le fromage et mêler délicatement, à la fourchette. Ajouter l'eau, en pluie et 1 cuil. à table à la fois, en mêlant délicatement, à la fourchette, pour humecter tous les ingrédients secs. Ramasser la pâte en boule et la presser fermement entre les doigts. En faire deux parts, rouler chacune en une abaisse mince et y tailler des carrés, comme nous l'indiquons plus haut.

CRÊPES MINCES ET SAUCE A L'ORANGE

2 œufs
1 cuil. à thé de sucre
½ cuil. à thé de sel
½ tasse de farine à tout usage, tamisée
1⅓ tasse de lait
2 cuil. à table de beurre fondu
1 demiard de crème double (35 p.c.)
2 cuil. à table de sucre à glacer
2 cuil. à table de kirsch, de cointreau ou de curaçao
Riche sauce à l'orange (recette ci-après)

Battre les œufs pour qu'ils soient bien légers, dans un petit bol. Ajouter le sucre et le sel, en battant constamment. Continuer à battre tout en ajoutant la farine ainsi que le lait et le beurre fondu, en alternant. La pâte sera claire.

Cuire les crêpes sur une plaque légèrement graissée. Utiliser 3 cuil. à table ou à peine ¼ de tasse de pâte par crêpe en l'étendant aussi mince que possible; chaque crêpe doit avoir de 5 à 6 pouces de diamètre. Faire brunir les crêpes d'un côté et les retourner, avec précaution, pour faire dorer l'autre côté. Placer les crêpes cuites entre les plis d'une serviette de cuisine et les y laisser refroidir. (La serviette empêche les crêpes de coller les unes aux autres et les garde bien souples.) Vous aurez environ 12 crêpes.

Fouetter bien ferme la crème, à laquelle on ajoutera le sucre à glacer, une fois les crêpes refroidies. Y ajouter le kirsch, le cointreau ou le curaçao, mais sans battre. Mettre une grosse cuillerée de crème fouettée au centre de chaque crêpe. Replier les crêpes par-dessus la crème, de tous les côtés, de façon à complètement enfermer la garniture dans un petit rouleau. Faire congeler jusqu'à peu avant le moment de servir.

Chauffer la sauce à l'orange jusqu'à petite ébullition, dans une grande poêle épaisse ou dans la casserole supérieure d'un réchaud de table, directement sur le feu. Déposer les crêpes congelées dans le sirop et chauffer, en arrosant constamment les crêpes du sirop, 2 minutes ou jusqu'à ce que les crêpes soient bien chaudes. (Ne pas chauffer trop longtemps pour ne pas faire fondre la crème; celle-ci doit être un peu ferme.) Servir immédiatement en donnant, à chaque convive, 2 crêpes nappées de sauce. (6 portions)

Riche sauce à l'orange

¼ de tasse de beurre ramolli
1 tasse de sucre
½ tasse de jus d'orange
1 œuf bien battu
Le zeste râpé de 1 orange

Mêler tous les ingrédients, dans une petite casserole. Cuire, à feu moyen et en brassant constamment, jusqu'à ébullition.

Desserts

Pour terminer un repas en beauté, il y a bien des plats sucrés qui ne sont ni biscuits, ni tartes ni gâteaux. Il y a les poudings, parfois appelés pains ou crèmes; rien d'aristocratique, mais parfaitement délicieux pour la famille et les amis. Ce chapitre vous apporte aussi des desserts plus élégants, comme la bagatelle, la bavaroise, les soufflés, la charlotte russe, le gâteau Alaska. Il y a enfin des mousses, des gelées, des sorbets et des desserts aux fruits, pour finir sur une note légère.

GÂTEAU AU FROMAGE NEW-YORK

1 tasse de farine à tout usage, tamisée
¼ de tasse de sucre
1 cuil. à thé de zeste de citron râpé
2 jaunes d'œufs
¼ de tasse de beurre
1 cuil. à table de lait
½ cuil. à thé de vanille
5 paquets de 8 onces de fromage à la crème
    (à la température de la pièce)
1¾ tasse de sucre
3 cuil. à table de farine
1 cuil. à table de zeste d'orange râpé
1½ cuil. à thé de zeste de citron râpé
1 cuil. à thé de vanille
5 œufs
2 jaunes d'œufs
¼ de tasse de crème double (35 p.c.)
Glace aux cerises (recette ci-après) ou 1 boîte
    de 19 onces de garniture à tarte aux cerises
    (de conserve)

Chauffer le four à 400°F. Retirer le fond d'un moule à charnières de 9 pouces de diamètre et le graisser.
Mêler, dans un petit bol, 1 tasse de farine, ¼ de tasse de sucre et 1 cuil. à thé de zeste de citron. Faire une fontaine dans ces ingrédients et y mettre 2 jaunes d'œufs, le beurre, le lait et ½ cuil. à thé de vanille. Mêler, d'abord à la fourchette, ensuite directement avec les doigts jusqu'à ce qu'on puisse ramasser la pâte en boule. En faire 4 portions.
Envelopper 3 portions de pâte de papier de cuisine transparent et les mettre de côté. Façonner la quatrième portion de pâte en un cercle un peu aplati et la déposer sur le fond du moule déjà graissé, au centre. Rouler la pâte pour qu'elle couvre entièrement le fond (si le bord de l'abaisse ne suit pas une ligne régulière, l'égaliser un peu en le tapotant avec les doigts). Cuire au four 10 minutes ou jusqu'à ce que la croûte soit dorée. Laisser refroidir.
Graisser légèrement les côtés du moule à charnières. Mettre en place le fond du moule, recouvert de la croûte. Rouler chacune des 3 portions de pâte mises de côté en une bande de 10 pouces de longueur sur 3 pouces de largeur (ou juste aussi large que le moule est profond). Habiller les côtés du moule de ces bandes; travailler en mettant le moule debout sur sa paroi latérale. (Ne pas s'en faire si la pâte se déchire un peu; la réparer en la pressant un peu avec le bout des doigts.) Réfrigérer, pendant la préparation de la garniture.
Mettre, dans un grand bol, le fromage, 1¾ tasse de sucre, 3 cuil. à table de farine, le zeste d'orange, 1½ cuil. à thé de zeste de citron et 1 cuil. à thé de vanille. Battre jusqu'à ce que ce soit lisse. Ajouter 5 œufs et 2 jaunes d'œufs, un à la fois et en battant bien après chaque addition. Ajouter la crème (non fouettée), en brassant. Verser dans le moule (la croûte du fond est déjà cuite mais les côtés ne le sont pas).
Cuire au four 10 minutes, à 500°F. Réduire la tempéra-ture du four à 200°F et continuer la cuisson, 1 heure et 15 minutes ou jusqu'à ce que la garniture soit prise. Laisser refroidir sur une clayette. Recouvrir de la glace aux cerises (ou de la garniture à tarte). Enlever les côtés du moule et glisser le gâteau, sans le séparer du fond du moule, dans une assiette de service. Couper en pointes et servir. (De 12 à 16 portions)
Note: on peut faire ce gâteau à l'avance; il se garde très bien plusieurs jours au réfrigérateur.

Glace aux cerises

1 boîte de 14 onces de cerises rouges,
    dénoyautées
⅓ de tasse de sucre
2 cuil. à table de fécule de maïs
¼ de cuil. à thé de zeste de citron râpé

Bien égoutter les cerises et mesurer ¾ de tasse de jus de conserve. Mêler le sucre et la fécule de maïs dans une petite casserole. Ajouter ¾ de tasse du jus des cerises, en brassant. Cuire à feu vif, jusqu'à ébullition, en brassant constamment. Baisser le feu et continuer la cuisson, en brassant, pendant 1 minute. Retirer du feu, ajouter les cerises et le zeste de citron et laisser refroidir. Étendre sur le gâteau au fromage, comme nous l'indiquons.

GÂTEAU AU FROMAGE COTTAGE

1 tasse de pain sec du commerce (rusk) en fines
    miettes
3 cuil. à table de beurre fondu
3 cuil. à table de sucre
¾ de cuil. à thé de cannelle
2 boîtes, de 16 onces, de fromage cottage
5 œufs
½ tasse de farine à tout usage, tamisée
1 tasse de sucre
2 cuil. à thé de zeste de citron râpé
2 cuil. à table de jus de citron
½ cuil. à thé de vanille
1 tasse de crème double (35 p.c.)
Garniture aux fraises (recette ci-après)

Chauffer le four à 350°F. Beurrer légèrement un moule à ressort, de 9 pouces de diamètre.
Mêler les miettes de pain sec, le beurre fondu, 3 cuil. à table de sucre et la cannelle. Presser le mélange uniformément dans le fond du moule et le cuire au four 10 minutes.
Passer le fromage au tamis, dans un bol. Ajouter les œufs, un à la fois, en battant bien après chaque addition. Mêler la farine et 1 tasse de sucre et ajouter le tout au mélange au fromage, en battant. Ajouter le zeste et le jus de citron, ainsi que la vanille. Fouetter la crème et l'incorporer à la préparation. Verser sur la croûte dans le moule à ressort.
Cuire au four, 1 heure et 10 minutes ou jusqu'à ce que

ce soit pris. Laisser refroidir dans le moule et réfrigérer ensuite. Couvrir de la garniture aux fraises et réfrigérer de nouveau. (De 8 à 12 portions)

Garniture aux fraises

2 tasses de fraises
¼ de tasse de fécule de maïs
1 tasse de sucre
¼ de tasse de jus d'orange
2 cuil. à table de zeste d'orange râpé
3 tasses de fraises entières

Réduire en purée les 2 tasses de fraises en les faisant tourner au mélangeur électrique ou en les passant au tamis. Mêler la fécule de maïs et le sucre, dans une casserole. Ajouter, en brassant, la purée de fraises ainsi que le jus et le zeste d'orange. Chauffer à feu vif, en brassant constamment, jusqu'à ce que la préparation soit épaisse et ait une apparence un peu translucide. Baisser le feu et continuer la cuisson 1 minute, en brassant. Laisser refroidir un peu.

Couvrir le gâteau au fromage des fraises entières et déposer la sauce tiède sur les fruits, à la cuillère.

CRÈME AU MARSALA

8 jaunes d'œufs
½ tasse de sucre
1 tasse de vin de Marsala
½ citron
1 cuil. à thé de gélatine en poudre
1 cuil. à table d'eau froide
2 cuil. à table d'eau bouillante
3 cuil. à table de brandy
2 tasses de crème double (35 p.c.)
2 cuil. à table de sucre
½ cuil. à thé de vanille

Battre ensemble les jaunes d'œufs et le sucre, à la grande vitesse du malaxeur, 5 minutes ou jusqu'à épaississement. Incorporer le Marsala. Verser le mélange dans la casserole supérieure d'un grand bain-marie en verre à feu.

Presser le demi-citron et garder le jus pour d'autres usages. Couper la pelure en 2 morceaux, les mettre à plat sur la table et, à l'aide d'un petit couteau bien aiguisé, les débarrasser de leur ziste ou partie blanche à l'intérieur;

il vous restera 2 minces morceaux de zeste. Ajouter ces derniers aux œufs et cuire 6 minutes environ, au bain-marie frissonnant, en fouettant doucement le mélange avec un fouet métallique ou une cuillère de bois. (La préparation est suffisamment cuite quand elle épaissit et commence à garder un peu sa forme quand on la remue à la cuillère.) Retirer du feu et jeter les morceaux de zeste de citron.

Ajouter la gélatine à l'eau froide, pendant la cuisson des œufs, et laisser reposer 5 minutes. Ajouter alors l'eau bouillante et brasser pour bien dissoudre la gélatine. Ajouter à la crème aux œufs cuite et bien chaude, petit à petit et en brassant.

Mettre la casserole qui contient le mélange dans de l'eau glacée et brasser doucement pour le refroidir; ne pas le réfrigérer toutefois. Ajouter le brandy, en brassant. Fouetter la crème, à laquelle on ajoutera le sucre, jusqu'à ce qu'elle soit bien ferme. L'incorporer au mélange ainsi que la vanille.

Verser dans un bol en verre ou dans des coupes à sorbet, et réfrigérer plusieurs heures. (8 portions)

NEIGE AU CITRON

1 tasse de sucre
3 cuil. à table de fécule de maïs
2 tasses d'eau bouillante
Jus et zeste râpé de 2 citrons
2 blancs d'œufs
Sauce aux œufs (recette ci-après)

Mêler parfaitement le sucre et la fécule de maïs, dans une casserole. Ajouter l'eau, petit à petit et en brassant. Ajouter le jus et le zeste de citron. Cuire à feu vif, en brassant constamment, jusqu'à ébullition. Baisser le feu et continuer la cuisson 2 minutes, en brassant. Laisser tiédir.

Battre les blancs d'œufs jusqu'à ce qu'ils soient fermes sans être trop secs. Ajouter le mélange au citron, lentement, en battant au batteur rotatif.

Verser dans un bol ou dans des plats individuels. Réfrigérer plusieurs heures ou jusqu'au lendemain. Servir avec la sauce aux œufs. (4 portions)

Sauce aux œufs

¾ de tasse de lait
2 jaunes d'œufs
2 cuil. à table de sucre
⅛ de cuil. à thé de sel
1 cuil. à thé de vanille

Mettre le lait dans la casserole supérieure d'un bain-marie et le chauffer jusqu'au point d'ébullition, en plaçant la casserole directement sur le feu.

Battre les jaunes d'œufs, dans un petit bol. Y mêler le sucre et le sel. Ajouter le lait bouillant, petit à petit et en brassant. Remettre le tout dans la casserole et cuire au bain-marie frissonnant, en brassant constamment, 10 minutes ou jusqu'à ce que le mélange adhère à une cuillère de métal. Laisser refroidir et ajouter la vanille.

CRÈME CARAMEL

½ tasse de sucre
4 jaunes d'œufs
⅓ de tasse de sucre
¼ de cuil. à thé de sel
2 tasses de lait
1 cuil. à thé de vanille

Mettre ½ tasse de sucre dans une poêle épaisse et le chauffer à feu bas, en le brassant constamment avec une cuillère de bois, jusqu'à ce qu'il soit complètement fondu et d'un beau brun doré.

Répartir le sirop obtenu dans 6 ramequins ou petits moules pouvant aller au four, de 5 ou 6 onces. Pencher immédiatement les ramequins, de côté et d'autre, pour que le sirop en recouvre le fond et les côtés autant que possible. On peut chauffer les moules, en les passant à l'eau bouillante, et les bien assécher avant d'y mettre le sirop; le sucre durcit alors moins rapidement et on dispose d'un plus de temps pour le bien étendre. Ne pas s'en faire, toutefois, si les moules ne sont pas entièrement enduits de sirop.

Chauffer le four à 350°F. Mettre au four une plaque suffisamment grande pour recevoir les ramequins et contenant ½ pouce d'eau bouillante.

Battre ensemble les jaunes d'œufs, ⅓ de tasse de sucre et le sel. Chauffer le lait au point d'ébullition et l'ajouter aux jaunes d'œufs, petit à petit et en brassant. Ajouter la vanille.

Répartir cette crème dans les ramequins et mettre ceux-ci au four, dans la plaque d'eau bouillante.

Cuire au four, de 45 à 50 minutes ou jusqu'à ce qu'un couteau de métal inséré au centre des petits plats en ressorte sec. Retirer immédiatement les ramequins de l'eau chaude. Laisser refroidir et réfrigérer. Démouler, au moment de servir; le caramel coulera sur la crème, comme une sauce. (6 portions)

CRÈME A L'ORANGE COURONNÉE DE POIRES

1 œuf
⅓ de tasse de sucre
⅛ de cuil. à thé de sel
1½ tasse de lait
3 cuil. à table de tapioca à cuisson rapide
2 cuil. à table de zeste d'orange râpé
1 tasse de crème double (35 p.c.)
1 cuil. à thé de vanille
Poires pochées (recette ci-après)
Amandes rôties, taillées en allumettes (facultatif)

Mettre l'œuf, le sucre et le sel, dans une casserole. Bien mêler, en battant avec une cuillère de bois. Ajouter le lait, le tapioca et le zeste d'orange, en brassant. Cuire à feu moyen, en brassant constamment, jusqu'à pleine ébullition. Baisser le feu et continuer la cuisson 1 minute, en brassant. Retirer du feu et laisser refroidir.

Fouetter la crème et l'incorporer au tapioca, ainsi que la vanille. Verser dans un bol et réfrigérer. Au moment de servir, mettre la crème bien refroidie dans des coupes à sorbet et garnir chaque portion d'une demi-poire pochée. Parsemer d'amandes, si on le désire. (6 portions)

Poires pochées

1 tasse de sucre
1 tasse d'eau
2 cuil. à table de jus de citron
1 morceau de 2 pouces d'une gousse de vanille
   ou 2 cuil. à thé de vanille
3 grosses poires mûres

Mettre le sucre et l'eau dans une casserole et chauffer jusqu'à ébullition. Ajouter le jus de citron et la vanille.

Peler les poires et les couper en deux, en leur enlevant la queue et le cœur. Les déposer dans le sirop bouillant et les y laisser mijoter 3 minutes ou jusqu'à ce qu'elles soient tendres. Les laisser refroidir un peu et les réfrigérer ensuite, dans leur sirop. Au moment de servir, retirer les poires du sirop, avec une cuillère perforée, et les utiliser comme nous l'indiquons.

MOUSSE AUX PÊCHES ET A LA BANANE

1 tasse de sucre
1½ tasse d'eau
3 grosses pêches mûres
1 enveloppe (1 cuil. à table) de gélatine en poudre
¼ de tasse d'eau froide
¼ de tasse de jus de citron
1 pincée de sel
1 grosse banane mûre
½ tasse de crème double (35 p.c.)

Mêler le sucre et l'eau, dans une casserole. Chauffer jusqu'à ébullition et laisser bouillir 5 minutes. Peler les pêches et les hacher grossièrement. Les ajouter au sirop bouillant, attendre que l'ébullition recommence, baisser le feu et laisser mijoter, 5 minutes ou jusqu'à ce que les pêches soient juste tendres.

Égoutter les pêches et mesurer 1½ tasse de leur sirop de cuisson. Remettre ce sirop dans la casserole et le chauffer jusqu'à ébullition. Laisser refroidir les pêches.

Ajouter la gélatine à l'eau froide et laisser reposer 5 minutes. Ajouter alors au sirop bouillant et brasser pour bien dissoudre la gélatine. Ajouter jus de citron et sel, en brassant. Refroidir, en plaçant la casserole qui contient le mélange dans de l'eau glacée, jusqu'à ce que le mélange commence à épaissir; brasser souvent, pendant le refroidissement.

Écraser la banane à la fourchette et l'ajouter au mélange, en brassant. Ajouter aussi les pêches, en brassant délicatement. Refroidir encore un peu le mélange, si cela est nécessaire; la gelée doit garder un peu sa forme quand on la remue à la cuillère. Fouetter la crème et l'incorporer au mélange. Mettre dans les coupes à sorbet et réfrigérer jusqu'à ce que ce soit pris. (6 portions)

DESSERT AU RHUM ET A L'ANANAS

4 jaunes d'œufs
½ tasse de sucre
1¼ tasse de lait
½ tasse de jus d'ananas (voir note)
2 enveloppes (2 cuil. à table) de gélatine en poudre
¼ de tasse d'eau froide
¼ de tasse de rhum ambré
1 tasse de crème double (35 p.c.)
Gâteau éponge (recette ci-après)
1 cuil. à table de rhum
6 tranches d'ananas de conserve
Cerises marasques
Crème fouettée sucrée (facultatif)

Mettre, dans la casserole supérieure d'un bain-marie, les jaunes d'œufs et le sucre et battre avec une cuillère de bois. Ajouter le lait et le jus d'ananas, en brassant. Cuire, au bain-marie frissonnant et en brassant constamment, 10 minutes ou jusqu'à ce que la préparation soit très chaude et légèrement épaissie.

Ajouter la gélatine à l'eau froide et laisser reposer 5 minutes. Ajouter à la préparation bouillante et brasser jusqu'à ce que la gélatine soit dissoute. Mettre la casserole qui contient le mélange dans de l'eau glacée; refroidir ainsi le mélange, en le brassant, jusqu'au point où il commence à épaissir (attention de ne pas le laisser prendre). Retirer de l'eau et ajouter ¼ de tasse de rhum, en brassant.

Fouetter 1 tasse de crème et l'ajouter délicatement à la gelée. Verser dans un moule à gâteau rond, de 8 pouces de diamètre, et refroidir jusqu'à ce que ce soit ferme.

Mettre le gâteau éponge dans une assiette de service. L'arroser de 1 cuil. à table de rhum. Démouler la gelée sur le dessus du gâteau. Couper en deux les tranches d'ananas et les disposer sur la gelée, ainsi que les cerises. Réfrigérer jusqu'au moment de servir. Décorer alors le dessert, si on le désire, de crème fouettée appliquée, avec une seringue à pâtisserie, tout autour. (6 portions)

Note: utiliser, avec les jaunes d'œufs et le lait, le jus de conserve des ananas. J'ai fait ce dessert avec succès en substituant, à la tasse de crème fouettée pour la gelée, 1 enveloppe de mélange sec pour garniture à dessert préparée selon les indications sur le paquet.

Gâteau éponge

1 œuf
⅓ de tasse de sucre
1½ cuil. à table d'eau
¼ de cuil. à thé de vanille
⅓ de tasse de farine à tout usage, tamisée
¼ de cuil. à thé de poudre à lever
1 pincée de sel

Chauffer le four à 375°F. Couvrir, d'un cercle de papier ciré, le fond d'un moule à gâteau rond, de 9 pouces de diamètre, et en graisser les parois.

Battre l'œuf, dans un petit bol et à la grande vitesse d'un malaxeur électrique, 5 minutes ou jusqu'à ce qu'il soit épais et d'un beau jaune citron. Ajouter le sucre, petit à petit et en battant. Ajouter l'eau et la vanille, en battant. Tamiser ensemble, dans le mélange, la farine, la poudre à lever et le sel et battre jusqu'à ce que la pâte soit lisse. La mettre dans le moule.

Cuire au four, 12 minutes ou jusqu'à ce qu'une légère pression du doigt à la surface du gâteau ne laisse aucune empreinte. Démouler sur une clayette et enlever le papier de cuisson. (Ce gâteau doit être très mince.) Laisser refroidir.

SOUFFLÉ GLACÉ AUX FRAISES

1 chopine de fraises
1 enveloppe (1 cuil. à table) de gélatine en poudre
¼ de tasse d'eau froide
4 jaunes d'œufs, battus
½ tasse de sucre
1 cuil. à table de jus de citron
Colorant végétal rouge (facultatif)
4 blancs d'œufs
1 pincée de sel
¼ de tasse de sucre
1 tasse de crème double (35 p.c.)
¼ de tasse d'amandes rôties, en allumettes

Laver les fraises et les équeuter. Mettre 4 grosses fraises de côté, pour la décoration du soufflé. Mettre les autres fraises dans le bocal d'un mélangeur électrique et les réduire en purée.

Mêler la gélatine et l'eau froide, dans un petit bol. Laisser reposer 5 minutes. Mettre le plat dans de l'eau bouillante et chauffer jusqu'à ce que la gélatine soit dissoute. Battre ensemble au batteur rotatif, dans la casserole supérieure d'un bain-marie, les jaunes d'œufs et ½ tasse de sucre, jusqu'à ce que le mélange soit épais et d'un beau jaune citron. Ajouter le jus de citron, en brassant. Chauffer au bain-marie frissonnant, en brassant constamment, 5 minutes ou jusqu'à épaississement. Ajouter la gélatine, en brassant. Retirer du feu et laisser refroidir sans toutefois réfrigérer.

Ajouter la purée de fraises, en brassant, et quelques gouttes de colorant, si l'on veut, pour donner à la préparation une belle teinte rose.

Battre en mousse les blancs d'œufs auxquels on ajoutera le sel. Ajouter ¼ de tasse de sucre, petit à petit et en battant bien. Continuer à battre jusqu'à ce que la neige forme des pics. Battre aussi la crème, jusqu'à ce qu'elle soit ferme.

Incorporer, au mélange aux fraises, d'abord les blancs d'œufs et ensuite la crème, en ne brassant que le moins possible.

Prendre un moule à soufflé de 6 tasses et en hausser le bord de 3 pouces, à l'aide d'une solide bande de papier ciré. Y verser la préparation et réfrigérer jusqu'à ce que ce soit ferme.

Enlever le papier ciré, avec précaution. Décorer le soufflé des fraises mises de côté, tranchées, et des amandes. (6 portions)

BAGATELLE DÉLICIEUSE

¾ de tasse de lait froid
1 paquet de 3¼ onces de mélange instantané
   pour pouding à la vanille
2 tasses de lait de poule (eggnog), du
   commerce, froid
½ cuil. à thé d'essence d'amande
½ tasse de crème double (35 p.c.)
1 gâteau éponge, du commerce (2 galettes
   d'environ 7 pouces de diamètre)
½ tasse de sherry doux
1 bocal de 9 onces de confiture de framboises
1 tasse de crème double (35 p.c.)
2 cuil. à table de sucre à glacer, tamisé
½ cuil. à thé de vanille
Cerises
Morceaux d'angélique ou d'ananas confit et
   coloré en vert

Mettre le lait froid dans un petit bol. Ajouter le mélange à pouding et battre au malaxeur, à petite vitesse, jusqu'à ce que le mélange soit lisse. Ajouter le lait de poule, petit à petit et en battant. Ajouter l'essence d'amande. Fouetter ½ tasse de crème, jusqu'à ce qu'elle forme des pics, et l'incorporer au mélange. Mettre de côté.

Fendre chacun des 2 morceaux du gâteau pour obtenir 4 galettes minces. Mettre l'une d'elles, le côté coupé en dessus, dans un bol profond. Arroser de 2 cuil. à table de sherry et recouvrir du tiers de la confiture. Verser sur le tout le quart du mélange au lait de poule. Répéter, à deux reprises, les additions de gâteaux, de sherry, de confiture et de mélange au lait de poule. Recouvrir de la quatrième galette de gâteau, arroser de 2 cuil. à table de sherry et recouvrir de ce qui reste de mélange au lait de poule. Réfrigérer pendant plusieurs heures ou jusqu'au lendemain.

Fouetter, au moment de servir, 1 tasse de crème à laquelle on ajoutera le sucre et la vanille. Mettre dans un sac à douille ou dans une seringue à pâtisserie et garnir la bagatelle de rosettes de crème. Décorer d'une branche de houx en utilisant des moitiés de cerises pour faire les fruits et de l'angélique ou de l'ananas vert pour y tailler les feuilles. (8 portions)

BAVAROIS AUX FRAMBOISES

1 paquet de 15 onces de framboises congelées,
   décongelées
⅔ de tasse (1 petite boîte) de lait évaporé
1 enveloppe (1 cuil. à table) de gélatine en
   poudre
¼ de tasse de sucre
⅛ de cuil. à thé de sel
2 jaunes d'œufs
¼ de tasse d'eau
1 cuil. à thé de zeste de citron
2 blancs d'œufs
2 cuil. à table de sucre
1 cuil. à table de jus de citron

Passer les framboises au tamis, pour les réduire en purée; jeter les graines.

Mettre le lait évaporé dans un moule de métal et le faire congeler jusqu'à ce que de petits cristaux se forment près des bords du moule.

Bien mêler, dans une casserole, la gélatine, ¼ de tasse de sucre et le sel. Battre ensemble les jaunes d'œufs et l'eau et ajouter, ainsi que la purée de framboises, au mélange sec dans la casserole. Bien mêler et cuire à feu moyen, en brassant constamment, jusqu'au point d'ébullition. Retirer du feu et ajouter le zeste de citron, en brassant. Refroidir, en plaçant la casserole dans de l'eau glacée, jusqu'à ce que la préparation commence à épaissir.

Battre les blancs d'œufs en mousse. Ajouter 2 cuil. à table de sucre, petit à petit et en battant jusqu'à ce que la meringue soit ferme et brillante. Incorporer à la gelée. Mettre le lait évaporé partiellement gelé dans un bol et le battre jusqu'à ce qu'il forme des pics. Ajouter le jus de citron et continuer à battre jusqu'à ce que la crème soit bien épaisse. Incorporer à la gelée.

Répartir le mélange dans 6 moules de 6 onces et réfrigérer jusqu'à ce que ce soit ferme. (16 portions)

Note: si on le désire, dégeler partiellement un second paquet de framboises et décorer le dessert des fruits. Les framboises encore garnies de petits cristaux gardent mieux leur forme et ont presque l'air de fruits frais.

CHARLOTTE RUSSE

¾ de tasse d'un mélange de fruits confits
½ tasse de cerises marasques, hachées
¼ de tasse de jus de conserve de cerises
   marasques
4 jaune d'œufs
⅓ de tasse de sucre
1 pincée de sel
1½ tasse de lait
2 enveloppes (2 cuil. à table) de gélatine en
   poudre
¾ de tasse d'eau
1 cuil. à thé d'essence d'amande
½ tasse de pacanes légèrement rôties, hachées
1½ tasse de crème double (35 p.c.)
Doigts de dame (recette ci-après)
Crème fouettée sucrée
Cerises marasques

Mêler les fruits confits et ½ tasse de cerises, dans un petit plat. Ajouter le jus des cerises et laisser reposer, à la température de la pièce et en brassant souvent, pendant 1 heure.

Battre les jaunes d'œufs, dans la casserole supérieure d'un bain-marie. Ajouter le sucre, en battant. Ajouter le sel et le lait et bien mêler. Cuire au bain-marie frissonnant, en brassant, environ 20 minutes ou jusqu'à ce que la préparation adhère à une cuillère de métal.

Ajouter la gélatine à l'eau et laisser reposer pendant 5 minutes. Ajouter au mélange aux jaunes d'œufs très chaud et brasser jusqu'à ce que la gélatine soit dissoute. Retirer du feu. Ajouter les fruits et leur jus ainsi que l'essence d'amande. Mettre la casserole dans de l'eau glacée et laisser refroidir le mélange jusqu'à ce qu'il garde un peu sa forme quand on le remue à la cuillère. Ajouter les pacanes.

Fouetter 1½ tasse de crème jusqu'à ce qu'elle forme des pics et l'incorporer à la préparation.

Doubler entièrement de doigts de dame (en taillant ces derniers au besoin) un moule à charlotte, un plat ou un bol de 2 pintes. Y verser la préparation.

Réfrigérer pendant plusieurs heures ou jusqu'à ce que ce soit ferme. Démouler dans un grand plat, au moment de servir, et entourer la base de la charlotte de rosettes de crème fouettée et de cerises. (De 8 à 10 portions)

Doigts de dame

3 blancs d'œufs
1 pincée de sel
⅓ de tasse de sucre
3 jaunes d'œufs
1 cuil. à thé de vanille
⅔ de tasse de farine à gâteaux, tamisée

Chauffer le four à 350°F. Graisser et enfariner une grande plaque à biscuits.

Battre les blancs d'œufs, auxquels on aura ajouté le sel, jusqu'à ce qu'ils forment des pics. Ajouter le sucre, petit à petit et en battant bien après chaque addition. Battre jusqu'à ce que la meringue soit ferme et brillante.

Battre les jaunes d'œufs, auxquels on aura ajouté la vanille, jusqu'à ce qu'ils soient épais et d'un beau jaune citron. Incorporer aux blancs d'œufs, délicatement mais rapidement. Incorporer la farine, délicatement.

Coucher la pâte sur la plaque en bâtonnets de 2½ pouces de longueur. Vous pouvez utiliser une seringue à pâtisserie ou une petite presse à biscuits munie d'une douille ou d'un bout uni ou simplement façonner la pâte avec une cuillère; utiliser, pour chaque bâtonnet, une grosse cuillerée à thé de pâte.

Cuire au four pendant 8 ou 10 minutes ou jusqu'à ce que les doigts soient fermes et très légèrement brunis en dessous. Retirer de la plaque et faire refroidir sur une clayette. Ranger dans une boîte métallique fermant hermétiquement. (3 douzaines)

GÂTEAU ALASKA

3 chopines de crème glacée (choisir trois
    couleurs contrastantes)
1 gâteau rond de 8 pouces, à pâte blanche ou
    dorée
5 blancs d'œufs
¼ de cuil. à thé de crème de tartre
⅔ de tasse de sucre

Choisir un moule ou un bol de 7 pouces de diamètre et d'une capacité de 8 tasses. Garnir l'intérieur de papier d'aluminium; presser ce dernier dans le moule, pour qu'il en épouse la forme, et le laisser dépasser à l'extérieur du moule. Rabattre le papier tout autour du bord.

Ramollir légèrement 1 chopine de crème glacée (choisir

Le gâteau Alaska est magnifique et la neige au citron magnifiquement simple. Deux grands desserts, pourtant!

une couleur qui contrastera joliment avec la meringue qui la couvrira; la crème aux fraises est jolie.) Déposer la crème glacée à la cuillère dans le moule, l'étendre également dans le fond et tout autour, tout en laissant un creux au centre. Travailler rapidement pour que la crème glacée ne fonde pas. Congeler jusqu'à ce que la crème glacée soit à nouveau très ferme.

Ramollir une seconde chopine de crème glacée (je suggère la crème à la vanille) et l'étendre également dans le moule de façon à couvrir entièrement la première couche. Laisser un creux au centre. Congeler de nouveau.

Remplir, avec la chopine de crème glacée qui reste (la crème à l'érable fait très bien), le creux laissé au centre du moule. Niveler, avec une spatule, le sommet de la crème glacée. Couvrir d'un papier d'aluminium et congeler pendant plusieurs heures.

Déposer le gâteau sur une feuille de papier d'aluminium placée sur une plaque à biscuits. (Vous pouvez utiliser un mélange à gâteau, un gâteau du pâtissier ou une de vos recettes préférées). Renverser la crème glacée sur le dessus du gâteau et enlever doucement le moule. Retirer ensuite le papier d'aluminium. Tailler le gâteau pour n'en garder que ½ pouce tout autour de la crème glacée. Congeler à nouveau jusqu'au moment de couvrir de meringue.

Chauffer le four à 500°F.

Battre ensemble les blancs d'œufs et la crème de tartre jusqu'à ce que le mélange soit mousseux. Ajouter le sucre petit à petit, environ 1 cuil. à table à la fois, et bien battre après chaque addition. Continuer de battre jusqu'à ce que le mélange soit consistant et lustré. Étendre une mince couche de meringue sur la crème glacée et le gâteau, en travaillant très rapidement; mettre le reste de la meringue dans une seringue à pâtisserie, ajuster sur celle-ci une plaque à motif d'étoile ou de fleur et couvrir entièrement et généreusement la surface du dessert de la décoration choisie. A défaut de seringue, étendre une couche épaisse de meringue sur la surface et y modeler des pics.

Cuire, 3 minutes ou jusqu'à ce que la meringue soit légèrement brunie. Faire glisser le gâteau de la plaque à pâtisserie au plat de service et retirer le papier d'aluminium. Laisser ramollir légèrement, si cela est nécessaire (cela seulement si votre congélateur garde la crème glacée extrêmement ferme). Couper en pointes à l'aide d'un couteau très aiguisé et servir immédiatement. (12 portions)

Note: si on le désire, couvrir le gâteau de meringue à l'avance et le garder au congélateur; cuire, tel qu'indiqué, au moment de servir seulement.

TORTONI AU CHOCOLAT ET AU LAIT DE POULE

¾ de tasse de lait froid
1 paquet de 4 onces de mélange instantané pour pouding au chocolat
1¼ tasse de lait de poule (eggnog), du commerce
½ cuil. à thé de vanille
½ cuil. à thé d'essence d'amande
½ tasse de crème double (35 p.c.)
⅔ de tasse de gaufrettes à la vanille, finement émiettées
½ tasse d'amandes mondées finement hachées, rôties
½ tasse de noix do coco en flocons, rôties
Cerises marasques
Amandes entières rôties

Mettre le lait dans un petit bol. Ajouter le mélange et battre au malaxeur, à petite vitesse, jusqu'à ce que ce soit lisse. Ajouter le lait de poule, petit à petit et en mêlant. Ajouter la vanille et l'essence d'amande.

Fouetter la crème jusqu'à ce qu'elle forme des pics et l'incorporer à la crème au chocolat. Ajouter les miettes de gaufrettes, les amandes hachées et la noix de coco.

Foncer, de caissettes en papier plissé, 12 grands moules à muffins. Y mettre la préparation en remplissant les petites caissettes jusqu'au bord. Couvrir de papier d'aluminium et faire congeler jusqu'à ce que ce soit ferme, c'est-à-dire pendant 4 heures ou jusqu'au lendemain. Décorer chaque petit dessert d'une cerise et d'amandes rôties et disposer les caissettes, pour servir, sur de petits napperons de papier dans des assiettes. (12 petites portions)

SORBET AUX PÊCHES ET A L'ORANGE

1 tasse de pêches de conserve, en tranches, bien égouttées
1 cuil. à thé de gélatine en poudre
1 cuil. à table de jus de citron
½ tasse du sirop de conserve des pêches
1 jaune d'œuf
½ tasse de jus d'orange
½ cuil. à thé de zeste d'orange râpé
¼ de tasse de sucre
1 pincée de sel
1 tasse de crème simple (15 p.c.)
1 blanc d'œuf
Tranches de pêches de conserve, égouttées (facultatif)

Réduire en purée lisse 1 tasse de pêches en les écrasant à la fourchette ou en les passant au mélangeur électrique. Ajouter la gélatine au jus de citron et laisser reposer 5 minutes. Chauffer le sirop de pêches et y ajouter la gélatine détrempée. Brasser jusqu'à ce qu'elle soit dissoute et laisser refroidir (sans toutefois réfrigérer).

Battre légèrement le jaune d'œuf. L'ajouter à la préparation, en brassant, ainsi que le jus et le zeste d'orange, le sucre, le sel, la crème et la purée de pêches. Verser dans un moule de métal et faire congeler jusqu'à ce que ce soit ferme.

Battre le blanc d'œuf bien ferme. Mettre le mélange congelé dans un bol refroidi, en raclant bien le moule, et le battre au batteur rotatif jusqu'à ce qu'il soit bien lisse. Incorporer le blanc d'œuf battu et remettre le tout dans le moule. Congeler jusqu'à ce que ce soit ferme.

Mettre dans des coupes à sorbet, au moment de servir, et garnir de tranches de pêches si on le désire. (De 6 à 9 portions)

GLACE A LA NOIX DE COCO

¾ de tasse de noix de coco en flocons
2 chopines de crème glacée au café (voir note)
Approximativement ¾ de tasse de liqueur de café

Chauffer le four à 350°F. Étendre la noix de coco dans une plaque peu profonde et la faire chauffer au four, 10 minutes ou jusqu'à ce qu'elle soit dorée. Laisser refroidir.

Mettre la crème glacée dans 6 plats à dessert. Napper chaque portion d'un peu de liqueur de café et la parsemer de 2 cuil. à table de noix de coco. Servir immédiatement. (6 portions)

Note: la crème glacée à la vanille est également excellente pour ce dessert, si vous ne pouvez obtenir de crème glacée au café. On peut aussi ramollir de la crème glacée à la vanille, en la battant, dans un bol refroidi, avec une cuillère de bois ou un malaxeur électrique et y ajouter, en brassant, 2 cuil. à thé de café en poudre instantané. Travailler rapidement pour que la crème ramollisse sans fondre et recongeler la crème pour qu'elle soit bien ferme au moment de faire le dessert.

MOUSSE AU SIROP D'ÉRABLE

1 tasse de sirop d'érable
1½ cuil. à thé de gélatine en poudre
2 cuil. à table d'eau froide
2 jaunes d'œufs, légèrement battus
1 chopine de crème glacée à la vanille, ramollie

Mettre le sirop d'érable dans une petite casserole et le chauffer jusqu'à ébullition. Le faire bouillir vivement pendant environ 15 minutes, pour le réduire à ½ tasse.

Ajouter la gélatine à l'eau froide et laisser reposer 5 minutes. Ajouter alors au sirop très chaud, en brassant pour dissoudre la gélatine. Verser le mélange obtenu, bien chaud, dans les jaunes d'œufs, petit à petit et en battant constamment. Ajouter la crème glacée ramollie et bien mêler.

Verser dans 4 moules à pouding de 4 onces. Congeler jusqu'à ce que ce soit ferme et démouler avant de servir. (4 portions)

SORBET A L'ORANGE ET A L'ABRICOT

1 tasse de crème simple (15 p.c.)
1 tasse de sucre
¾ de tasse de sirop de maïs
1 tasse de nectar d'abricot, de conserve
1 tasse de jus d'orange frais
¼ de tasse de jus de citron frais
2 cuil. à thé de zeste d'orange râpé
1 cuil. à thé de zeste de citron râpé
2 blancs d'œufs

Mêler la crème, le sucre et le sirop de maïs dans une casserole. Chauffer jusqu'au point d'ébullition. Retirer du feu et laisser refroidir. Ajouter, en brassant, le nectar d'abricot, les jus d'orange et de citron ainsi que les zestes d'orange et de citron. Verser dans un moule de métal et congeler jusqu'à ce que ce soit ferme.
Battre les blancs d'œufs en une neige ferme. Mettre le sorbet congelé dans un bol refroidi et le battre jusqu'à ce qu'il soit léger; travailler rapidement pour que le sorbet ne fonde pas. Incorporer la neige de blancs d'œufs. Remettre dans le moule et congeler jusqu'à ce que ce soit ferme. (Environ 1 pinte)

POUDING AUX POMMES ET AU CITRON

2 cuil. à table de fécule de maïs
1 tasse de sucre
1 cuil. à thé de zeste de citron râpé
3 cuil. à table de jus de citron
2 œufs
1 tasse d'eau bouillante
¾ de tasse de farine à tout usage, tamisée
1 cuil. à thé de poudre à lever
¼ de cuil. à thé de sel
¾ de tasse de cassonade, mesurée bien tassée
⅔ de tasse de chapelure fine
½ tasse de noix de coco en flocons
½ tasse de beurre ramolli
2 pommes
Crème de table, crème glacée ou crème fouettée

Chauffer le four à 350°F. Beurrer un plat à cuire de 9 × 6 × 1½ pouce.
Mêler parfaitement la fécule de maïs et le sucre, dans la casserole supérieure d'un bain-marie. Ajouter le zeste et le jus de citron, en brassant. Ajouter les œufs et bien battre. Ajouter l'eau bouillante, petit à petit et en brassant. Cuire au bain-marie frissonnant, en brassant constamment, jusqu'à ce que le mélange soit épais et lisse. Laisser refroidir.
Tamiser, dans un bol, la farine, la poudre à lever et le sel. Ajouter la cassonade, la chapelure et la noix de coco. Ajouter le beurre et mêler, d'abord à la fourchette, ensuite directement avec les doigts; le mélange sera grumeleux. Mettre un peu plus de la moitié du mélange dans le plat à cuire et l'y bien tasser.
Peler les pommes, les évider et les trancher mince; les

étendre uniformément dans le plat. Couvrir du mélange au citron. Parsemer le tout de ce qui reste du mélange grumeleux.
Cuire au four de 40 à 45 minutes. Servir tiède, avec de la crème de table ou de la crème glacée, ou froid, avec de la crème fouettée. (De 6 à 8 portions)

POUDING AUX POMMES ET A LA MARMELADE

6 pommes à cuire moyennes
¾ de tasse de cassonade, mesurée bien tassée
1⅔ tasse de farine à tout usage, tamisée
3 cuil. à thé de poudre à lever
½ cuil. à thé de sel
½ tasse de sucre
⅓ de tasse de graisse végétale
1 œuf
⅓ de tasse de marmelade d'orange
½ tasse de lait
1 cuil. à thé de cannelle
2 cuil. à table de sucre
Sauce au caramel (recette ci-après)

Chauffer le four à 400°F. Beurrer un plat à cuire peu profond de 13 × 9 × 2 pouces.
Peler les pommes et les débarrasser de leur cœur. Les couper en tranches très minces et étendre ces dernières dans le plat à cuire. Parsemer de la cassonade. Mettre le plat dans le four chaud et l'y laisser pendant la préparation de la garniture.
Tamiser ensemble, dans un bol, la farine, la poudre à lever, le sel et ½ tasse de sucre. Ajouter la graisse végétale et la couper finement dans la farine. Battre l'œuf; y ajouter la marmelade et le lait, en brassant. Ajouter aux ingrédients secs et ne brasser que juste assez pour mêler tous les ingrédients.
Retirer le plat du four et étendre la pâte sur les pommes. Mêler la cannelle et 2 cuil. à table de sucre et saupoudrer la pâte du mélange. Cuire au four, de 20 à 25 minutes ou jusqu'à ce que la pâte soit toute cuite et les pommes tendres. Servir, en gros carrés, nappé de la sauce au caramel. (De 8 à 12 portions)

Sauce au caramel

3 cuil. à table de fécule de maïs
1 tasse de cassonade, mesurée bien tassée
1 pincée de sel
1 tasse d'eau froide
1 tasse d'eau bouillante
¼ de tasse de beurre
2 cuil. à thé de vanille

Mêler parfaitement, dans une casserole, la fécule de maïs, la cassonade et le sel. Ajouter l'eau froide, en brassant jusqu'à ce que le mélange soit lisse. Ajouter l'eau bouillante. Chauffer jusqu'à ébullition, à feu vif et en brassant constamment. Faire bouillir 1 minute. Retirer du feu. Ajouter le beurre et la vanille, en brassant, et servir très chaud. (Environ 2½ tasses)

GÂTEAU-POUDING
AUX AIRELLES

1½ tasse d'airelles fraîches (voir note)
1⅓ tasse d'eau
1 tasse de sucre
2 cuil. à thé de fécule de maïs
1 cuil. à table de beurre
¼ de cuil. à thé de muscade
1¼ tasse de farine à tout usage, tamisée
2 cuil. à thé de poudre à lever
½ tasse de sucre
¼ de tasse de graisse végétale
½ tasse de lait
½ tasse de dattes, en morceaux
½ tasse de raisins secs
½ tasse de noix hachées
2 cuil. à table de sucre
Crème glacée (facultatif)

Chauffer le four à 325°F. Avoir sous la main un moule en verre à feu de 10 × 6 × 1½ pouces ou un moule carré, de 8 pouces de côté.

Mettre les airelles et l'eau dans une casserole et faire bouillir vivement, 5 minutes ou jusqu'à ce que les fruits éclatent. Mêler parfaitement 1 tasse de sucre et la fécule de maïs et ajouter au mélange bouillant, petit à petit et en brassant. Faire bouillir vivement 1 minute. Retirer du feu. Ajouter le beurre et la muscade, brasser et verser dans le plat à cuire.

Tamiser, dans un bol, la farine, la poudre à lever et ½ tasse de sucre. Ajouter la graisse végétale et la couper finement. Ajouter le lait et bien mêler. Ajouter les dattes, les raisins et les noix. Déposer, par grosse cuillerée, sur le mélange aux airelles. Saupoudrer de 2 cuil. à table de sucre.

Cuire au four, 55 minutes ou jusqu'à ce que le dessus du gâteau soit bruni et la pâte bien cuite. Servir tiède, avec de la crème glacée si on le désire. (6 portions)

Note: l'airelle est ce qu'on appelle aussi canneberge ou atoca.

CROUSTILLANT AUX CERISES

1 tasse de gruau d'avoine à cuisson rapide
½ tasse d'amandes mondées, hachées
½ tasse de farine à tout usage, tamisée
1 tasse de sucre
½ tasse de beurre
½ cuil. à thé d'essence d'amande
1 boîte de 19 onces de garniture pour tarte aux
   cerises
Crème de table ou crème glacée

Chauffer le four à 375°F. Avoir sous la main un moule à gâteau carré, de 8 pouces de côté.

Mêler le gruau, les amandes, la farine et le sucre. Ajouter le beurre et mêler, d'abord à la fourchette, ensuite directement avec les doigts; le mélange sera grumeleux.

Ajouter l'essence d'amande à la garniture aux cerises.

Étendre uniformément, dans le moule, la moitié du mélange grumeleux et l'aplatir, délicatement. Déposer la garniture aux cerises, par petite cuillerée, sur cette croûte, et l'étendre uniformément jusqu'à ½ pouce des bords du moule. Parsemer de ce qui reste du mélange grumeleux. Cuire au four 40 minutes et servir tiède, avec la crème. (6 portions)

CROUSTILLANT A LA RHUBARBE

4 tasses de rhubarbe en morceaux
1 tasse de sucre
¼ de tasse de farine à tout usage
½ cuil. à thé de cannelle
½ tasse d'eau
1 tasse de farine à tout usage, tamisée
½ tasse de gruau d'avoine à cuisson rapide
1 tasse de cassonade, mesurée bien tassée
½ tasse de beurre, fondu
Crème simple ou double (15 ou 35 p.c.)

Chauffer le four à 375°F. Beurrer un plat à cuire d'environ 8 × 8 × 2 pouces.

Mêler la rhubarbe, le sucre, ¼ de tasse de farine et la cannelle et mettre le tout dans le plat. Verser l'eau sur le tout. Travailler ensemble, à la fourchette, 1 tasse de farine, le gruau, la cassonade et le beurre fondu. Étendre, sur la rhubarbe, le mélange grumeleux obtenu.

Cuire au four, 15 minutes ou jusqu'à ce que la rhubarbe soit tendre. Servir tiède, avec de la crème. (6 portions).

CROUSTILLANT AUX PÊCHES
ET AU MIEL

6 pêches, pelées et tranchées
½ tasse de noix cassées
1 cuil. à table de jus de citron
⅓ de tasse de miel liquide
½ tasse de farine à tout usage, tamisée
½ tasse de gruau d'avoine
¾ de cuil. à thé de cannelle
⅓ de tasse de beurre ramolli
Crème simple (15 p.c.) ou crème glacée

Chauffer le four à 375°F. Beurrer un plat à cuire de 1½ pinte.

Mettre les pêches dans le plat et les parsemer des noix.

Bien mêler le jus de citron et le miel et verser sur les pêches.

Mêler la farine, le gruau, la cannelle et le beurre, d'abord à la fourchette, ensuite directement avec les doigts; le mélange sera grumeleux. L'étendre sur les pêches.

Cuire au four, de 30 à 35 minutes ou jusqu'à ce que les pêches soient tendres, que le jus bouillonne et que le dessus du plat soit bruni. Servir tiède, avec de la crème simple ou de la crème glacée. (6 portions)

Pouding aux pommes et à la marmelade:
recette à la page 163

Bagatelle délicieuse: *recette à la page 160*

Gâteau Alaska: *recette à la page 161*

POUDING AU RIZ

6 œufs
3 tasses de lait
1 tasse de sucre
2 cuil. à thé de vanille
½ cuil. à thé de sel
1½ tasse de riz cuit
1 tasse de raisins secs
Muscade

Chauffer le four à 350°F. Beurrer un plat à cuire de 2 pintes. Mettre dans le four une plaque suffisamment grande pour recevoir le plat à cuire et contenant 1 pouce d'eau bouillante.
Casser les œufs, dans le plat à cuire, et les bien battre à la fourchette. Ajouter, en mêlant bien, le lait, le sucre, la vanille et le sel. Ajouter le riz et les raisins, mêler et saupoudrer généreusement de muscade.
Mettre au four, dans la plaque d'eau bouillante, et cuire environ 1 heure et 25 minutes. Brasser après 30 minutes de cuisson. Servir tiède ou refroidi. (8 portions)

POUDING TOUT SIMPLE

1¾ tasse de farine à tout usage, tamisée
2 cuil. à thé de poudre à lever
½ cuil. à thé de sel
¾ de tasse de sucre
¼ de tasse de graisse végétale, ramollie
1 œuf
¾ de tasse de lait
1 cuil. à thé de vanille
Sauce aux bleuets ou sauce dorée (recettes ci-après)

Chauffer le four à 375°F. Graisser un moule carré, de 9 pouces.
Tamiser, dans un bol, la farine, la poudre à lever, le sel et le sucre. Ajouter la graisse, l'œuf, le lait et la vanille et battre vigoureusement jusqu'à ce que la pâte soit lisse. Verser dans le moule et cuire au four, 25 à 30 minutes ou jusqu'à ce qu'une légère pression du doigt au centre du pouding ne laisse aucune empreinte. Couper en gros carrés et servir tiède, avec la sauce aux bleuets ou la sauce dorée, bien chaudes. (De 6 à 9 portions).

Sauce aux bleuets

½ tasse de sucre
2 cuil. à table de fécule de maïs
½ cuil. à thé de cannelle
1 pincée de sel
1 tasse d'eau
1 paquet de 11 onces de bleuets congelés

Bien mêler, dans une casserole, le sucre, la fécule de maïs, la cannelle et le sel. Ajouter l'eau, petit à petit et en brassant, après chaque addition, jusqu'à ce que le mélan-ge soit lisse. Ajouter les bleuets. Chauffer à feu vif, en brassant constamment, jusqu'à ébullition. Baisser le feu au plus bas et laisser mijoter, en brassant, pendant 1 minute.

Sauce dorée

2 cuil. à table de fécule de maïs
¼ de tasse de sucre
1 tasse de jus d'orange
2 cuil. à table de jus de citron
1 tasse d'ananas déchiqueté de conserve, avec son jus (voir note)
3 grosses oranges, pelées, séparées en côtes et coupées en petits morceaux

Bien mêler, dans une casserole moyenne, la fécule de maïs et le sucre. Ajouter le jus d'orange, petit à petit et en brassant jusqu'à ce que le mélange soit lisse. Ajouter le jus de citron et l'ananas, en mêlant bien. Cuire à feu vif, jusqu'à ébullition, en brassant constamment. Baisser le feu et continuer l'ébullition 5 minutes, en brassant. Ajouter les morceaux d'oranges, en mêlant bien. Garder la sauce bien chaude jusqu'au moment de servir. (Environ 3 tasses)
Note: bien brasser l'ananas avant de le mesurer. Le prendre avec une cuillère, chair et jus, pour le mettre dans la tasse à mesurer. Cette sauce est également délicieuse sur de la crème glacée.

PAIN D'ÉPICE ET COMPOTE DE POMMES

½ tasse de beurre ramolli
⅔ de tasse de sucre
2 œufs
¼ de tasse de mélasse
2 tasses de farine à tout usage, tamisée
1 cuil. à thé de bicarbonate de sodium
½ cuil. à thé de sel
1 cuil. à thé de gingembre
1 cuil. à thé de cannelle
¼ de cuil. à thé de piment de la Jamaïque (allspice), en poudre
1 tasse de lait
Compote de pommes, très chaude ou refroidie

Chauffer le four à 350°F. Graisser un moule carré de 9 × 9 × 2 pouces.
Travailler le beurre en pommade. Ajouter le sucre et battre jusqu'à ce que le mélange soit bien léger. Ajouter les œufs et battre pour que le mélange soit homogène et léger. Ajouter la mélasse, en battant.
Tamiser ensemble la farine, le bicarbonate, le sel, le gingembre, la cannelle et le piment de la Jamaïque. Ajouter au premier mélange, ainsi que le lait, en alternant et en mêlant bien après chaque addition.
Verser la pâte dans le moule et cuire au four, 35 minutes ou jusqu'à ce qu'une légère pression du doigt au centre du gâteau ne laisse aucune empreinte. Servir tiède, en gros morceaux garnis de compote de pommes. (6 portions)

Crème caramel: *recette à la page 158*

GÂTEAU AUX ABRICOTS

2 boîtes de 10 onces d'abricots en moitiés
¼ de tasse de beurre, fondu
½ tasse de cassonade, mesurée bien tassée
¼ de tasse de noix de coco en flocons
Cerises marasques (facultatif)
⅓ de tasse de graisse végétale ramollie
1 œuf
1 tasse de sucre
1⅓ tasse de farine à tout usage, tamisée
2 cuil. à thé de poudre à lever
½ cuil. à thé de sel
⅔ de tasse de lait
½ cuil. à thé d'essence d'amande
½ tasse de noix de coco en flocons
Sauce aux abricots (recette ci-après)

Chauffer le four à 350°F. Avoir sous la main un moule à gâteau carré, de 9 pouces de côté.

Bien égoutter les abricots en conservant leur jus de conserve pour la sauce. Bien mêler, dans le moule, le beurre, la cassonade et ¼ de tasse de noix de coco. Disposer les moitiés d'abricots dans ce mélange, certaines le côté creux en dessus, d'autres, sur une cerise, le côté creux en dessous.

Mêler, dans un petit bol, la graisse végétale, l'œuf et le sucre. Battre, à la grande vitesse d'un malaxeur, jusqu'à ce que ce soit très léger. Tamiser ensemble la farine, la poudre à lever et le sel. Mêler le lait et l'essence d'amande. Ajouter, au mélange en crème, les ingrédients secs et les ingrédients liquides, petit à petit et en alternant. Commencer et terminer les additions, toutefois, avec les ingrédients secs et bien mêler après chacune. Ajouter ½ tasse de noix de coco.

Étendre la pâte sur les abricots dans le moule. Cuire au four de 55 à 60 minutes ou jusqu'à ce qu'une légère pression du doigt au centre du gâteau ne laisse aucune empreinte. Renverser le gâteau dans une assiette de service. Attendre une minute avant d'enlever le moule, pour que les abricots et le sirop s'en détachent bien. Servir tiède, en carrés, nappé d'un peu de sauce aux abricots. (6 ou 9 portions)

Sauce aux abricots

Le jus de conserve des abricots du gâteau
2 cuil. à table de fécule de maïs

Mesurer le jus et y ajouter de l'eau, si cela est nécessaire, pour avoir 2 tasses de liquide. Mettre environ ¼ de tasse de ce liquide dans un petit bol, y ajouter la fécule de maïs et brasser pour que le mélange soit lisse. Chauffer ce qui reste du liquide, jusqu'à ébullition, et y ajouter la fécule délayée, petit à petit et en brassant. Chauffer à feu vif jusqu'à ce que l'ébullition reprenne et laisser bouillir 1 minute. Servir tiède.

SOUFFLÉ A L'ORANGE

Sucre
¼ de tasse de beurre
⅓ de tasse de farine
1 pincée de sel
1 tasse de lait
1 cuil. à table de zeste d'orange râpé
½ tasse de jus d'orange
6 jaunes d'œufs
6 blancs d'œufs
¼ de tasse de sucre
Sauce à l'orange (notre recette)

Fixer solidement, autour d'un plat à soufflé de 2 pintes, une double bande de papier d'aluminium épais de façon à en hausser le bord de 2 pouces. Beurrer l'intérieur du plat et de la bande. Saupoudrer le plat de 2 cuil. à table de sucre et le pencher, de côté et d'autres, de façon à en couvrir tout l'intérieur, et celui de la bande, d'une petite couche de sucre.

Chauffer le four à 325°F.

Faire fondre le beurre dans une casserole moyenne. Saupoudrer de la farine et du sel et bien mêler. Retirer du feu et ajouter le lait, d'un trait et en mêlant bien. Continuer la cuisson, à feu moyen et en brassant, jusqu'à ce que la préparation bouille et soit épaisse et lisse. Retirer du feu. Ajouter le zeste et le jus d'orange, en mêlant bien.

Battre les jaunes d'œufs, à la grande vitesse d'un malaxeur électrique, 5 minutes ou jusqu'à ce qu'ils soient d'un beau jaune citron. Ajouter le mélange à l'orange, petit à petit et en battant (au malaxeur, si l'on veut, mais à la petite vitesse).

Battre les blancs d'œufs en mousse. Ajouter le sucre, petit à petit et en battant bien après chaque addition. Battre jusqu'à ce que la meringue soit ferme et brillante. Ajouter le mélange aux jaune d'œufs, en ne brassant que très délicatement. Verser dans le plat à soufflé.

Cuire au four, 1 heure et 15 minutes ou jusqu'à ce que le soufflé soit bien bruni et pris. Servir immédiatement, nappé de sauce à l'orange tiède. (8 portions)

Note: ce soufflé, délicieux, n'est pas sucré. La sauce, elle, est sucrée et le complète merveilleusement.

Sauce à l'orange

½ tasse de sucre
2 cuil. à table de fécule de maïs
1 pincée de sel
1½ tasse de jus d'orange
1 cuil. à table de beurre
1 orange, pelée, séparée en côtes et coupées en dés

Mêler parfaitement, dans une casserole moyenne, le sucre, la fécule de maïs et le sel. Ajouter le jus d'orange, petit à petit et en brassant jusqu'à ce que ce soit lisse. Cuire à feu vif, en brassant constamment, jusqu'à ébullition. Baisser le feu au plus bas et continuer la cuisson 1 minute, en brassant. Ajouter le beurre, bien mêler et garder tiède. Ajouter les petits morceaux d'orange, au moment de servir.

SOUFFLÉ AU CHOCOLAT

Beurre
Sucre
3 carrés (3 onces) de chocolat non sucré
2 cuil. à table de beurre
¾ de tasse de farine à tout usage, tamisée
¾ de tasse de sucre
⅛ de cuil. à thé de sel
2 tasses de lait
6 jaunes d'œufs
½ cuil. à thé de vanille
8 blancs d'œufs
¼ de cuil. à thé de crème de tartre
Sauce à la liqueur de café (recette ci-après)

Bien beurrer un plat à soufflé de 2 pintes. Le saupoudrer de 2 cuil. à table de sucre et le pencher, de côté et d'autres, pour en couvrir tout l'intérieur d'une mince couche de sucre. Tailler une double bande de papier d'aluminium qui puisse hausser le bord du plat. Beurrer la bande et la couvrir d'une mince couche de sucre, comme le plat. Fixer solidement la bande, autour du plat, le côté sucré en dedans.

Mettre le chocolat et 2 cuil. à table de beurre dans un petit bol; faire fondre chocolat et beurre en plaçant le bol qui les contient dans de l'eau frissonnante.

Mêler la farine, le sucre et le sel dans une grande casserole épaisse. Ajouter le lait, petit à petit et en mêlant bien. Cuire, à feu vif et en brassant constamment, jusqu'à ce que le mélange soit très épais et commence à bouillonner. Retirer du feu.

Bien battre les jaunes d'œufs, avec une cuillère de bois. Ajouter un peu du mélange chaud, en battant. Ajouter alors les jaunes d'œufs au mélange chaud dans la casserole, petit à petit et en brassant. Cuire, en brassant, jusqu'à ce que la préparation bouillonne. Retirer du feu. Ajouter le chocolat fondu et la vanille et bien battre. Laisser refroidir 10 minutes.

Chauffer le four à 350°F.

Mettre les blancs d'œufs et la crème de tartre dans un grand bol. Battre en une mousse qui soit ferme sans être sèche. Ajouter environ ⅓ de cette mousse au mélange au chocolat et mêler, parfaitement mais très délicatement. Ajouter ce qui reste des blancs d'œufs et ne brasser, délicatement, que tout juste ce qu'il faut pour rendre le mélange homogène.

Verser dans le plat à soufflé. Cuire au four, de 55 à 60 minutes ou jusqu'à ce que ce soit pris. Servir immédiatement, nappé de la sauce à la liqueur de café. (8 portions)

Sauce à la liqueur de café

4 jaunes d'œufs
2 cuil. à table de sucre
¼ de tasse de liqueur de café
⅓ de tasse de crème double (35 p.c.), fouettée

Battre les jaunes d'œufs, jusqu'à épaississement, dans la casserole supérieure d'un bain-marie. Ajouter le sucre, petit à petit et en battant jusqu'à ce que le mélange soit épais et d'un beau jaune citron. Mettre au bain-marie frissonnant et ajouter la liqueur de café, lentement et en battant. Battre 5 minutes ou jusqu'à ce que le mélange soit bien léger. Mettre la casserole dans de l'eau glacée et battre le mélange jusqu'à ce qu'il soit refroidi. Ajouter la crème, en brassant très délicatement. Réfrigérer jusqu'au moment de servir.

POUDINGS AUX FRUITS INDIVIDUELS

⅔ de tasse d'un mélange de fruits confits
¾ de tasse de dattes, en morceaux
⅔ de tasse de raisins dorés
2 cuil. à thé de zeste d'orange râpé
½ tasse de noix grossièrement hachées
2 cuil. à table de farine à tout usage
¼ de tasse de graisse végétale ramollie
¼ de tasse de sucre
1 œuf
1 cuil. à table de jus d'orange
½ tasse de farine à tout usage, tamisée
½ cuil. à thé de poudre à lever
¼ de cuil. à thé de sel
Crème fouettée sucrée ou sauce au beurre et au brandy (recette ci-après)

Graisser 6 moules à pouding, de 6 onces.

Mêler les fruits confits, les dattes, les raisins, le zeste d'orange et les noix, dans un bol. Ajouter 2 cuil. à table de farine et brasser pour bien enfariner tous les fruits.

Bien travailler ensemble la graisse végétale, le sucre et l'œuf. Ajouter le jus d'orange, en brassant.

Tamiser ensemble, dans le mélange en crème, ½ tasse de farine, la poudre à lever et le sel et bien mêler. Ajouter aux fruits, en mêlant bien.

Mettre le mélange dans les moules et couvrir ces derniers, hermétiquement, de carrés de papier d'aluminium. Mettre sur une clayette, dans une grande marmite. Ajouter juste assez d'eau bouillante pour que la base des moules y trempe. Couvrir la marmite hermétiquement et cuire à la vapeur, 1 heure et 15 minutes ou jusqu'à ce qu'une légère pression à la surface des poudings ne laisse aucune empreinte.

Démouler dans des assiettes et servir avec de la crème fouettée sucrée ou de la sauce au beurre et au brandy. (6 portions)

Sauce au beurre et au brandy

1 tasse de cassonade, mesurée bien tassée
1 tasse de crème simple (15 p.c.)
¼ de tasse de beurre
¼ de tasse de brandy

Dissoudre la cassonade dans la crème, dans une petite casserole, en brassant ensemble ces deux ingrédients. Mettre sur feu bas, ajouter le beurre et cuire, en brassant souvent, jusqu'à ébullition.

Retirer du feu, ajouter le brandy, en mêlant bien, et servir très chaud. (Environ 1¾ tasse)

PETITS POUDINGS
AU GINGEMBRE

⅓ de tasse de beurre ramolli
⅔ de tasse de sucre
1½ tasse de farine à gâteaux, tamisée
1½ cuil. à thé de poudre à lever
¼ de cuil. à thé de sel
1 cuil. à thé de gingembre moulu
½ tasse de lait
3 blancs d'œufs
⅓ de tasse de sucre
2 cuil. à table de gingembre confit, finement
    haché
Sauce au beurre et au citron (recette ci-après)

Graisser et bien enduire de sucre 6 ramequins de 6 onces.
Bien travailler ensemble le beurre et ⅔ de tasse de sucre. Tamiser ensemble la farine, la poudre à lever, le sel et le gingembre moulu. Ajouter au mélange en crème, ainsi que le lait, petit à petit et en alternant.
Battre les blancs d'œufs en neige ferme. Ajouter ⅓ de tasse de sucre, petit à petit et en battant. Battre jusqu'à ce que la meringue soit ferme et brillante. Incorporer au premier mélange, ainsi que le gingembre confit.
Mettre dans les ramequins en emplissant ces derniers aux deux tiers. Couvrir chaque ramequin d'un carré de papier d'aluminium et le disposer sur une clayette, dans une grande casserole ou marmite. Mettre de l'eau bouillante dans la casserole juste assez pour que la base des ramequins y trempe. Couvrir hermétiquement la casserole et cuire à la vapeur, 30 minutes ou jusqu'à ce qu'une légère pression du doigt à la surface des poudings ne laisse aucune empreinte.
Démouler les poudings dans des assiettes de service et les napper de la sauce au beurre et au citron. Servir immédiatement. (6 portions)

Sauce au beurre et au citron

¼ de tasse de beurre ramolli
1 tasse de sucre
2 œufs
¼ de tasse d'eau
1 cuil. à thé de zeste de citron râpé
3 cuil. à table de jus de citron
¼ de cuil. à thé de cardamome moulue

Bien travailler ensemble, dans la casserole supérieure d'un bain-marie, le beurre et le sucre. Ajouter les œufs, un à la fois et en battant bien après chaque addition. Ajouter l'eau, en brassant. Cuire au bain-marie frissonnant, en brassant constamment, 15 minutes ou jusqu'à ce que le mélange ressemble à une sauce aux œufs claire et qu'il adhère à une cuillère de métal.
Retirer du feu et ajouter les autres ingrédients. Servir tiède. (Environ 1 tasse)

POUDING AUX POMMES
ET AUX RAISINS

¼ de tasse de beurre
½ tasse de cassonade, mesurée bien tassée
1 œuf
½ tasse de mélasse
1 cuil. à table de zeste d'orange râpé
2 tasses de gruau d'avoine à cuisson rapide,
    finement moulu (voir note)
½ cuil. à thé de sel
½ cuil. à thé de bicarbonate de sodium
1 cuil. à thé de poudre à lever
1 cuil. à thé de gingembre en poudre
1 cuil. à thé de cannelle
½ tasse de babeurre ou de lait sur
1 tasse de pommes pelées et hachées
½ tasse de gros raisins de Corinthe
Sauce au citron (recette ci-après)

Graisser parfaitement un moule à douille de 1½ pinte et en bien saupoudrer de sucre tout l'intérieur.
Bien travailler ensemble le beurre et la cassonade. Ajouter œuf, mélasse et zeste d'orange, en battant.
Bien mêler le gruau moulu, le sel, le bicarbonate de sodium, la poudre à lever et les épices et ajouter au premier mélange, de même que le babeurre ou le lait sur, en alternant. Ajouter les pommes et les raisins. Mettre dans le moule. Couvrir hermétiquement de papier d'aluminium et disposer sur une clayette, dans une grande marmite. Mettre de l'eau bouillante dans la marmite, jusqu'à mi-hauteur du moule, et couvrir hermétiquement. Cuire à la vapeur pendant 1½ heure.
Démouler, couper en grosses pointes et servir, très chaud, avec la sauce. (8 portions)
Note: moudre le gruau au hachoir, en utilisant le couteau le plus fin, ou avec un mélangeur électrique.

Sauce au citron

1 tasse de sucre
¼ de cuil. à thé de sel
2 cuil. à table de fécule de maïs
¼ de tasse de jus de citron
1¼ tasse d'eau bouillante
2 cuil. à thé de zeste de citron râpé
1 cuil. à thé de zeste d'orange râpé
1 cuil. à table de beurre

Bien mêler, dans une casserole, sucre, sel et fécule de maïs. Ajouter le jus de citron et l'eau bouillante, petit à petit et en brassant. Cuire à feu vif, en brassant constamment, jusqu'à ébullition. Baisser le feu et laisser mijoter 1 minute. Retirer du feu et ajouter, en brassant, les zestes de citron et d'orange ainsi que le beurre. Servir très chaud, sur le pouding.

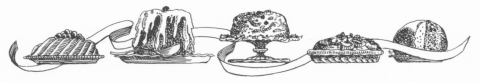

POMMES AU FOUR

8 pommes à cuire moyennes, pelées et tranchées
½ tasse de raisins secs
¼ de tasse d'eau
1 tasse de cassonade, mesurée bien tassée
1 cuil. à thé de cannelle
1½ cuil. à thé de zeste de citron râpé
½ tasse de gelée de groseilles rouges
½ cuil. à thé de vanille
Garniture au yogourt (recette ci-après) ou
  crème glacée

Chauffer le four à 350°F. Beurrer un plat à cuire de
13 × 9 × 2 pouces (2 pintes).
Mêler, dans le plat, les pommes et les raisins. Arroser
de ¼ de tasse d'eau. Mêler la cassonade, la cannelle et
le zeste de citron et parsemer les fruits du mélange, ainsi
que de la gelée de groseilles, en noisettes. Couvrir hermétiquement et cuire au four, 40 minutes ou jusqu'à ce
que les pommes soient tendres. Pousser les fruits d'un
côté du plat et ajouter la vanille au sirop, en brassant.
Servir bien chaud, avec la garniture au yogourt ou de
la crème glacée. (8 portions)

Garniture au yogourt

2 verres de 6 onces de yogourt nature
¼ de tasse de cassonade, mesurée bien tassée
½ cuil. à thé de vanille

Mêler parfaitement tous les ingrédients.

POMMES CROUSTILLANTES

⅓ de tasse de beurre (ou de margarine), ramolli
¾ de tasse de cassonade, mesurée bien tassée
¾ de tasse de farine à tout usage, tamisée
1½ cuil. à thé de cannelle
¾ de cuil. à thé de gingembre
¼ de cuil. à thé de muscade
⅛ de cuil. à thé de sel
6 pommes à cuire moyennes
6 cuil. à thé de cassonade
Crème fouettée ou crème de table

Chauffer le four à 350°F. Avoir sous la main un plat
à cuire juste assez grand pour qu'on puisse y disposer
les pommes en les espaçant un peu.
Travailler le beurre en pommade et y ajouter ¾ de tasse
de cassonade, en mêlant bien. Ajouter farine, cannelle,
gingembre, muscade et sel et bien mêler.
Peler les pommes et les évider. Les strier tout autour,
profondément, avec les dents d'une fourchette. Bien
enrober les pommes du mélange à la cassonade; presser
fermement, avec les mains, pour faire coller la garniture.
Mettre les pommes dans le plat à cuire et déposer 1 cuil.
à thé de cassonade au centre de chacune.
Cuire au four, 40 minutes ou jusqu'à ce que les pommes
soient tendres et leur enveloppe de sucre bien croustillante. Servir tiède, avec de la crème. (6 pommes)

DESSERT AUX FRUITS

⅔ de tasse de jus d'orange
2 cuil. à table de jus de citron
⅓ de tasse de sucre
2 cuil. à thé de zeste d'orange râpé
1 cuil. à thé de zeste de citron râpé
⅛ de cuil. à thé de sel
3 pêches
3 poires
1 tasse de bleuets (frais ou congelés)
Brindilles de menthe

Mêler les jus d'orange et de citron, le sucre, les zestes
d'orange et de citron et le sel, dans une petite casserole.
Chauffer jusqu'à ébullition, baisser le feu et laisser mijoter 5 minutes. Verser dans un moule de métal, peu profond, et laisser tiédir. Refroidir, au congélateur, jusqu'à
ce que des cristaux se forment près des bords du moule.
Peler et trancher les pêches. Peler les poires et les couper
en cubes. Mêler ces fruits et les bleuets et répartir le
mélange dans 6 coupes à sorbet. Répartir le sirop à
l'orange sur les fruits et garnir chaque coupe d'une brindille de menthe. Servir immédiatement. (6 portions)

Les fruits, les poètes l'ont dit,
sont des présents
des dieux. Ils terminent
ou commencent superbement un repas

FRAISES ET ANANAS EN GELÉE

¼ de tasse de sucre
2 tasses de fraises fraîches tranchées
½ tasse de jus d'ananas (jus de conserve des
  bouchées)
1 paquet de 3 onces de poudre de gelée aux
  fraises
2 cuil. à table de jus de citron
1 pincée de sel
1 tasse de bouchées d'ananas, de conserve, bien
  égouttées

Ajouter le sucre aux fraises et brasser délicatement.
Laisser reposer 30 minutes, à la température de la pièce.
Bien égoutter, mesurer le jus des fraises et y ajouter de
l'eau pour avoir 1 tasse de liquide.
Mêler ce liquide et le jus d'ananas, dans une petite
casserole, et chauffer jusqu'à ébullition. Mettre la poudre
de gelée dans un bol et verser dessus le liquide bouillant.
Brasser jusqu'à ce que la poudre soit dissoute. Ajouter
le jus de citron et le sel, en brassant. Refroidir dans de
l'eau glacée, en brassant de temps à autre, jusqu'à ce
que la gelée commence à épaissir. Incorporer les fraises
et les bouchées d'ananas, mettre dans des coupes à sorbet
et réfrigérer jusqu'à ce que ce soit ferme. (6 portions)

AVOCAT, PÊCHES, RAISINS ET FRAISES

1 gros avocat mûr, en cubes
½ tasse de pêches de conserve, en cubes
   (utiliser les pêches tranchées ou en moitiés)
1 tasse de raisins épéninés, en moitiés
½ tasse de fraises congelées, suffisamment
   dégelées pour qu'elles se séparent
¼ de tasse de sirop de conserve des pêches
2 cuil. à table de jus de limette
2 cuil. à table de miel

Mêler les fruits, dans un bol. Mêler le sirop de pêches, le jus de limette et le miel et verser sur les fruits. Couvrir de papier de cuisine transparent et bien réfrigérer, en brassant de temps à autre. Mettre dans des coupes à sorbet et servir. (De 4 à 6 portions)

COUPES DE FRUITS ROUGES

1 paquet de 15 onces de framboises congelées,
   décongelées
½ tasse de sucre
¼ de tasse d'eau
2 tasses de cerises fraîches, équeutées et
   dénoyautées
2 tasses de petites boules de melon d'eau
Approximativement ¾ de tasse de vin rosé
   pétillant, bien refroidi

Égoutter les framboises, en mettant le jus dans une casserole. Mettre les fruits de côté. Ajouter le sucre et l'eau au jus et chauffer jusqu'à ébullition. Faire bouillir vivement, pendant 10 minutes, pour réduire le mélange de moitié environ. Laisser refroidir et réfrigérer.
Mêler les framboises, les cerises et le melon d'eau, en brassant délicatement à la fourchette. Répartir dans 6 coupes à sorbet. Déposer le sirop à la cuillère sur les fruits, en le répartissant également. Ajouter du vin pour presque remplir les coupes et servir immédiatement. (6 portions)

FRUITS EN GELÉE

2 boîtes de 14 onces de bouchées d'ananas
1 boîte de 28 onces de pêches tranchées
1 boîte de 14 onces de cerises rouges
   dénoyautées
4 oranges, pelées et séparées en côtes
2 paquets de 3 onces de poudre de gelée au
   citron
2 tasses de sauternes
4 bananes, en tranches épaisses
3 tasses de raisins verts sans pépins ou de
   raisins rouges, épépinés et coupés en deux

Égoutter l'ananas et les pêches et mesurer 1 tasse du jus de conserve de chaque sorte de fruits. (Réfrigérer ce qui en reste pour d'autres usages.) Égoutter les cerises.

Assécher, sur du papier absorbant, ananas, pêches, cerises et côtes d'oranges.
Chauffer les 2 tasses de jus de conserve, mises de côté, jusqu'à ébullition. Mettre la poudre de gelée dans un bol et verser dessus le jus bouillant en brassant pour bien dissoudre la poudre. Ajouter le sauternes. Mettre le bol qui contient la préparation dans un plat d'eau glacée et refroidir, en brassant souvent, jusqu'à ce que la gelée commence à épaissir.
Disposer les fruits, pendant ce temps, dans un grand bol en verre (un bol de 14 tasses fait l'affaire) dans l'ordre suivant: les tranches de pêches, les tranches de bananes, la moitié des raisins, les cerises, les bouchées d'ananas, les côtes d'oranges et le reste des raisins. Verser la gelée sur le tout. Couvrir et réfrigérer plusieurs heures. (La gelée sera suffisamment prise pour adhérer aux morceaux de fruits.) Servir dans de grandes coupes à sorbet ou dans des plats creux. (12 portions)

SAUCE AUX PÊCHES

4 grosses pêches (ou 6 petites)
½ tasse de sucre
1 cuil. à table de fécule de maïs
1 pincée de sel
½ tasse d'eau bouillante
1 tasse de pêches, en dés
1 cuil. à table de jus de citron
3 gouttes d'essence d'amande

Peler les pêches, les hacher grossièrement et les mettre dans le bocal d'un mélangeur électrique. Les fouetter en purée (il y en aura environ 1½ tasse).
Mêler parfaitement, dans une casserole moyenne, le sucre, la fécule de maïs et le sel. Ajouter la purée de pêche et l'eau bouillante, en brassant. Cuire à feu vif, en brassant constamment, jusqu'à ébullition. Régler le feu au degré moyen, ajouter les pêches en dés et continuer la cuisson 5 minutes, en brassant constamment. Laisser refroidir. Ajouter le jus de citron et l'essence d'amande.
Servir sur du gâteau, du pouding ou de la crème glacée. (Environ 2 tasses)

SAUCE AUX RAISINS ET AU RHUM

1½ tasse d'eau
1 tasse de gros raisins de Corinthe
¼ de tasse de sucre
¼ de tasse de sirop de maïs
2 cuil. à table de beurre
⅛ de cuil. à thé de muscade
1 cuil. à table de rhum brun ou 1 cuil. à thé
   d'essence de rhum

Mêler, dans une casserole, l'eau, les raisins, le sucre et le sirop de maïs et faire bouillir, 15 minutes ou jusqu'à épaississement. Retirer du feu. Ajouter le beurre et la muscade, en brassant. Laisser refroidir. Ajouter le rhum ou l'essence de rhum et servir sur de la crème glacée à la vanille. (Environ 1¼ tasse)

Divers

Il y a quelques années, j'ai parlé dans ma chronique du merveilleux souvenir d'enfance que représentaient les "pommes d'amour" de ma grand-mère. Malheureusement, je ne pouvais donner à mes lecteurs le secret de ces marinades car ma famille en avait perdu la recette. Rien ne m'a jamais valu un aussi volumineux courrier! De tous les coins du pays on m'a envoyé la façon de confire les tomates vertes en pommes d'amour et l'on m'a demandé de publier la recette si je la trouvais.

Cette recette figure donc en bonne place dans cette section. Elle voisine avec d'autres recettes hétéroclites comme les amuse-gueule, les boissons, les bonbons, une délicieuse marmelade et quelques marinades. Toutes m'ont été demandées, et redemandées, et vous aimerez les retrouver groupées dans un livre.

OEUFS MARINÉS

1 douzaine d'œufs
2 tasses de vinaigre blanc
2 petits piments rouges forts, séchés
1 cuil. à table d'un mélange d'épices à
  marinades
2 cuil. à table de sucre
1 cuil. à thé de sel
1 tasse d'eau
1 gousse d'ail
¼ de tasse de jus de betteraves marinées

Couvrir les œufs d'eau froide, dans une casserole, et chauffer jusqu'à ébullition seulement. Couvrir, retirer du feu et laisser reposer pendant 20 minutes. Refroidir les œufs sous un jet d'eau froide et les écaler. Mettre dans un bocal de 1 pinte.

Mêler le vinaigre, les morceaux d'écorce de piment, les épices, le sucre, le sel et l'eau, dans une casserole. Chauffer jusqu'à ébullition, baisser le feu et laisser mijoter pendant 5 minutes. Laisser refroidir.

Hacher l'ail finement et l'ajouter au mélange au vinaigre, de même que le jus de betteraves. Verser sur les œufs, couvrir et laisser reposer au réfrigérateur pendant 2 ou 3 jours avant de servir.

CHAMPIGNONS MARINÉS

2 chopines (1 livre) de petits champignons
Eau bouillante
1 cuil. à thé de sel
2 cuil. à table de jus de citron
1 tasse de vinaigre de vin
½ cuil. à thé de poivre
1 petite feuille de laurier
½ cuil. à thé de feuilles de thym séchées
1 petite gousse d'ail, broyée
2 oignons verts, hachés
1 cuil. à table de persil haché
½ tasse d'huile d'olive ou d'une autre huile à
  salade

Parer les champignons et les couvrir d'eau bouillante, dans une casserole. Ajouter le sel et le jus de citron, couvrir et chauffer jusqu'à ébullition. Faire bouillir 2 minutes, égoutter et mettre dans un bocal à conserve d'une chopine.

Mettre le vinaigre, le poivre, le laurier, le thym, l'ail, l'oignon et le persil dans une casserole. Chauffer jusqu'à ébullition, baisser le feu et faire mijoter 5 minutes. Passer ce liquide très chaud, en l'ajoutant aux champignons. Ajouter aussi l'huile, couvrir et réfrigérer plusieurs heures avant de servir. (Environ 1 chopine)

CHAMPIGNONS FARCIS D'HUÎTRES

24 gros champignons (environ 2 pouces de
  diamètre)
2 cuil. à table de beurre
1 tasse d'eau
1 cuil. à thé de jus de citron
¼ de tasse de beurre
⅓ de tasse d'oignons verts finement hachés
1 chopine d'huîtres écalées, égouttées
¼ de tasse de chapelure très fine
¼ de cuil. à thé de sel
8 gouttes de sauce Tabasco

Retirer les pieds des champignons, les hacher finement et les mettre de côté.

Chauffer 2 cuil. à table de beurre dans une grande poêle épaisse. Y mettre les têtes de champignons, l'eau et le jus de citron. Cuire 3 minutes, à feu doux et en tournant les champignons une fois. Égoutter les têtes de champignons et les creuser, à l'intérieur, pour qu'elles puissent contenir beaucoup de garniture.

Mettre ¼ de tasse de beurre dans la même poêle. Ajouter les pieds des champignons hachés et les oignons verts. Cuire 3 minutes, à feu doux et en brassant. Ajouter les huîtres et continuer la cuisson jusqu'à ce que leurs bords se retroussent et s'enroulent un peu. Retirer du feu. Retirer les huîtres de la poêle et les hacher finement; les remettre dans la poêle ainsi que la chapelure, le sel et la sauce Tabasco. Mêler parfaitement.

Farcir les têtes de champignons de cette garniture, en la montant en dôme autant que possible. Mettre les bouchées dans un plat à cuire peu profond, à mesure qu'elles sont à point. Les réfrigérer jusqu'au moment de servir.

Chauffer le four à 400°F et y cuire les bouchées, de 15 à 20 minutes ou jusqu'à ce qu'elles soient très chaudes. (24 bouchées)

Note: si l'on cuit ces bouchées sans les avoir d'abord réfrigérées, 10 minutes de cuisson suffisent.

PETITES CÔTES DÉCOUVERTES A L'AIL

6 livres de petites côtes découvertes
1 petit oignon, coupé en deux
Eau bouillante
2 tasses de jus d'ananas
½ tasse de vinaigre de cidre
1 tasse de cassonade, mesurée bien tassée
¼ de tasse de sauce soya
1 cuil. à thé de gingembre en poudre
4 gousses d'ail, broyées

Demander au boucher de casser les os des côtes à tous les pouces sans toutefois couper complètement la viande pour que les côtes restent entières. Mettre celles-ci dans une grande marmite, ajouter l'oignon et couvrir d'eau bouillante. Chauffer jusqu'à ébullition, baisser le feu, couvrir et faire mijoter, 30 minutes ou jusqu'à ce que ce soit presque tendre. (Ne pas trop cuire car alors la viande se détacherait des os.) Retirer les côtes de l'eau et les laisser refroidir. Séparer les côtes en bouts de 1 pouce et les mettre dans un grand plat peu profond.

Mêler, dans une casserole, le jus d'ananas, le vinaigre, la cassonade, la sauce soya, le gingembre et l'ail. Chauffer jusqu'à ébullition, baisser le feu et faire mijoter pendant 30 minutes. Verser sur les petites côtes et tourner celles-ci dans la marinade, pour les en bien enrober. Couvrir et réfrigérer pendant environ 8 heures, en tournant les petites côtes souvent.

Chauffer le four à 350°F.

Retirer les petites côtes de la marinade et les disposer sur une clayette dans une plaque à griller. Cuire au four, en badigeonnant souvent les côtes avec la marinade et en les tournant souvent, pendant environ 30 minutes ou jusqu'à ce qu'elles soient tendres et glacées. Garder très chaud dans un réchaud de table ou dans le four chauffé à 200°F. (12 portions)

Les amuse-gueule,
il me semble, se doivent d'être
aussi plaisants
à voir qu'agréables à déguster.
Vos amis raffoleront
de ceux que j'ai rassemblés ici

WIENERS DÉLICIEUSES

½ livre de wieners
1 pomme
1½ cuil. à table de catsup
1½ cuil. à table de moutarde en pâte
Quelques gouttes de sauce Worcestershire
9 tranches de bacon

Chauffer le four à 400°F.

Couper chaque wiener en trois morceaux. Fendre chaque morceau, en longueur, presque complètement, de façon à pouvoir y introduire une tranche de pomme.

Peler et évider la pomme; la couper en 18 morceaux de la même longueur que les morceaux de wieners et d'environ ⅛ de pouce d'épaisseur.

Mêler le catsup, la moutarde et la sauce Worcestershire. Tremper les morceaux de pomme dans le mélange et les introduire dans les wieners.

Couper les tranches de bacon en deux; envelopper chaque morceau de wiener d'une demi-tranche de bacon et bien fixer le tout, avec un cure-dents.

Mettre dans une plaque peu profonde et cuire au four pendant 15 minutes ou jusqu'à ce que le bacon soit croustillant. Servir immédiatement. (18 bouchées)

FOIES DE POULETS AUX CHÂTAIGNES D'EAU

1 livre de foies de poulets
1 boîte de 6½ onces de châtaignes d'eau, égouttées
½ livre de bacon
18 fines languettes de gingembre frais (facultatif)
½ tasse de sauce soya
1 gousse d'ail, broyée
½ cuil. à thé de piment fort séché, écrasé

Laver les foies de poulets et les bien assécher sur du papier absorbant. Les couper en deux. Assécher les châtaignes sur du papier absorbant. (Les couper en deux si elles sont grosses.) Couper les tranches de bacon en deux.

Rassembler 1 morceau de foie de poulet, 1 châtaigne et 1 languette de gingembre et bien entourer d'une demi-tranche de bacon en fixant bien le tout avec un cure-dents. Répéter pour utiliser tous ces ingrédients.

Mêler, dans un plat peu profond, la sauce soya, l'ail et le piment. Faire mariner les bouchées dans ce mélange plusieurs heures, en les tournant souvent.

Retirer les bouchées de la marinade et les mettre dans une plaque à griller, au moment de servir. Mettre sous le grilloir du four et cuire, de 5 à 7 minutes ou jusqu'à ce que les bouchées soient bien cuites; les tourner une fois pendant la cuisson. Servir très chaud. (Environ 18 bouchées)

BOULE TROIS FROMAGES

4 onces d'un fromage de type fondu, à la température de la pièce
4 onces de fromage à la crème, à la température de la pièce
1 cuil. à thé de crème simple (15 p.c.)
4 onces de fromage bleu, à la température de la pièce
¼ de tasse de croustilles (potato chips), écrasées
½ cuil. à thé de paprika
Craquelins

Façonner en boule, avec les mains, le morceau de fromage fondu. Aplatir légèrement la boule en dessous. La disposer dans un plat de service. Battre le fromage à la crème et la crème jusqu'à ce que le mélange soit lisse et léger et en recouvrir uniformément la boule de fromage fondu. Réfrigérer jusqu'à ce que le fromage à la crème soit ferme.

Battre le fromage bleu au batteur rotatif, électrique ou à main, jusqu'à ce qu'il soit assoupli. En recouvrir toute la boule de fromage et réfrigérer jusqu'à ce que ce soit ferme. Sortir la boule du réfrigérateur 30 minutes avant le moment de servir, pour laisser les fromages se ramollir un peu, mêler les croustilles et le paprika et presser le mélange dans le fromage, tout autour de la boule.

Entourer la boule de craquelins, mettre un petit couteau sur le bord de l'assiette et disposer à la portée des invités.

VIANDE EN PÂTE

2 cuil. à table de beurre
2 gousses d'ail, broyées
4 cuil. à thé d'oignon finement haché
1 cuil. à table de poudre de cari
½ livre de bœuf haché
½ cuil. à thé de gingembre en poudre
1 cuil. à table de jus de citron
½ cuil. à thé de sel
Pâte à tarte pour 2 croûtes de 9 pouces
1 jaune d'œuf
1 cuil. à table d'eau froide

Chauffer le beurre dans une poêle épaisse. Ajouter l'ail, l'oignon et la poudre de cari et cuire, à feu doux et en brassant, pendant 3 minutes. Ajouter le bœuf et le cuire, en brassant, jusqu'à ce qu'il soit légèrement bruni. Retirer du feu et ajouter le gingembre, le jus de citron et le sel, en brassant. Laisser refroidir.
Chauffer le four à 450°F.
Rouler la pâte en une abaisse très mince et y tailler des ronds de 2 pouces de diamètre. Mettre la moitié de ces ronds dans une plaque non graissée et déposer sur chacun une généreuse cuillerée à thé de mélange au bœuf. Recouvrir des autres ronds, humecter le bord de la pâte, tout autour, et presser les deux petites abaisses ensemble, pour les biens souder. Avec des ciseaux de cuisine, faire une petite fente dans la pâte, sur chacune des petites bouchées.
Battre ensemble le jaune d'œuf et l'eau et badigeonner les bouchées du mélange.
Cuire au four, 10 minutes ou jusqu'à ce que ce soit bien bruni. Servir très chaud. (Environ 2½ douzaines de bouchées)

BOUCHÉES AU FROMAGE ET AUX CHAMPIGNONS

16 tranches de pain
Beurre ramolli
1 boîte de 10 onces de crème de champignons
1 cuil. à thé de moutarde en pâte
Quelques gouttes de sauce Worcestershire
1 pincée de feuilles de cerfeuil séchées (facultatif)
½ tasse de pacanes finement hachées
¼ de tasse de pimento, de conserve, finement haché
64 petits cubes de fromage gouda, d'environ ½ pouce de côté

Faire rôtir le pain légèrement, sous le grilloir du four, des deux côtés. Enlever les croûtes. Beurrer légèrement.
Mêler la crème de champignons, la moutarde, la sauce Worcestershire, le cerfeuil, les pacanes et le pimento et étendre sur les tranches de pain, en une couche épaisse.

Couper chaque tranche en 4 petits carrés et disposer ceux-ci sur des plaques à biscuits. Mettre un cube de gouda sur chaque petit carré. Mettre sous le grilloir, à peu près à mi-hauteur du four, et faire griller jusqu'à ce que ce soit chaud et que le fromage fonde. Servir très chaud. (64 bouchées)

PETITES QUICHES

Pâte à tarte pour 2 croûtes de 9 pouces
1½ tasse de gruyère râpé
2 œufs, battus
¾ de tasse de crème simple (15 p.c.)
2 cuil. à table d'oignon finement haché
1 boîte de 4½ onces de jambon de conserve épicé (devilled ham)
1 cuil. à thé de moutarde en pâte
½ cuil. à thé de sauce Worcestershire
½ cuil. à thé de sel
⅛ de cuil. à thé de poivre
Parmesan râpé

Chauffer le four à 450°F. Avoir sous la main 24 assiettes à tartelettes, de 2 pouces de diamètre.
Rouler la pâte en une abaisse très mince et y tailler 24 ronds de 3 pouces de diamètre. Habiller les assiettes de ces ronds.
Mêler tous les autres ingrédients, excepté le parmesan. Mettre le mélange dans les petites assiettes en les remplissant aux deux tiers. Saupoudrer chaque tartelette de ¼ de cuil. à thé de parmesan. Cuire au four 5 minutes, à 450°F. Réduire la température du four à 300°F et continuer la cuisson, de 15 à 20 minutes ou jusqu'à ce que la garniture des tartelettes soit prise et leur pâte légèrement brunie. Laisser refroidir un peu, démouler et servir immédiatement. (24 quiches)

GUACAMOLE

Sel
1 gousse d'ail, coupée en deux
1 gros avocat mûr
¼ de cuil. à thé de sel
¼ de cuil. à thé d'assaisonnement au chili (chili powder)
1 cuil. à thé de jus de citron
2 cuil. à thé d'oignon finement haché
Mayonnaise
Craquelins aux graines de sésame

Saupoudrer d'un peu de sel un petit bol et le frotter partout des morceaux d'ail; jeter l'ail. Écraser l'avocat dans le bol, à la fourchette, pour en faire une pâte lisse. Ajouter ¼ de cuil. à thé de sel, l'assaisonnement au chili, le jus de citron et l'oignon. Mettre dans un petit plat de service. Couvrir d'une mince couche de mayonnaise pour empêcher la préparation de noircir. Au moment de servir, bien mêler, pour incorporer la mayonnnaise, et utiliser comme pâte à tartiner sur les craquelins. (Environ 1 tasse)

PETITS CHOUX AU FROMAGE

1 tasse d'eau
½ tasse de beurre
1 tasse de farine à tout usage, tamisée
4 œufs
½ tasse de beurre
1 petite tranche d'oignon
½ tasse de farine
1½ cuil. à thé de sel
¼ de cuil. à thé de poivre
2½ tasses de lait
2 tasses de gruyère râpé

Chauffer le four à 400°F. Avoir sous la main des plaques à biscuits non graissées.
Mettre l'eau et ½ tasse de beurre dans une casserole moyenne. Chauffer, à feu vif, jusqu'à pleine ébullition. Baisser le feu au plus bas.
Ajouter 1 tasse de farine, d'un seul coup et en brassant vigoureusement, 1 minute ou jusqu'à ce que la pâte se détache des parois de la casserole et forme une boule. Retirer du feu.
Ajouter les œufs, un à la fois, en battant bien, avec une cuillère de bois, après chaque addition. Battre ainsi jusqu'à ce que la pâte soit lisse et d'apparence veloutée.
Déposer sur la plaque, par cuillerée à thé rase, en laissant 2 pouces entre les minuscules amas de pâte. Cuire au four 25 minutes ou jusqu'à ce que les choux soient fermes et dorés ainsi que secs et fermes au toucher. Les faire refroidir sur des clayettes.
Mettre ½ tasse de beurre dans une casserole moyenne. Y cuire la tranche d'oignon 3 minutes, à feu doux. Retirer l'oignon et le jeter. Ajouter au beurre ½ tasse de farine, le sel et le poivre et bien mêler. Retirer du feu et ajouter le lait, d'un trait et en mêlant bien. Continuer la cuisson, à feu moyen et en brassant, jusqu'à ce que la préparation bouille et soit épaisse et lisse. Ajouter le fromage et continuer la cuisson, à feu doux et en brassant, jusqu'à ce qu'il soit fondu. Laisser refroidir.
Remplir du mélange au fromage une seringue à pâtisserie ou un sac à douille. Faire une petite fente, dans chaque chou, et y pousser le mélange au fromage pour remplir les bouchées autant que possible. Réfrigérer jusqu'au moment de servir. Chauffer le four à 350°F. Mettre les choux farcis sur des plaques à biscuits et les chauffer au four, de 15 à 20 minutes ou jusqu'à ce qu'ils soient très chauds. On peut aussi congeler ces choux. Les chauffer alors au four 20 minutes, à 350°F, au moment de servir. (De 5 à 6 douzaines de petits choux)

PUNCH AU CHAMPAGNE

2 tasses de sucre
2 tasses de jus de citron frais
5 tasses de jus d'orange frais
2 bouteilles de sauternes, bien refroidi
1 bouteille de champagne, bien refroidi
Lamelles de citron
Lamelles d'orange

Mêler le sucre, le jus de citron et le jus d'orange, en brassant jusqu'à ce que le sucre soit dissous. Bien réfrigérer.
Verser le mélange sur des glaçons, dans un grand bol à punch, au moment de servir. Ajouter le sauternes, en brassant. Ajouter le champagne et décorer le tout de lamelles de citron et d'orange. Servir dans des tasses à punch. (Environ 40 tasses à punch)
Note: si l'on a beaucoup d'invités, préparer à l'avance le mélange de sucre et de jus de fruits, bien refroidi, pour plusieurs fois la quantité de punch ci-dessus. Mais ne faire le mélange final que pour les quantités d'ingrédients données ci-dessus.

PUNCH PLEIN AIR

3 tasses de sucre
12 tasses d'eau
¾ de tasse de jus de citron frais
3 chopines de très belles fraises
3 bouteilles de vin rosé pétillant, refroidi

Mêler le sucre, l'eau et le jus de citron dans une grande casserole et faire bouillir 3 minutes. Retirer du feu et laisser refroidir. Réfrigérer.
Mettre de côté 25 fraises; écraser les autres et les passer au tamis (ou les faire tourner au mélangeur électrique) pour les réduire en purée. Réfrigérer.
Verser le sirop et la purée de fraises sur des glaçons dans un grand bol à punch, au moment de servir. Ajouter le vin, en brassant. Ajouter les 25 fraises entières, comme garniture. Servir. (Environ 25 coupes)
Note: s'il faut une plus grande quantité de punch, préparer à l'avance du sirop et de la purée de fraises mais il vaut mieux ne mêler le punch que dans les quantités indiquées ici.

PUNCH AUX FRUITS

8 tasses d'eau
1 tasse de sucre
Glace
3 boîtes de 6 onces de limonade congelée, ramollie
1 boîte de 48 onces de jus de pomme, refroidi
2 bouteilles de 24 onces de jus d'airelles (voir note), refroidi
2 tasses de jus d'orange, refroidi
2 tasses de thé fort, refroidi

Mêler l'eau et le sucre, dans une casserole moyenne. Chauffer jusqu'à ébullition et laisser bouillir pendant 5 minutes. Laisser refroidir ce sirop.
Mettre un bloc de glace dans un bol à punch. Verser dessus le sirop refroidi, la limonade, le jus de pomme, le jus d'airelles, le jus d'orange et le thé. Bien mêler. (Environ 50 verres de 4 onces).
Note: le jus d'airelles se trouve dans le commerce sous le nom de «cocktail» de canneberge.

VIN CHAUD ET ÉPICÉ

4 bouteilles de vin de table rouge
8 tasses d'eau
½ tasse de sucre
12 clous de girofle
1 cuil. à thé de piment de la Jamaïque
   (allspice), en grains entiers
1 bâton de cannelle
½ cuil. à thé d'amer Angostura
Bâtons de cannelle (facultatif)

Mêler tous les ingrédients, excepté le dernier, dans une grande marmite. Chauffer jusqu'au point d'ébullition (ne pas laisser bouillir), baisser le feu et faire mijoter pendant 20 minutes. Passer le mélange, dans un bol à punch à l'épreuve de la chaleur. Servir dans des chopes en offrant, si on le désire, des bâtons de cannelle à la place des cuillères. (Environ 24 chopes)

RHUM CHAUD AU BEURRE

La moitié d'un bâton de cannelle
2 clous de girofle
½ cuil. à thé de sucre
1 fine lanière de zeste de citron
½ cuil. à thé de beurre
Eau bouillante
De 1½ à 2 onces de rhum ambré ou brun
Muscade moulue

Mettre la cannelle, les clous, le sucre, le zeste de citron et le beurre dans une chope de 12 onces. Ajouter un peu d'eau bouillante et bien brasser pour mêler toutes les saveurs. Ajouter le rhum et remplir la chope d'eau bouillante. Saupoudrer de muscade et servir immédiatement. (1 portion)

CAFÉ BRÛLOT

1 lanière de zeste de citron (voir note)
1 lanière de zeste d'orange (voir note)
4 cubes de sucre
2 clous de girofle
1 bout de 1 pouce d'un bâton de cannelle
1 bout de 1 pouce d'une gousse de vanille
1 tasse de cognac
1 cube de sucre
4 tasses de café très fort, bien chaud

Mettre les zestes de citron et d'orange, 4 cubes de sucre, les clous de girofle, la cannelle, la vanille et le cognac, dans la casserole supérieure d'un réchaud de table ou dans une casserole, sur le dessus de la cuisinière. Chauffer jusqu'au point d'ébullition, sans toutefois laisser bouillir. Prendre un peu du mélange, dans une louche de métal, (retirer la casserole du feu si l'on travaille sur le dessus de la cuisinière) et y ajouter 1 cube de sucre. Enflammer le mélange dans la louche. Abaisser ensuite celle-ci, avec précautions, dans le reste du mélange pour l'enflammer à son tour. Verser le café, avec précautions, dans le

mélange, contre la paroi de la casserole. Avec la louche, prendre un peu du mélange et le reverser ensuite doucement dans la casserole. Répéter ce petit jeu, à plusieurs reprises, jusqu'à ce que les flammes s'éteignent et que tous les éléments du mélange soient parfaitement mêlés.
Passer et servir immédiatement, dans des demi-tasses. (De 8 à 10 portions)
Note: avec un couteau bien aiguisé ou un couteau à peler les légumes, prélever une bande d'écorce large d'un pouce, sur toute la longueur du fruit.

CAFÉ VIENNOIS

3 tasses de café très chaud et très fort
2 bâtons de cannelle
4 clous de girofle
4 grains de piment de la Jamaïque (allspice)
½ tasse de crème double (35 p.c.), légèrement
   fouettée
Muscade
Sucre

Verser le café sur les épices, dans une casserole. Faire mijoter, à feu bas, pendant 15 minutes.
Passer et mettre dans des gobelets ou des verres à vin (mettre une cuillère dans ces derniers, avant d'y verser le liquide chaud, pour les empêcher de se briser). Décorer chaque verre d'une touche de crème fouettée, saupoudrer d'un peu de muscade et servir immédiatement, en offrant du sucre à ceux des convives qui en désirent. (Pour 6 personnes)

CAFÉ IRLANDAIS

2 cuil. à thé de sucre
Café frais infusé, très chaud
2 cuil. à table de whisky irlandais
Crème double (35 p.c.), légèrement fouettée

Chauffer une chope ou un gobelet au-dessus de la flamme; ou remplir un verre d'eau bouillante, après y avoir déposé une cuillère de métal, et le vider. Mettre le sucre dans le contenant réchauffé et remplir ce dernier, environ aux deux tiers, de café chaud. Ajouter du whisky et couronner le tout d'une grosse cuillerée de crème fouettée. Servir immédiatement. (Pour 1 personne)

BAMBOU

1½ once de sherry
1½ once de vermouth sec
Glace concassée
Quelques gouttes d'amer
1 olive verte

Verser le sherry et le vermouth sur la glace, dans un pot. Ajouter l'amer. Brasser délicatement, pour que le liquide refroidisse, et passer, dans un verre à cocktail. Ajouter l'olive. (Pour 1 personne)

BOISSON A LA MENTHE

Glace concassée
2 onces de crème de menthe
1 blanc d'œuf
Soda-water glacé
1 brindille de menthe

Mettre de la glace dans un bocal à couvercle hermétique. Ajouter la crème de menthe et le blanc d'œuf et agiter le bocal jusqu'à ce que le mélange soit mousseux. Passer, dans un verre de 10 onces, et remplir ce dernier de soda-water. Garnir de la menthe. (Pour 1 personne)

EMBRUN

½ tasse de jus d'airelles (cranberry cocktail)
2 onces de rhum
1 cuil. à table de jus de citron
1 cuil. à thé de sucre
1 blanc d'œuf
Glace concassée

Mettre tous les ingrédients dans un bocal à couvercle hermétique et agiter jusqu'à ce que le mélange soit mousseux. Passer dans un grand verre à cocktail ou dans une coupe à champagne. Servir immédiatement. (Pour 1 personne)

BOISSON GLACÉE A L'ORANGE ET A LA MENTHE

6 grandes feuilles de menthe
1 cuil. à thé de sucre fin
2 bandes, de 1 pouce, de zeste d'orange
Glace concassée
1 tasse de jus d'orange
Brindilles de menthe

Mettre les feuilles de menthe dans le fond d'un grand verre (10 ou 12 onces). Ajouter le sucre et le zeste d'orange et, avec une cuillère, bien écraser ces trois ingrédients ensemble pour mêler les saveurs. Remplir le verre de glace concassée. Ajouter le jus d'orange et brasser jusqu'à ce que le verre commence à se givrer. Ajouter de la glace concassée pour remplir de nouveau le verre et couvrir toute la surface de la boisson de brindilles de menthe. (1 portion)

FUDGE AU CHOCOLAT A L'ANCIENNE

2 tasses de sucre
¾ de tasse de crème simple (15 p.c.)
¼ de cuil. à thé de sel
2 carrés (2 onces) de chocolat non sucré
2 cuil. à table de sirop de maïs
2 cuil. à table de beurre
1 cuil. à thé de vanille
2 tasses de noix hachées

Beurrer un moule à gâteau carré, de 8 pouces de côté. **Mêler** le sucre, la crème, le sel, le chocolat et le sirop de maïs dans une casserole épaisse, de grandeur moyenne. Chauffer, à feu bas et en brassant, jusqu'à ce que le sucre soit dissous. Régler le feu au degré moyen et chauffer jusqu'à ébullition. Couvrir la casserole pendant une minute pour que la vapeur fasse fondre les cristaux de sucre sur les parois de la casserole. Découvrir et continuer la cuisson, sans brasser, jusqu'à 234°F au thermomètre à bonbons ou jusqu'à ce que quelques gouttes du mélange forment une boule molle dans de l'eau froide.

Ajouter le beurre et la vanille sans toutefois brasser. Laisser doucement tiédir, sans brasser. Ajouter les noix. Battre le fudge jusqu'à ce qu'il épaississe et perde un peu son apparence lustrée. Le verser dans le moule. Le marquer en petits carrés pendant qu'il est encore tiède. Laisser refroidir.

BOUCHÉES CROQUANTES

1¼ tasse de sucre
¾ de tasse de beurre
½ cuil. à thé de sel
¼ de tasse d'eau
½ tasse d'amandes nòn mondées
½ cuil. à thé de bicarbonate de sodium
½ tasse d'amandes mondées
1 tasse de cacahuètes salées, grossièrement hachées
⅓ de tasse de crottes de chocolat
½ tasse de cacahuètes salées, finement hachées

Mêler le sucre, le beurre, le sel, l'eau et les amandes non mondées dans une casserole épaisse et de grandeur moyenne. Chauffer jusqu'à ébullition, régler le feu au degré moyen et laisser bouillir, en brassant souvent, jusqu'à 290°F au thermomètre à bonbons ou jusqu'à ce que quelques gouttes du mélange deviennent un petit bonbon cassant dans de l'eau froide.

Retirer du feu et ajouter le bicarbonate de sodium, en brassant. Ajouter les amandes mondées et 1 tasse de cacahuètes. Bien mêler et verser immédiatement dans une plaque de 15 × 10 × 1 pouces (un moule à gâteau roulé, par exemple), beurrée. Étendre en une couche aussi mince que possible. Parsemer la préparation très chaude, uniformément, des crottes de chocolat. Laisser reposer 1 minute et étendre le chocolat ramolli pour en couvrir complètement la préparation. Saupoudrer le tout des cacahuètes finement hachées et laisser refroidir. Casser en morceaux et servir.

SUCETTES AU CHOCOLAT

½ tasse d'eau froide
4 enveloppes (4 cuil. à table) de gélatine en
   poudre
¾ de tasse d'eau
2 tasses de sucre
2 cuil. à table de sirop de maïs
1 paquet de 12 onces de crottes de chocolat
1 cuil. à thé de vanille
½ tasse de lait écrémé en poudre
½ tasse d'eau glacée
2 cuil. à table de jus de citron
Boisson au chocolat en poudre (environ ½ tasse)
Glace au chocolat (recette ci-après)
Noix hachées (environ 1 tasse)
Petits bonbons à décorer

Mettre ½ tasse d'eau dans un petit bol. Saupoudrer de la gélatine et laisser reposer 5 minutes.
Mettre ¾ de tasse d'eau, le sucre et le sirop de maïs dans une casserole moyenne. Chauffer jusqu'à ébullition, à feu vif et en brassant constamment. Régler le feu au degré moyen et laisser continuer l'ébullition 5 minutes, sans brasser. Retirer du feu. Ajouter la gélatine détrempée et brasser jusqu'à ce qu'elle soit fondue. Ajouter les crottes de chocolat et brasser pour les faire fondre. Ajouter la vanille. Laisser refroidir jusqu'à ce que le mélange garde un peu sa forme quand on le remue à la cuillère. (Attention! si vous le laissez trop refroidir, vous raterez l'opération suivante. Le mélange doit ressembler à du fudge non battu.)
Mêler le lait écrémé en poudre et l'eau glacée, pendant le refroidissement de la gelée au chocolat. Battre, à la grande vitesse d'un malaxeur électrique, 3 ou 4 minutes ou jusqu'à ce que des pics se forment. Ajouter le jus de citron et battre encore 3 ou 4 minutes ou jusqu'à ce que ce soit ferme. Incorporer à la gelée au chocolat refroidie.
Doubler de papier d'aluminium du type le plus épais un moule à gâteau carré, de 8 pouces de côté, en faisant les coins aussi lisses que possible. Y verser le mélange au chocolat et le réfrigérer jusqu'à ce qu'il soit très ferme.
Saupoudrer généreusement le dessus de la préparation de boisson au chocolat en poudre. Avec la pointe d'un couteau, dégager la préparation du papier d'aluminium, tout autour, et la démouler sur du papier ciré. Enlever le papier d'aluminium. (L'opération est un peu délicate car la gelée au chocolat colle un peu au papier; il faut qu'elle soit bien froide.) Couper en 18 morceaux de 2½ × 1¼ pouces environ. Rouler chaque morceau dans de la boisson au chocolat en poudre, pour l'en bien enrober. Enfoncer un bâtonnet dans chaque rectangle au chocolat, en le traversant presque de part en part. (On trouve, dans tous les supermarchés, des bâtons plats pour les sucettes.)
Préparer la glace au chocolat et en recouvrir entièrement les sucettes. Tremper la tête des sucettes dans les noix hachées ou les bonbons et les déposer dans une plaque recouverte de papier ciré. Réfrigérer jusqu'au moment de servir. (18 sucettes)

Glace au chocolat

1 paquet de 6 onces (1 tasse) de crottes de
   chocolat
3 cuil. à table de graisse végétale

Mettre chocolat et graisse dans la casserole supérieure d'un bain-marie. Cuire au bain-marie frissonnant (l'eau de ce dernier ne doit pas bouillir) jusqu'à ce que les ingrédients soient fondus et le mélange homogène. Retirer du feu.

AVELINES CHOCOLATÉES

3 tasses d'avelines
3 tasses de sucre à glacer, tamisé
1 blanc d'œuf
¼ de tasse de rhum
1½ tasse de crottes de chocolat semi-sucré
¾ de tasse de lait condensé sucré (voir note)
1 cuil. à table de beurre

Étendre les avelines dans une plaque et les chauffer au four, à 250°F, 15 minutes ou jusqu'à ce qu'elles soient légèrement rôties. Les passer au hachoir, en utilisant le couteau le plus fin.
Mêler parfaitement les avelines hachées, le sucre à glacer, le blanc d'œuf et le rhum. Presser ce mélange fermement dans un moule à gâteau carré, de 8 pouces de côté, légèrement beurré.
Faire fondre les crottes de chocolat au bain-marie frisonnant. Ajouter le lait condensé et le beurre, en brassant. Cuire environ 5 minutes ou jusqu'à épaississement. Verser sur la préparation dans le moule et laisser refroidir. Servir en petits carrés.
Note: ne pas utiliser de lait évaporé.

DATTES FARCIES

2 cuil. à table de beurre ramolli
1 pincée de sel
½ tasse de sucre à glacer, tamisé
3 cuil. à table de noix finement hachées
½ cuil. à thé de zeste d'orange râpé
2 cuil. à thé de beurre
40 amandes mondées (environ ¼ de tasse)
Sel
Approximativement 1 livre de dattes
   dénoyautées
Sucre

Bien travailler ensemble le beurre, 1 pincée de sel et le sucre à glacer. Ajouter les noix et le zeste d'orange et mêler en une pâte épaisse. Mettre 2 cuil. à thé de beurre et les amandes dans un plat à cuire peu profond. Faire rôtir les amandes au four, à 300°F, environ 15 minutes et en brassant souvent. Saler généreusement et laisser refroidir.
Ouvrir les dattes et farcir la moitié d'entre elles avec le mélange à l'orange et l'autre moitié avec les amandes. Bien refermer les dattes autour de leur garniture et les

rouler dans du sucre, pour les en bien enrober. Garder dans un contenant fermant hermétiquement, dans un endroit frais, jusqu'au moment de servir.

MAÏS SOUFFLÉ AU CARAMEL

6 pintes de maïs soufflé (environ 1 tasse de maïs non soufflé)
1 tasse de beurre ou de margarine
2 tasses de cassonade, mesurée bien tassée
½ tasse de sirop de maïs
1 cuil. à thé de sel
½ cuil. à thé de bicarbonate de sodium
1 cuil. à thé de vanille

Chauffer le four à 250°F.

Mettre le maïs soufflé dans un grand bol légèrement beurré.

Faire fondre le beurre dans une casserole moyenne. Ajouter la cassonade, le sirop de maïs et le sel, en brassant. Chauffer jusqu'à ébullition, en brassant constamment. Laisser bouillir, 5 minutes, sans brasser. Retirer du feu et ajouter bicarbonate de sodium et vanille, en brassant. Verser sur le maïs soufflé, petit à petit et en mêlant bien.

Mettre dans une grande plaque à rôtir et cuire au four 1 heure, en brassant toutes les 15 minutes. Retirer du four et laisser refroidir complètement. Séparer les grains, si cela est nécessaire, et ranger dans des boîtes de métal fermant hermétiquement. (6 pintes)

MARMELADE AUX AGRUMES
(piquante et modérément sucrée)

2 gros pamplemousses
2 oranges moyennes
4 citrons
2 limettes
2 mandarines
Eau (environ 48 tasses)
Sucre (environ 18 tasses)

Laver tous les fruits. Couper en lamelles les pamplemousses, les oranges, les citrons et les limettes non pelés. Couper en huit les lamelles de pamplemousses et en quatre les lamelles des autres fruits. Peler les mandarines, en mettre les pelures à plat sur la table et les couper en aiguillettes aussi fines que possible; les ajouter aux fruits. (Manger les mandarines si le cœur vous en dit, vous n'en avez pas besoin pour cette recette.) Mesurer les fruits, en faire deux parts égales et les mettre dans deux grandes marmites. Ajouter de l'eau dans les marmites, en quantité quatre fois plus grande que les fruits. (Vous aurez environ 12 tasses de fruit; vous ajouterez donc environ 48 tasses d'eau, la moitié dans chaque marmite.)

Mettre les deux marmites sur feu vif et chauffer, jusqu'à ébullition. Faire bouillir vivement, à découvert, 1 heure ou jusqu'à ce que le liquide soit réduit de moitié.

Retirer du feu. Mesurer 4 tasses de la préparation (fruits et liquide). Mettre dans une casserole plus petite et épaisse (utiliser une casserole à large diamètre et à fond plat pour que la préparation s'y étale en une couche pas très épaisse). Ajouter 3 tasses de sucre et chauffer, à feu vif et en brassant, jusqu'à ce que le sucre soit dissous. Faire bouillir vivement, en brassant de temps à autre, 12 minutes ou jusqu'à ce que le test (voir note) indique que la marmelade pourra prendre en gelée.

Retirer du feu, écumer et déposer, à la cuillère, dans des bocaux stérilisés. Couvrir la marmelade très chaude d'une mince couche de paraffine.

Répéter le procédé avec les fruits qui restent. Laisser refroidir et ranger dans un endroit frais et sombre. (Environ 20 bocaux de 8 onces).

Note: la cuisson finale de la marmelade se fait par petite quantité à la fois pour être plus rapide. La marmelade garde ainsi sa belle teinte dorée. Plus la cuisson est longue, une fois le sucre ajouté, plus la teinte de la marmelade est foncée. Pour vérifier si la marmelade peut prendre en gelée, en laisser tomber quelques gouttes du côté d'une cuillère. Les gouttes sont épaisses et glissent lentement si la préparation est suffisamment cuite. Mettre finalement quelques gouttes de la préparation dans une assiette glacée et remuer, avec une cuillère, jusqu'à ce que ce soit refroidi; on peut ainsi constater si le sirop est suffisament épais. Si l'on utilise, comme nous le suggérons, une casserole à large diamètre, le temps de cuisson sera de 12 à 15 minutes. Mais si l'on doit utiliser une casserole plus haute et plus étroite, le temps de cuisson sera probablement de 15 à 20 minutes.

PICKLES DE TOUS LES JOURS

4 pintes de concombres (voir note)
6 oignons moyens
1 piment vert doux
1 piment rouge doux
3 gousses d'ail, hachées finement
⅓ de tasse de sel à marinades
Glaçons
3 tasses de vinaigre blanc
5 tasses de sucre
1½ cuil. à thé de curcuma
1½ cuil. à thé de graines de céleri
2 cuil. à table de graines de moutarde

Bien laver les concombres et les couper en lamelles. Couper les oignons en lamelles et séparer ces dernières en rondelles. Couper les piments en courtes lanières.

Mettre une couche de tranches de concombre dans un grand bol. Ajouter une partie des tranches d'oignon et un peu du piment vert, du piment rouge et de l'ail. Saupoudrer d'une partie du sel à marinades. Ajouter une couche de glaçons. Répéter les couches de légumes, de sel et de glaçons (ceux-ci rendent les légumes croustillants), pour utiliser tous ces ingrédients. Laisser reposer 3 heures. Bien égoutter.

Mêler le vinaigre, le sucre, le curcuma et les graines de céleri et de moutarde. Ajouter aux légumes. Chauffer jusqu'au point d'ébullition (ne pas laisser bouillir). Retirer du feu et mettre dans des bocaux stérilisés. Bien sceller. Laisser se bonifier un mois avant de servir. (8 chopines)

Note: j'ai utilisé, pour cette recette, 20 concombres longs et minces.

PICKLES A LA MOUTARDE

4 tasses de très petits oignons blancs
24 petits concombres (de 3 à 4 pouces de
    longueur)
1 chou-fleur moyen
1 piment rouge doux
8 tasses d'eau froide
1 tasse de sel à marinades
1 pincée d'alun
2½ tasses de sucre
½ tasse de farine
½ tasse de moutarde en poudre
2 cuil. à table de curcuma
2 cuil. à table de graines de céleri
5 tasses de vinaigre de cidre

Éplucher les oignons. Bien laver les concombres et les couper en tranches de ¼ de pouce d'épaisseur. Séparer le chou-fleur en bouquets d'une bouchée. Couper le piment rouge en courtes lanières.

Mettre l'eau froide dans un grand bol. Ajouter le sel et l'alun et brasser jusqu'à ce que le sel soit dissous. Ajouter les légumes et laisser reposer jusqu'au lendemain. Bien égoutter.

Mettre, dans une grande marmite, le sucre, la farine, la moutarde, le curcuma et les graines de céleri et bien mêler. Ajouter le vinaigre, petit à petit et en mêlant bien. Cuire à feu moyen, en brassant constamment, jusqu'à ce que le mélange bouille et soit épais et lisse. Ajouter les légumes et cuire 15 minutes, à feu moyen et en brassant de temps à autre.

Mettre dans des bocaux stérilisés et sceller. (3 chopines)

RELISH FORT

12 piments verts doux
12 piments rouges doux
12 piments verts forts
12 piments rouges forts
Eau bouillante
3 tasses de sucre
2 cuil. à table de sel à marinades
1 pinte de vinaigre blanc

Couper les piments doux et en retirer toutes les graines. (Porter des gants de caoutchouc pour manipuler les piments forts car ces derniers brûlent la peau; attention aussi aux yeux.) Couper les piments forts et les laver, sous un fort jet d'eau froide, pour les débarrasser de leurs graines. Passer tous les piments au hachoir en utilisant le couteau le plus fin. Les mettre dans un bol et les couvrir d'eau bouillante. Laisser reposer 15 minutes. Bien égoutter.

Mettre les piments dans une grande marmite et ajouter tous les autres ingrédients. Chauffer jusqu'à ébullition, baisser le feu au degré moyen et laisser mijoter 40 minutes, en brassant souvent. Ne pas couvrir.

Mettre dans des bocaux stérilisés et chauds. Bien sceller ces derniers. (Environ 3 chopines)

POMMES D'AMOUR

3 livres de petites tomates vertes
Eau bouillante
1 cuil. à thé de sel
Clous de girofle entiers
2 tasses de vinaigre blanc
2 livres de cassonade
2 bâtons de cannelle

Laver les tomates et les mettre dans une grande casserole. Couvrir d'eau bouillante et ajouter le sel. Faire mijoter jusqu'à ce que la peau des tomates se détache un peu de leur chair. Égoutter immédiatement et peler les tomates. Piquer 2 ou 3 clous de girofle dans chacune et les mettre dans un bol. Couvrir et laisser reposer jusqu'au lendemain.

Mêler vinaigre, cassonade et cannelle et faire bouillir 5 minutes. Verser le mélange très chaud sur les tomates et laisser reposer 3 jours. (Si les tomates ne restent pas enfoncées dans le sirop, les couvrir d'une assiette et mettre dessus un bol contenant un poids, comme une grosse boîte de tomates.)

Bien égoutter les tomates, en conservant leur sirop. Mettre les tomates dans des bocaux stérilisés et chauds. Chauffer le sirop jusqu'à ébullition et le verser sur les tomates jusqu'à ce que les bocaux débordent. Sceller ces derniers pendant que le tout est très chaud. (3 chopines)

SAUCE CHILI DU TEXAS

16 tasses de tomates mûres (environ 32 tomates
    moyennes), pelées et hachées
2 tasses d'oignon haché
2 tasses de piment rouge doux (2 gros piments),
    haché
1 cuil. à thé de clous de girofle entiers
1 cuil. à thé de grains de piment de la
    Jamaïque (allspice), entiers
1 bâton de cannelle, en morceaux
2 gousses d'ail, épluchées
1 piment rouge fort, séché
1 tasse de cassonade, mesurée bien tassée
3 tasses de vinaigre blanc
2 cuil. à table de sel

Mêler les tomates, l'oignon et le piment rouge doux, dans une grande marmite. Nouer, dans un morceau de gaze, les clous de girofle, les grains de piment de la Jamaïque, la cannelle, l'ail et le piment rouge fort; ajouter à la préparation. Chauffer jusqu'à ébullition, à feu vif; laisser bouillir vivement, en brassant constamment, 30 minutes ou jusqu'à ce que la préparation soit réduite de moitié. Ajouter tous les autres ingrédients et chauffer jusqu'à ébullition. Faire bouillir vivement 5 minutes, en brassant constamment. Jeter le sachet de condiments. Mettre dans des bocaux stérilisés et bien sceller ces derniers. (Environ 6 chopines)

Index